CB000343

# DESILUSÕES DE UM AMERICANO

A marca FSC é a garantia de que a madeira utilizada na fabricação do papel deste livro provém de florestas de origem controlada e que foram gerenciadas de maneira ambientalmente correta, socialmente justa e economicamente viável.

SIRI HUSTVEDT

# Desilusões de um americano

*Tradução*
Rubens Figueiredo

Companhia Das Letras

*Grafia atualizada segundo o Acordo Ortográfico da Língua Portuguesa de 1990, que entrou em vigor no Brasil em 2009.*

*Título original*
The sorrows of an American

*Capa*
Rita da Costa Aguiar

*Preparação*
Leny Cordeiro

*Revisão*
Angela das Neves
Isabel Jorge Cury

Dados Internacionais de Catalogação na Publicação (CIP)
(Câmara Brasileira do Livro, SP, Brasil)

---

Hustvedt, Siri
Desilusões de um americano / Siri Hustvedt ; tradução Rubens Figueiredo. — São Paulo : Companhia das Letras, 2010.

Título original: The sorrows of an American
ISBN 978-85-359-1588-4

1. Romance norte-americano I. Título.

09-12015 CDD-813

---

Índice para catálogo sistemático:
1. Romances : Literatura norte-americana 813

[2010]

EDITORA SCHWARCZ LTDA.
Rua Bandeira Paulista 702 cj. 32
04532-002 — São Paulo — SP
Telefone (11) 3707-3500
Fax (11) 3707-3501
www.companhiadasletras.com.br

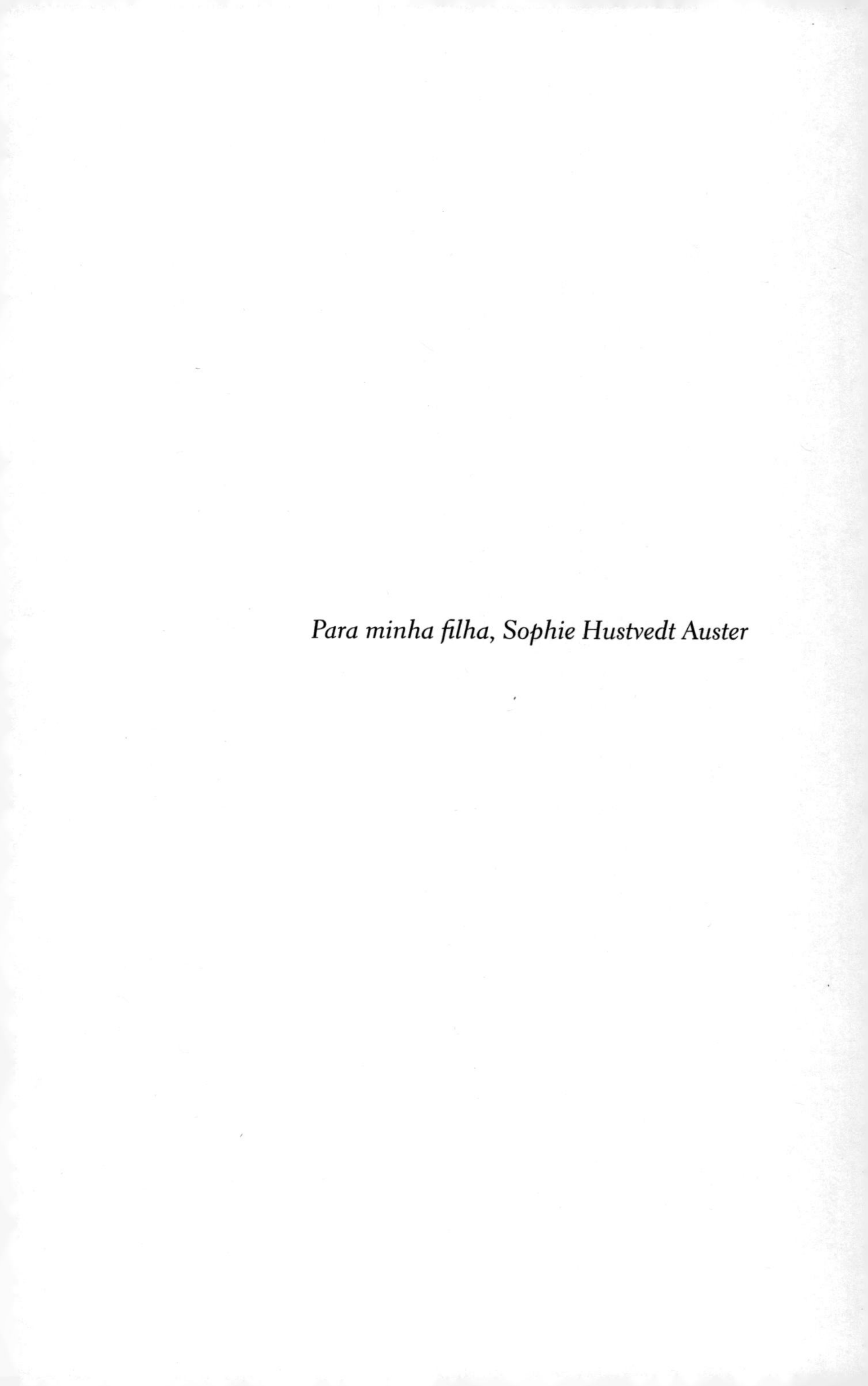

*Para minha filha, Sophie Hustvedt Auster*

*Não vire a cara.*
*Continue a olhar para as ataduras.*
*É por aí que as luzes entram em você.*

Rumi

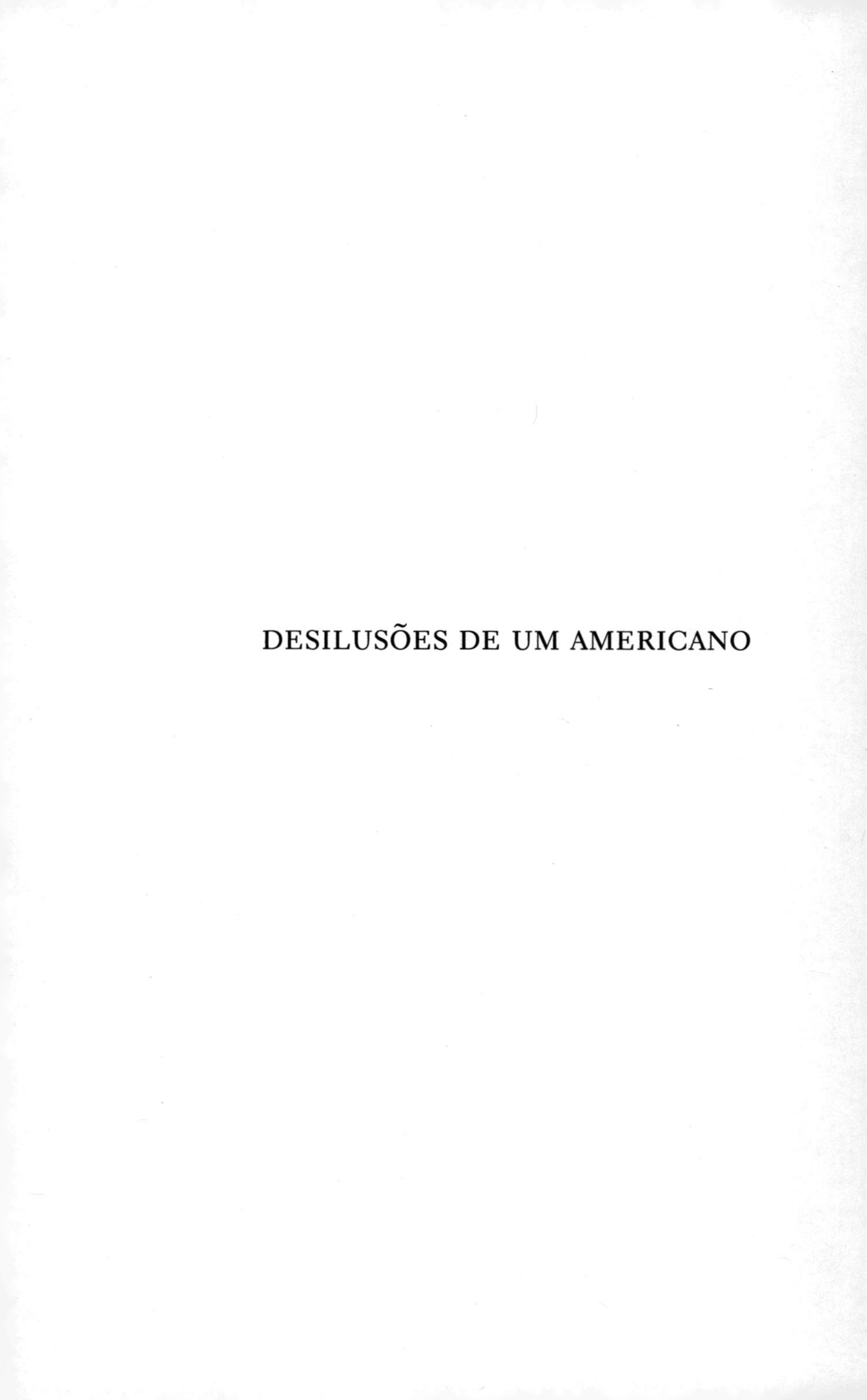

# DESILUSÕES DE UM AMERICANO

Minha irmã chamou aquela temporada de "ano dos segredos", mas agora, quando penso nisso, entendo que foi um tempo não do que existia, mas sim do que não existia. Um paciente certa vez me disse: "Há fantasmas que andam dentro de mim, mas nem sempre eles falam. Às vezes, não têm nada a dizer". Sarah, na maior parte do tempo, estreitava bem os olhos ou os mantinha fechados porque temia que a luz a cegasse. Acho que todos temos fantasmas dentro de nós, e é melhor quando eles falam do que quando não falam. Depois que meu pai morreu, não pude mais falar com ele em pessoa, mas não parei de conversar com ele dentro da minha cabeça. Não parei de vê-lo em meus sonhos nem parei de ouvir suas palavras. Contudo foi o que meu pai não tinha dito que tomou conta da minha vida por um tempo — aquilo que ele não havia contado para nós. Acontece que ele não foi o único a guardar segredos. No dia 6 de janeiro, quatro dias depois do seu enterro, Inga e eu descobrimos a carta no seu escritório.

Tínhamos ficado em Minnesota com a nossa mãe para dar

início à tarefa de selecionar os papéis dele. Sabíamos da existência de um livro de memórias que ele havia escrito nos seus últimos anos de vida, bem como de uma caixa com cartas que tinha enviado para os pais — muitas do seu tempo de soldado, no Pacífico, durante a Segunda Guerra Mundial —, mas havia naquele cômodo outras coisas que nunca tínhamos visto. O escritório do meu pai tinha um cheiro peculiar, um pouco diferente do cheiro do resto da casa. Eu me perguntava se todos os cigarros que ele havia fumado, se o café que tinha bebido e os anéis escuros que aquelas xícaras intermináveis deixaram na escrivaninha, durante quarenta anos, haviam influenciado a atmosfera do escritório a ponto de produzir o cheiro inconfundível que bateu em mim quando cruzei a porta. Agora, a casa já foi vendida. Um cirurgião-dentista a comprou e fez uma grande reforma, mas eu ainda consigo ver o escritório do meu pai com suas paredes cheias de livros, os arquivos, a escrivaninha comprida que ele mesmo havia feito, o pequeno gaveteiro de plástico em cima, que apesar da sua transparência tinha pequenas etiquetas, escritas à mão, em todas as gavetas — "clipes de papel", "pilhas do aparelho auditivo", "chaves da garagem", "borrachas".

No dia em que Inga e eu começamos a trabalhar, o tempo lá fora estava feio. Pela janela ampla eu via a fina camada de neve debaixo de um céu cor de ferro. Sentia que Inga estava de pé ao meu lado e ouvia sua respiração. Nossa mãe, Marit, dormia, e minha sobrinha, Sonia, tinha se encolhido em algum canto da casa, com um livro nas mãos. Quando abri uma gaveta do arquivo, tive o repentino pensamento de que estávamos à beira de saquear a mente de um homem, desmontar toda a sua vida, e sem aviso me veio à cabeça uma imagem do cadáver que eu havia dissecado na faculdade de medicina, o corpo estirado na mesa e a cavidade torácica escancarada à minha frente. Um dos meus colegas de laboratório, Roger Abbot, chamou o corpo de Tweedledum, Dum Dum, ou apenas Dum. "Erik, dê uma olhada no ventrículo do Dum. Hipertrofia, cara." Por um momento imaginei o pulmão destroçado do meu pai dentro do seu corpo, e depois me lembrei da sua mão apertando a minha com força, antes de eu sair do seu quartinho na clínica de repouso na última vez em que o vi com vida. De um só golpe, me senti aliviado por ele ter sido cremado.

O sistema de fichamento de Lars Davidsen era um complexo sistema de letras, números e cores, concebido para permitir uma hierarquia descendente no interior de cada categoria. As anotações iniciais ficavam subordinadas aos primeiros rascunhos, os primeiros rascunhos, aos rascunhos finais, e assim por diante. Não eram só seus anos de escrita e de magistério que estavam dentro daquelas gavetas, mas sim todos os artigos que ele havia escrito, todas as palestras que tinha dado, as volumosas notas que havia feito e as cartas que tinha recebido de colegas e amigos de curso, ao longo de mais de sessenta anos. Meu pai havia catalogado todas as ferramentas que algum dia ficaram penduradas na garagem, todas as notas fiscais dos seis carros de segunda mão de que foi dono durante a vida, todos os cortadores de grama e todos os eletrodomésticos — a vasta documentação de uma história longa e excepcionalmente frugal. Descobrimos uma lista discriminada das coisas guardadas no sótão: patins de criança, roupas de bebê, material de tricô. Numa caixinha, achei um monte de chaves. Presa a elas, uma etiqueta na qual meu pai havia escrito, com sua letra miúda e clara: "Chaves desconhecidas".

Passamos dias naquele cômodo, com grandes sacos pretos de lixo, jogando fora centenas de cartões de Natal, livros escolares, incontáveis inventários de coisas que não existiam mais. Minha sobrinha e minha mãe preferiam evitar aquele cômodo. Com o Walkman nos ouvidos, Sonia vagava pela casa, lia Wallace

Stevens e dormia no sono comatoso que vem tão fácil aos adolescentes. De vez em quando, ela chegava perto de nós, tocava no ombro da mãe ou envolvia em seus braços compridos e finos os ombros de Inga, para lhe dar um apoio silencioso, antes de deslizar para outro cômodo. Fiquei preocupada com Sonia desde que o pai dela morreu, cinco anos antes. Lembro-me de Sonia no corredor do hospital, seu rosto estranhamente impassível, o corpo enrijecido contra a parede e a pele tão branca que me fazia pensar em ossos. Sei que Inga tentou esconder de Sonia a sua dor, sei que, quando a filha estava na escola, minha irmã punha música para tocar, ficava deitada no chão e gemia, mas eu nunca tinha visto Sonia chorar, nem sua mãe. Três anos antes, na manhã do dia 11 de setembro de 2001, Inga e Sonia se viram correndo para o norte junto com centenas de pessoas que fugiam da Stuyvesant High School, onde Sonia era aluna. Estavam a poucos quarteirões das torres em chamas e só mais tarde eu soube o que Sonia tinha visto da janela da sua sala de aula. Da minha casa no Brooklyn, naquela manhã, eu só vi a fumaça.

Quando não estava descansando, nossa mãe vagava de um quarto para outro, perambulando que nem um sonâmbulo. Seu passo determinado, mas leve, não era mais pesado do que antigamente, mas tinha ficado mais vagaroso. Ela dava uma espiada no que estávamos fazendo, nos oferecia comida, mas raras vezes atravessava a porta. O cômodo devia lhe trazer à memória os últimos tempos do meu pai. O agravamento do seu enfisema aos poucos encolheu seu mundo. Perto do fim, ele mal conseguia andar e se mantinha quase sempre na área de três metros e meio por cinco do seu escritório. Antes de morrer, ele separou os papéis mais importantes, agora guardados em perfeita ordem numa fileira de caixas ao lado da escrivaninha. Foi num desses arquivos que Inga achou as cartas das mulheres que meu pai conhecera antes da minha mãe. Mais tarde, li todas as palavras que elas haviam escrito para o meu pai — um trio de amores pré-conjugais —, uma Margaret, uma June e uma Lenore, todas escreviam cartas fluentes, mas mornas, assinadas "Amor", ou "Com amor", ou "Até a próxima vez".

As mãos de Inga tremeram quando achou os maços. Era um tremor que eu conhecia bem, desde a infância, sem nenhuma relação com doença, mas com o que minha irmã chamava de eletricidade. Ela jamais conseguia prever um ataque. Eu tinha visto Inga dar palestras em público, as mãos sossegadas, e também havia visto Inga dar conferências em que suas mãos tremiam com tamanha violência que precisava escondê-las nas costas. Depois de pôr de lado os três maços de cartas de Margaret, June e Lenore, outrora tão desejadas, mas perdidas havia muito tempo, Inga puxou uma única folha de papel, passou os olhos nela com expressão espantada e, sem dizer nada, a entregou para mim.

A carta trazia a data de 27 de junho de 1937. Abaixo da data, numa letra grande e infantil, dizia: "Caro Lars, sei que você nunca vai contar nada do que aconteceu. Nós juramos sobre a BÍBLIA. Não tem mais importância, agora que ela está no céu, nem para os que ficaram aqui na terra. Acredito na sua promessa. Lisa".

"Ele queria que nós achássemos", disse Inga. "Do contrário, teria destruído. Mostrei para você aquelas revistas com as páginas arrancadas." Fez uma pausa. "Já ouviu falar da Lisa?"

"Não", respondi. "A gente podia perguntar para a mamãe."

Inga me respondeu em norueguês, como se o tema de nossa mãe exigisse o uso de nossa primeira língua. "*Nei, Jei vil ikke forstyrre henne med dette*" (Não, eu não vou perturbar a mamãe com isso). "Sempre achei", prosseguiu Inga, "que havia certas coisas que o papai escondia da mamãe e de nós, sobretudo a respeito da sua infância. Ele tinha quinze anos nessa data. Acho que já haviam perdido os quarenta acres da fazenda e, a menos que eu esteja enganada, foi o ano em que o vovô soube que o irmão, David, tinha morrido." Minha irmã olhou para baixo, para a folha de papel marrom-clara. "'Não tem mais importância, agora que ela está no céu, nem para os que ficaram aqui na terra.' Alguém morreu." Ela engoliu em seco e fez um barulho. "Coitado do papai, jurando sobre a Bíblia."

Depois que Inga, Sonia e eu despachamos onze caixas com papéis pelo correio para Nova York, a maior parte para a minha casa no Brooklyn, e voltamos para nossas respectivas vidas, eu estava sentado no meu escritório numa tarde de domingo, com as memórias escritas pelo meu pai, cartas e um pequeno diário encadernado em couro, sobre a escrivaninha à minha frente, e lembrei algo que Auguste Comte escreveu certa vez sobre o cérebro. Chamou-o de "um dispositivo por meio do qual um morto atua sobre um vivo". A primeira vez que segurei o cérebro de Dum nas mãos, de início fiquei surpreso com o seu peso, e depois com o que eu havia apagado — a consciência do homem que um dia esteve vivo, um homem de setenta anos de idade, atarracado, que morrera de doença cardíaca. Quando o homem estava vivo, pensei, tudo estava ali — imagens internas e palavras, memórias dos mortos e dos vivos.

Talvez uns trinta segundos depois, olhei através da janela e vi Miranda e Eglantine pela primeira vez. Estavam atravessando a rua com o corretor de imóveis, e logo me dei conta de que eram possíveis inquilinos para o andar térreo da minha casa. As duas mulheres que moravam no apartamento do jardim iam mudar-se para uma casa maior em Nova Jersey e eu precisava preencher a vaga. Depois do meu divórcio, a casa pareceu crescer. Genie havia ocupado muito espaço, e Elmer, seu cão spaniel,

Rufus, seu periquito, e Carlyle, seu gato, haviam ocupado também um bom território. Por um tempo, houve peixes. Depois Genie foi embora, eu usei os três andares para guardar meus livros, milhares de volumes dos quais não podia me separar. Minha ex-esposa, magoada, se referia à nossa casa como o Librarium. Eu tinha comprado a casa de arenito pardo como uma peça rara, fruto do trabalho de um artesão, antes do meu casamento, quando o mercado de imóveis estava em baixa, e desde então fizera reformas nela. Minha paixão por carpintaria é uma herança do meu pai, que me ensinou a fazer e consertar quase tudo. Durante anos eu ficava entocado numa parte da casa, enquanto esporadicamente cuidava do resto. As demandas do meu ofício médico espremiam as horas de lazer a quase nada, um dos fatores que me levaram a unir-me a essa grande legião da humanidade ocidental conhecida como "os divorciados".

A mulher jovem e a menina pararam na calçada, com Laney Buscovich, da empresa Homer Realtors. Não dava para ver o rosto da mulher, mas notei sua bela postura. Tinha o cabelo curto, bem junto à cabeça. Mesmo de longe, gostei do pescoço esguio e, embora estivesse de casaco comprido, a visão do pano por cima dos seios acendeu uma imagem repentina do seu corpo nu, e junto com isso veio uma onda de excitação. A solidão sexual que eu sentia havia algum tempo, um sentimento que certa vez me levara aos prazeres voyeurísticos da tevê pornô a cabo, se intensificaram depois do enterro do meu pai, se avolumando dentro de mim como uma tempestade iminente, e aquele acesso de libido post-mortem me deu a sensação de que eu tinha voltado à minha vida de adolescente onanista salivante, o punheteiro alto, magricela, praticamente careca, da escola secundária Blooming Field Junior.

Para interromper a fantasia, eu me virei para ver a menina. Era uma coisinha delgada, num casaco roxo e volumoso, que escalou a mureta do alpendre e ficou ali balançando o corpo, com uma perna fina esticada para a frente. Debaixo do casaco, vestia o que parecia uma espécie de tutu, uma mistura rosada de tule e de filó, por cima de uma calça de malha de ginástica preta e pesada que enfunava na altura dos joelhos. Mas o que mais chamava a atenção na criança era o cabelo, a massa castanho-clara de cachos macios que envolvia sua cabeça pequena feito uma imensa auréola. A pele da mãe era mais escura que a da filha. Se aquelas duas eram mesmo mãe e filha, concluí que o pai devia ser branco. Prendi o fôlego quando vi a menina pular da mureta, mas ela aterrissou com facilidade, com uma leve batida dos joelhos no chão. Como Tinkerbell, pensei.

*Ao recordar o início da nossa vida, o aspecto que mais causa espanto é como a nossa casa era pequena*, escreveu meu pai. *Cozinha, sala de estar e quarto de dormir no térreo, num total de 44,28 metros quadrados. Dois cômodos no primeiro andar, usados como dormitórios, com a mesma área do térreo. Não havia nenhum luxo. Nossas instalações hidráulicas consistiam em um banheiro externo e uma bomba manual, ambas situadas a vinte e três metros da casa. Uma chaleira fornecia água quente, bem como uma caixa-d'água anexa ao fogão. À diferença de fazendas mais bem equipadas, não tínhamos nenhuma cisterna subterrânea para armazenar água de chuva, mas tínhamos um grande tanque de metal que captava a água da chuva durante o verão. No inverno, derretíamos a neve. Lampiões de querosene forneciam luz. Embora a eletrificação rural tenha começado na década de 1930, só fomos "ligados" em 1949. Não havia forno. Uma estufa à lenha aquecia a cozinha e um aquecedor cuidava da sala de estar. A não ser pelas janelas reforçadas para o caso de tempestade, a casa não tinha nenhum isolamento. Só durante as ondas de frio mais rigorosas mantínhamos o fogo aceso no aquecedor durante a noite inteira. A água da chaleira muitas vezes estava congelada pela manhã. Papai acordava primeiro. Ele acendia logo o fogo, portanto boa parte do pior já tinha passado quando a gente rastejava para fora da cama. Mesmo assim, havia um bocado de calafrios e de ajuntamento em volta da estufa enquanto a gente trocava de roupa. Uma vez, no inverno, no início da década de 1930, ficamos sem lenha. Não tínhamos armazenado o suficiente. Se era preciso queimar madeira verde, cinzas e bordo davam conta do recado.*

Enquanto eu lia, estava sempre à espera de uma referência a Lisa, mas nada aparecia. Meu pai escreveu sobre os apuros de empilhar "uma simples braçada de lenha", arar a terra com Belle e Maud, as éguas da família, limpando o terreno das ervas daninhas, como o cardo canadense e o capim-amarelo, as artes rurais de lavrar, semear, lavrar em cruz, plantar milho e cortar, colher o feno, a debulha coletiva, o armazenamento no silo, a caça aos ratões do mato. Quando garoto, meu pai matava ratões do mato para ganhar dinheiro e, encarando da posição privilegiada que alcançou mais tarde na vida, ele compreendia a graça que havia naquela ocupação. Ele começou um parágrafo com a frase: *Se você não se interessa pela caça aos ratões do mato nem pelo método de apanhá-los, salte para o parágrafo seguinte.*

Todas as memórias são repletas de lacunas. É óbvio que há histórias que não podem ser contadas sem dor, para os outros ou para si mesmo, é óbvio que autobiografia é uma coisa atulhada de questões de perspectiva, autoconhecimento, repressão e fraude inequívoca. Não fiquei surpreso ao ver que a misteriosa Lisa, que fez meu pai jurar manter um segredo, estava ausente de suas memórias. Eu sabia que havia muita coisa que eu mesmo deixaria de fora das minhas memórias. Lars Davidsen foi um homem de honestidade rigorosa e de sentimentos profundos, mas Inga tinha razão a respeito da sua vida de jovem. Muita coisa ficou escondida. Entre *Não tínhamos armazenado o suficiente* e *queimar madeira verde, cinzas e bordo davam conta do recado*, havia uma história que não foi contada.

Levei anos para entender que, embora meus avós sempre tivessem sido pobres, a Depressão os havia levado à completa ruína. A casinha lamentável descrita por meu pai ainda está de pé, e os vinte acres remanescentes do que um dia foi uma fazenda hoje se encontram arrendados a outro fazendeiro que é dono de outras centenas e centenas de acres. Meu pai nunca deixou a propriedade ser vendida. À medida que sua doença se agravava, ele admitiu vender a casa onde tinha morado com minha mãe e conosco, um lugar adorável, em parte feita com a madeira das árvores que ele mesmo tinha derrubado, mas a casa da fazenda da sua infância ele deu para mim, seu filho, o médico renegado, o psiquiatra e psicanalista que mora em Nova York.

Na época em que conheci meu avô, ele se mantinha quase sempre calado. Sentava-se numa cadeira estofada na pequena sala de estar com a lenha em brasa na estufa. Além da cadeira, havia uma mesinha bamba com um cinzeiro. Quando eu era jovem, aquele objeto me fascinava porque eu o achava vergonhoso. Era a miniatura de uma privada preta, com tampa dourada, a única privada com descarga que meus avós tiveram na vida. A casa tinha sempre um cheiro forte de mofo e, no inverno, um cheiro de lenha queimada. Raramente subíamos ao primeiro andar, mas acho que nunca nos diziam para não ir lá. Os degraus estreitos levavam a três quartos pequenos, um dos quais pertencia ao meu avô. Não lembro quando foi, mas eu não podia ter mais de oito anos. Subi a escada às escondidas e entrei no quarto do meu avô. Uma luz fraca brilhava na janela pequena, e vi os ciscos de poeira dançando no ar. Olhei para a cama estreita, as pilhas de jornais amarelados, o papel de parede rasgado, alguns livros empoeirados sobre uma cômoda surrada, os sacos de tabaco, as roupas amontoadas num canto, e me veio um mudo sentimento de espanto. Acho que eu tinha uma vaga ideia da existência de um homem solitário e de alguma coisa perdida — mas não sabia o quê. Nessa recordação, ouço minha mãe atrás de mim, me dizendo que eu não devia estar ali no quarto. Ela, minha mãe, parecia saber tudo, parecia perceber o que os outros não percebiam. Sua voz nada tinha de ríspida, mas sua imposição talvez tenha gravado aquela experiência na minha memória. Fiquei imaginando se naquele quarto, em algum canto, haveria alguma coisa que eu não deveria ver.

Meu avô era gentil com a gente e eu gostava das mãos dele, até da mão direita, na qual faltavam três dedos, perdidos num acidente com uma serra circular em 1921. Ele estendia a mão, dava uma palmadinha no meu ombro e mantinha a mão ali, antes de voltar para o seu jornal e a sua escarradeira, uma lata de café com a palavra "Folgers". Os pais dele, imigrantes, tiveram oito filhos: Anna, Brita, Solveig, Ingebor, outra Ingeborg, David, Ivar (meu avô) e Olaf. Anna e Brita viveram até a idade adulta, mas morreram antes de eu nascer. Solveig morreu de tuberculose em 1907. A primeira Ingeborg morreu no dia 19 de agosto de 1884. Tinha dezesseis meses de vida. *Nosso pai me contou que essa Ingeborg morreu pouco depois de nascer e era tão pequena que usaram uma caixa de charutos como caixão. Nosso pai deve ter confundido a morte de Ingeborg com algum outro caso do local.* A segunda Ingeborg também pegou tuberculose e passou uma temporada no Sanatório Fontes Minerais, mas se recuperou. David ficou doente de tuberculose em 1925. Passou todo o ano de 1926 no sanatório. Quando se recuperou, sumiu. Só foi encontrado de novo em 1936 e, nessa altura, já tinha morrido. Olaf morreu de tuberculose em 1914. Fantasmas irmãos.

Minha avó, também filha de imigrantes noruegueses, foi criada com dois irmãos saudáveis e herdou dinheiro do pai. Era completamente distinta do marido, uma mulher com fogo nas ventas, e eu era o seu predileto. Entrar na casa virou um ritual. Eu abria a porta de tela com um empurrão, atravessava depressa a soleira e berrava, "Vovó, a minha espada!". Era a dica para ela meter a mão atrás do armário da cozinha e puxar um pauzinho em que meu tio Frederick tinha pregado outro pedacinho de pau, em forma de cruz. Ela sempre ria nessas ocasiões, um riso estalado e alto que às vezes a fazia tossir. Era gorda, mas forte, uma mulher que erguia baldes pesados cheios de água e carregava um alqueire de maçãs nas dobras da saia, uma mulher que descascava batatas com golpes ferozes da sua faca de podar e cozinhava além da conta todos os comestíveis que caíam na sua mão. Mulher de maus bofes, tinha seus dias risonhos, falantes, em que contava histórias, e tinha seus dias soturnos, em que ficava resmungando pelos cantos e vociferava opiniões dúbias sobre banqueiros, gente rica e vários outros que eram culpados de crimes. Em seus piores dias, ela falava uma coisa terrível: "Nunca devia ter casado com o Ivar". Quando a mãe dele desandava a falar bobagens, meu pai ficava tenso, meu avô ficava quieto, minha mãe tentava usar de bom humor e contemporizar, e Inga, sensível à mais leve mudança de clima emocional, cujo rosto registrava dor ante o mais ligeiro sinal de conflito, se retraía. Uma voz mais alta, uma réplica, uma expressão mais dura, uma palavra irritada afetavam Inga como se fossem agulhas. Sua boca ficava rija e os olhos se enchiam de lágrimas. Quantas vezes, naqueles momentos, eu desejei que ela fosse só um pouquinho mais firme.

Apesar dos eventuais ataques de raiva da vovó, nós adorávamos ficar lá, o lugar que meu pai chamava de "nossa casa", sobretudo no verão, quando os campos lisos e vastos, com o milho que crescia, se estendiam até o horizonte. Um trator enferrujado, meio coberto pelo mato, um Modelo A permanentemente estacionado, a velha bomba-d'água e as fundações de pedra do que fora outrora um celeiro eram instrumentos para as nossas brincadeiras. A não ser pelo vento que sacudia o capim e as árvores, o som dos pássaros e um ou outro carro que passava de vez em quando na estrada, havia pouco barulho. Eu nunca parava para pensar no fato de que eu e minha irmã estávamos escalando, correndo e inventando nossas histórias de órfãos náufragos num mundo parado no tempo, mas em algum ponto o mundo dos meus avós, o mundo daquela segunda geração de imigrantes, tinha mesmo parado. Agora vejo que o lugar é uma cicatriz formada em torno de uma ferida antiga. É esquisito que sejamos todos compelidos a repetir a dor, mas passei a encarar isso como uma verdade. O que antes existia não nos abandona mais. Quando meu bisavô Olaf Davidsen, o mais jovem de seis filhos, deixou a pequenina fazenda situada no alto de uma montanha em Voss, Noruega, na primavera de 1868, ele já sabia inglês e alemão e tinha autorização para lecionar. Escrevia poemas. Meu avô só chegou a concluir a quinta série.

O diário era um desses volumes pequenos com poucas linhas para cada dia. Meu pai fez suas anotações de 1937 até 1940, e havia anotações avulsas com data de 1942. A prosa de Lars Davidsen sofreu uma revolução a partir de 1937 e fiquei intrigado com seu emprego peculiar do verbo *ser* e das suas preposições mutantes. Havia numerosas anotações que diziam apenas *Estive à escola*. Levei alguns minutos para me dar conta de que essa construção esquisita era uma tradução aproximada da forma norueguesa "*Var på skolen*", literalmente "estive na escola". A sintaxe dele e algumas de suas preposições eram versões para o inglês da primeira língua da família. Acho que ele ganhou o diário de presente de Natal e começou a escrever no caderno no dia 1º de janeiro. Registrava as visitas dos vizinhos e as visitas aos vizinhos: *Masers veio jantar. Neil também. Os jovens Jacobsen vieram de tarde. Estive aos Breker hoje. Estive numa festa na casa dos Bakkethun.* As condições do tempo: *Houve uma tempestade de neve hoje. O vento soprou com muita força. O tempo esteve bonito e a neve derreteu. Hoje teve uma tempestade de neve forte. Da manhã até agora. Tem um monte de neve de um metro e meio do lado de fora da casa.* Doenças de inverno: *Lotte e Frederick não foram na escola, mas Frederick já saiu da cama hoje. Ficou o dia todo na cama por causa de uma tosse.* Problemas com os bichos: *Papai e eu fomos até a casa do Clarence Brekke. Ele andou com má sorte. Morreram quatro bois dele. Papai foi até a casa do Clarence para ajudar a esfolar a sétima vaca. Quatro bezerras, um bezerro, uma vaca e um boi morreram na mesma semana. O cavalo de Jacobsen, Tardy, morreu. O cachorro do Ember foi atropelado.* No dia 28 de janeiro, achei uma referência a David. *Hoje tem um ano que papai subiu nas cidades para identificar o tio David depois que soube que ele tinha morrido.* Na primavera, há muitos registros sobre ratões do mato: *Peguei seis ratões do mato hoje. Peguei quatro ratões do mato. Peguei sete ratões do mato ao todo nas terra dos Otterness.* No dia 1º de junho, meu pai escreveu: *Houve uma briga entre Harry e o papai.* No dia 3 de junho, encontrei a primeira referência ao mundo além daquela pequena comunidade rural. *Arei e semeei hoje. O rei Eduardo e a sra. Wallis Simpson.* No dia 15 daquele mesmo mês, meu pai registrou uma emoção. *Trabalhei com a enxada o dia inteiro na plantação de batatas. Pete Bramvold esteve aqui e quis me contratar. Fiquei chateado pra cachorro porque eu não podia ir.* Um dia antes de Lisa mandar a carta para o meu pai, 26 de junho, achei esta anotação: *Aramos a terra na plantação de batatas. Papai esteve à cidade. Harry foi preso.*

Quem era Harry? Quando falei com Inga, ela disse que não fazia a menor ideia. Concordei que devia escrever para o tio Frederick e perguntar para ele. Tante Lotte não estava acessível a perguntas. Estava internada num asilo com mal de Alzheimer.

* * *

A primeira coisa que Eglantine me disse foi: "Olhe, mamãe, ele é um gigante". Depois de abrir a porta para minhas novas inquilinas, fiquei um tanto aliviado porque olhei para Miranda pela segunda vez e apertei sua mão sem desmaiar. Os olhos dela eram fora do comum. Eram grandes, em forma de amêndoa, cor de casca de avelã, e ligeiramente repuxados para cima, como se alguém na família tivesse vindo da Ásia, mas naqueles segundos iniciais o que me impressionou foi seu olhar profundo. Em seguida ela baixou os olhos extraordinários na direção da filha e disse: "Não, Eggy, ele não é um gigante. É um homem alto".

Olhei para baixo, para a criança, e falei: "Bem, eu estou bem perto de ser tão alto quanto um gigante, mas não sou como os gigantes dos contos de fadas". Curvei-me e sorri de modo encorajador, mas a menininha não sorriu de volta para mim. Fitou-me sem piscar e depois estreitou os olhos, como se estivesse avaliando meu comentário com muita seriedade. Sua expressão grave me deixou ainda mais acanhado com o meu tamanho. Tenho um metro e noventa e quatro de altura. Inga tem um metro e oitenta e dois e meu pai tinha pouco menos de um metro e noventa. Minha mãe é a tampinha, com um metro e setenta e sete. A família Davidsen e, do lado paterno da minha mãe, a família Nodeland tendiam para a magreza e a estatura elevada. A combinação genética era previsível, e Inga e eu crescemos e crescemos sem parar. A gente teve de aguentar todas as piadas sobre varapau, poste de luz e como está o tempo aí em cima durante toda a vida, bem como a constante suposição de que éramos exímios jogadores de basquete. Não havia lugar adequado para pessoas como eu em nenhum cinema, teatro, avião ou metrô, nenhuma privada ou pia em banheiros públicos, nenhum sofá ou poltrona nos saguões ou nas salas de espera, nenhuma mesa nas bibliotecas do mundo jamais foi construída para gente como eu. Durante anos tive a sensação de habitar um mundo alguns números abaixo do meu tamanho, menos em casa, onde elevei os móveis e construí estantes altas que, como disse Goldilocks, eram "do tamanho exato".

Quando sentamos à minha mesa da cozinha, senti uma forte reserva por parte de Miranda Casaubon, uma distância orgulhosa, que admirei bastante, mas que tornou a conversa difícil. Sua idade devia andar entre vinte e cinco e trinta e cinco anos, vestia-se de modo conservador, a não ser pelas botas de cano alto, com cadarços até em cima na parte da frente e muito justas nas panturrilhas. Laney havia me dito que Miranda tinha um "bom emprego" como programadora visual de livros numa editora importante, estava em condições de pagar o aluguel e tinha insistido em morar em Park Slope para que a filha pudesse frequentar a P. S. 321, a escola primária local. Não havia sinal do pai. Miranda me contou que tinha sido criada na Jamaica e partiu de lá com a família aos treze anos. Seu sotaque havia sido apagado, mas ela conservava um pouco da musicalidade do inglês do Caribe. Seus pais e suas três irmãs, agora, moravam todos no Brooklyn. Miranda mantinha as mãos sobre a mesa enquanto falava, uma sobre a outra. Eram magras, dedos compridos, e notei que não havia nenhuma tensão nas mãos, nem no resto do corpo, aliás. Ela se mantinha serena, relaxada e alerta.

Se não fosse Eggy, eu não teria descoberto mais nada. Ela ficou em silêncio depois dos nossos cumprimentos e, quando nos sentamos, a menina apertou o braço da mãe, afundou a cara no seu ombro e aí começou a brincar com o encosto da cadeira. Segurava o encosto com a mão e o inclinava para trás até não poder inclinar mais, e então puxava seu corpo de volta. Depois dessa rotina de ginástica, ela deu um pulo de repente e se pôs a dançar em volta da cozinha com os braços abertos, enquanto os cachinhos castanho-claros esvoaçavam. Escalou as estantes de livro e começou a cantar: "Livros, livradas, livros, livradas! Livro-em-livro, livro-em-livro. Hoje eu sei ler".

Eu me virei para Miranda. "Ela sabe ler?"

Miranda sorriu pela primeira vez e vi seus dentes brancos e regulares, só um pouquinho para fora. A ligeira protrusão dos dentes me causou um arrepio e tive de desviar os olhos. "Um pouco. Está no jardim de infância e está aprendendo."

Eggy inclinou a cabeça para trás, abriu muito os braços e começou a girar sobre o chão.

"Você está ficando muito agitada", disse Miranda. "Acalme-se."

"Gosto de ficar agitada!" Sorriu para nós e sua boca larga parecia ocupar toda a parte de baixo do seu rosto pequeno, o que por um momento lhe deu a fisionomia de um elfo.

"Estou falando sério", disse Miranda.

A menininha olhou bem para a mãe, em seguida rodou outra vez, porém mais devagar. Depois de uma breve batida rebelde do pé no chão, ela sacudiu os cachinhos e escapuliu na minha direção, espiando a mãe com um toque de desgosto. Moveu-se para perto de mim, com ar conspiratório, e perguntou: "Quer saber um segredo?".

Olhei para Miranda.

"Talvez o doutor Davidsen não queira ouvir", disse Miranda.

"Erik", falei.

Miranda me olhou de relance, mas não falou nada.

"Terei muito prazer em ouvir, se a sua mãe deixar", respondi, selando um acordo.

Eggy fitou a mãe de modo incisivo. Miranda deu um suspiro e fez que sim com a cabeça, e depois senti a mão da menina sobre a minha cabeça, me puxando na direção da sua boca. Num sussurro alto, agitado, que deu a sensação de uma rajada de vento no meu tímpano, falou: "Meu pai estava numa caixa grande e aí ficou cheirando muito mal e ficou molhado lá dentro, e aí ele desa...", fez uma pausa, "...pareceu. Porque ele é um mágico".

Eu não sabia muito bem se Eggy achava que suas palavras eram inaudíveis para a mãe, mas vi Miranda fazer uma careta por um momento e baixar as pálpebras. Eu me virei para Eggy e disse: "Não vou contar para ninguém. Prometo".

A jovem Eglantine me dirigiu um sorriso sedutor. "Você tem de dizer que jura pela sua mãe."

"Juro pela minha mãe", falei.

Isso pareceu deixar Eggy encantada. Sorriu radiante para mim, fechou os olhos e depois inspirou profundamente pelo nariz, como se tivéssemos trocado cheiros e não palavras.

Quando me virei para Miranda, surpreendi-a olhando para mim com uma expressão astuta, como se estivesse devassando as profundezas do meu pensamento. Tenho um fraco por mulheres espertas, e sorri para ela. Miranda me sorriu em resposta, mas então se levantou, pondo de fato um ponto-final no encontro. O gesto abrupto despertou um desejo repentino de conhecer a história dela, descobrir tudo a respeito daquela mulher, sua filha de cinco anos e o pai misterioso, que a filha colocou numa caixa.

Antes que atravessassem a porta, eu disse: "Por favor, me avisem se precisarem de alguma coisa ou se houver algo que eu possa fazer antes de se mudarem".

Vi as duas descendo a escada, virando no corredor, e ouvi a mim mesmo dizendo: "Estou tão solitário". Aquilo me abalou porque a frase tinha virado um cacoete verbal involuntário. Raramente eu me dava conta de que estava pronunciando a frase, ou talvez nem soubesse que articulava as palavras em voz alta. Eu havia começado a experimentar aquele mantra espontâneo ainda no tempo em que estava casado, murmurava aquilo antes de dormir, no banheiro, ou até no mercado, mas no último ano tinha se tornado algo mais constante. Meu pai fazia isso com o nome da minha mãe. Sentado sozinho na poltrona, antes de cochilar, e depois, em seu quarto no asilo, ele murmurava *Marit* repetidas vezes. Em certas ocasiões, fazia isso quando ela estava ao alcance da sua voz. Caso respondesse ao chamado do marido, ele parecia não saber que havia falado o nome dela. Esta é a estranheza da língua: cruza as fronteiras do corpo, está ao mesmo tempo fora e dentro, e às vezes acontece que não percebemos que a linha divisória foi cruzada.

Na condição de viúva e divorciado, Inga e eu encontrávamos o terreno comum que a solidão recíproca nos oferecia. Depois que Genie me deixou, me dei conta de que a maioria dos jantares, festas e eventos que havíamos frequentado tinha mais ligação com ela do que comigo. Ela achava chatos os meus colegas de Payne Whitney, onde eu trabalhava naquela ocasião, e também meus colegas psicanalistas. Inga também perdera os amigos, pessoas atraídas pelo brilho do marido famoso, que a haviam aceitado como uma assistente charmosa, mas que sumiram depois da morte de Max. Embora ela não desse a mínima para muitos deles, havia outros cuja ausência apressada lhe causou uma dor profunda. Mas Inga não procurou nenhum deles.

Inga conheceu Max quando era aluna de pós-graduação de filosofia na Universidade Columbia. Ele deu uma palestra na faculdade e minha irmã estava sentada na primeira fila. Inga tinha vinte e cinco anos, era loura e linda, inteligente, decidida e consciente de seu poder de sedução. Trazia no colo o quinto romance de Max Blaustein e escutava com muita atenção todas as palavras da sua palestra. Quando ele terminou, Inga lhe fez uma pergunta comprida e complicada sobre as suas estruturas narrativas, à qual ele fez todo o possível para responder, e depois, quando ela colocou o livro sobre a mesa para que Max o autografasse, ele escreveu na folha de rosto: "Eu me rendo. Não vá embora". Em 1981, Max tinha quarenta e sete anos e fora casado duas vezes. Não apenas tinha uma reputação de escritor importante como também era conhecido como um libertino conquistador de mulheres jovens, um farrista desenfreado que bebia demais, fumava demais e, no fim das contas, fazia tudo demais, e Inga sabia disso. Ela não foi embora. Ficou. Ficou até ele morrer de câncer no estômago em 1998, aos sessenta e quatro anos.

Um mês depois de apresentar sua defesa de tese sobre *Ou isso ou aquilo*, de Kierkegaard, Inga estava grávida. Embora não tivesse filhos de seus casamentos anteriores e se houvesse declarado um "não pai", Max se tornou um pai tão entusiasmado que chegava a ser engraçado. Ninava Sonia e cantava para ela com sua voz rascante e completamente desafinada. Gravou os primeiros balbucios da filha, fotografou e filmou todos os estágios do seu crescimento, ensinou-a a jogar beisebol, comparecia assiduamente às reuniões, recitais e peças teatrais da escola da filha e enchia de elogios descarados os poemas de Sonia, dizendo que eram as joias verbais da sua "garota maravilha". Contudo, Inga fazia a maior parte do trabalho cotidiano, cuidava da alimentação, do bem-estar e do vestuário, e de boa parte das leituras noturnas. Entre mãe e filha eu via um laço que me fazia lembrar a ligação entre Inga e nossa mãe, uma proximidade corpórea não articulada, que eu chamava de invólucro. Eu tinha visto muitas versões da história de pai e filha nos meus pacientes, pessoas que sofriam nos meandros de uma narrativa que não eram capazes de recontar. A morte de Max deixou Inga e Sonia arrasadas, é claro. Minha sobrinha tinha doze anos, uma idade precária, uma idade de revoluções interiores e exteriores, e retraiu-se por um tempo em uma disciplina compulsiva. Enquanto minha irmã afundava, fugia e chorava, Sonia limpava, arrumava e estudava até tarde da noite. A exemplo das etiquetas e fichários do meu pai, os suéteres de Sonia rigorosamente dobrados, organizados por cores, os seus boletins escolares brilhantes e sua reação às vezes frágil à dor da mãe eram os pilares de uma arquitetura de carência, estruturas construídas para rechaçar as feias verdades do caos, da morte e da decadência.

Max estava esquálido no fim. Deitado na cama do hospital, já sem consciência, sua cabeça parecia um crânio com uma fina cobertura cinzenta e o seu braço, inerte sobre o lençol, me trazia à memória um graveto. Naquela altura, a morfina o havia levado para uma penumbra reservada aos moribundos. Depois dos sofrimentos de que padecera antes, eu me sentia resignado. Eu ainda vivia perseguido pela imagem de Inga levantando o cateter intravenoso e se encolhendo ao lado dele na cama. Apertou seu corpo contra o do marido e pousou a cabeça no seu ombro. "Ah, meu querido, meu querido, meu muito querido", repetia. Tive de me virar e ir para o corredor, onde minhas lágrimas caíram tão espontaneamente como havia muito não acontecia.

Só depois da morte de Max é que eu virei de fato o tio Erik, o homem que sabe consertar tudo, o conselheiro para estudos de ciências, o veloz lavador de panelas, e o consultor geral de Inga e Sonia para assuntos sérios ou banais. Fracassei como marido, mas dei certo como tio. Inga precisava conversar sobre Max — para me contar todas as ferozes labutas diárias da escrita que o deixavam esgotado e vazio, sua comunhão noturna com uma garrafa de uísque, cigarros Camel e filmes antigos na tevê, seus modos irritados, seguidos por remorsos e declarações de amor. Ela precisava falar também sobre o câncer. Vezes e vezes seguidas ela me contava sobre a manhã em que o marido vomitou sem parar, e contava que depois, branco e trêmulo, Max a chamou para perto dele. "O banheiro estava cheio de sangue. O assento da privada estava respingado de vermelho e a privada estava cheia de sangue, sangue e mais sangue. Ele sabia que estava morrendo, Erik. Eu tinha esperança, e tive esperança até o fim. Porém mais tarde ele me disse que, quando viu o que estava saindo de dentro dele, compreendeu logo e pensou: 'Trabalhei muito. Já posso ir embora'."

Sempre tive a sensação de que o casamento deles era um casamento de paixão, mas não era um casamento fácil. Os dois eram mutuamente dependentes, um casal preso numa comprida história de amor que nunca ficava estagnada, mas era sempre sacudida e entrava em ebulição, até que foi cortada de modo abrupto. "Existiam dois Max", Inga gosta de dizer. "O meu Max e o outro, o de fora, o produto de consumo literário: senhor Gênio." Há escritores de todos os feitios, mas Max Blaustein representava um conceito cultural idealizado do romancista impetuoso. Era bonito, mas de um jeito comum. Era macilento, de feições frágeis, cabeça cheia de cabelo, que ficou todo branco prematuramente, e óculos de aros de metal típicos, que Inga achava que lhe davam um ar de niilista russo. O Max Blaustein *de fora*, o autor de quinze romances, quatro roteiros de cinema e um livro de ensaios, havia despertado devoção e fanatismo em seus leitores e, de tempos em tempos, uma completa histeria. Numa palestra em Londres, em 1995, o escritor quase morreu esmagado por uma multidão alvoroçada que avançou em massa para chegar perto do ídolo. O velório atraiu centenas de fãs chorosos, pessoas que, apesar da exibição de dor, se empurravam e se acotovelavam no esforço de abrir caminho até o salão. "Ele inspirava uma adoração", disse Inga, "que às vezes beirava a doença. Ele sempre parecia desnorteado com isso, mas acho que suas histórias despertavam alguma coisa sombria nas pessoas. Não creio que alguém fosse capaz de explicar isso, muito menos o Max, mas às vezes eu ficava assustada... com o que havia *dentro* dele."

Lembrei-me dessas palavras porque, quando Inga me falava, sua voz fraquejava e eu sentia que havia mais alguma coisa por trás das suas palavras. Mais tarde lamentei não ter perguntado a Inga o que ela queria dizer, mas na ocasião alguma coisa me conteve. Sei que o que preferi chamar de reserva ou de deferência pode ser uma forma de medo — uma falta de disposição de ouvir o que viria a seguir.

A fim de pagar os juros da sua terra hipotecada, meu avô serrava toras de madeira para um homem chamado Rune Carlsen: *Ele recebia um dólar por trezentos e cinco metros de tábuas que serrava. Quando se mudavam para outras terras, havia muito trabalho pesado, mas nenhum pagamento. O mesmo acontecia caso a máquina quebrasse, e havia muita coisa assim. O equipamento era velho. Nosso pai trabalhava nos campos das quatro às seis da manhã, e das sete da noite até escurecer. O refrão americano de que o trabalho duro assegurava o sucesso se tornou, no seu caso, uma mentira crassa. Depois de alguns anos vivendo assim, bem na hora em que a vida parecia melhorar, veio a execução da hipoteca.*

Os quarenta acres de terra perdidos magoaram meu pai pelo resto da vida. Não que ele se consumisse pela terra perdida, mas acontece que o esforço para conservar a terra havia abalado alguma coisa dentro do seu pai. Ele nunca disse isso, mas passei a acreditar que foi isso o que aconteceu. *Uma depressão*, escreveu ele, *acarreta mais do que apuros econômicos, mais do que a necessidade de viver com menos. Isso pode ser o que menos pesa. Pessoas orgulhosas se veem assediadas por infortúnios que não criaram: porém, por causa daquele orgulho, ainda têm uma penetrante sensação de fracasso. Cobradores de contas ganham a vida humilhando e aviltando pessoas que têm orgulho. É a sua arma supre-*

*ma. As pessoas de caráter ficam impotentes. Se a pessoa não tem poder nenhum, toda essa conversa sobre justiça é igual a nada. O argumento consolador de que todos estão no "mesmo barco" tinha uma validade apenas parcial. Os fazendeiros surpreendidos pela Depressão quando estavam livres de dívidas podiam, de fato, ter aumentado sua receita comprando terras baratas e maquinário rural a preços achatados. Durante aqueles anos, os fazendeiros subiam ou desciam. Nós descemos.* Aqueles cobradores de contas tinham rosto. Talvez houvesse um homem em particular que sentia um prazer especial em envergonhar Ivar Davidsen na frente do filho mais velho. Talvez Lars tenha visto o homem atormentar o pai repetidas vezes por causa de um dinheiro que ele não tinha, e talvez Lars esperasse que o pai cerrasse os punhos e mandasse um soco de esquerda no queixo do sacana, seguido de um cruzado de direita na barriga. Esses golpes nunca foram disparados, nem na ocasião, nem nunca.

A carta do tio Frederick chegou menos de uma semana depois de eu ter escrito para ele. Sua mãe havia falado sobre Lisa, escreveu Frederick. Ela não vinha de uma das fazendas vizinhas, viajou da fazenda Blue Wing para ajudar os Brekke quando o filho deles adoeceu com apendicite e ficou de cama por um tempo. A garota havia sumido e a mãe dele ficou preocupada, achando que podia ter acontecido alguma coisa com ela. Em seguida recontou a história das terras perdidas.

> Antes da Depressão, meu avô Olaf fez um empréstimo com Rune Carlsen e ofereceu como garantia do empréstimo os quarenta acres de terra. Durante a Depressão, Rune executou a hipoteca e papai, que havia comprado a terra do pai dele, perdeu as terras

para Rune. Papai ficou muito abalado emocionalmente com a perda das terras e muitas vezes tinha pesadelos naquele tempo. Quando isso acontecia, mamãe pedia a mim ou a Lottie que o acordássemos.

Rune estava extraindo madeira nos quarenta acres e contratou papai. Isso foi humilhante para ele. Harry Dahl também trabalhava para Rune. Um dia, a serraria quebrou e Harry foi mandado para Cannon Falls para comprar as peças necessárias. Voltou tarde e embriagado e teve de encarar a hostilidade da equipe de trabalho. Lembro que papai conversou com mamãe a respeito disso. Ele ficou zangado e disse para o Harry pular num lago. Não me lembro da temporada de Harry na prisão. Mas houve muito falatório sobre a prisão de Chester Haugen em Blue Wing, por dirigir embriagado. Se ele tivesse tratado os policiais com mais cordialidade, não teria pegado trinta dias de prisão. Todos nós sentimos muito a sua falta durante o tempo em que cumpriu a sentença e, quando foi solto, oferecemos para ele uma festa de boas-vindas, que incluía pequenos presentes.

Com amor, Frederick

Enquanto eu dobrava o papel da carta escrita com letra caprichada e o colocava de volta no envelope, imaginei Frederick, aos oito anos de idade, de pé no pequeno quarto com sua cama de solteiro. Vi Frederick debruçar-se sobre o pai para sacudi-lo e acordá-lo dos sonhos que o faziam gritar no meio da noite.

Quando anoitecia, depois que voltava do escritório e já havia jantado, eu passava em revista minhas anotações sobre os pacientes do dia. Era uma rotina desde o meu divórcio, quando as horas em que ficava em casa se tornaram mais longas e eu sabia que tinha de enchê-las. Examinava as palavras que eu anotara durante as sessões, ideias vinham à mente às vezes de modo espontâneo, e eu acrescentava outros comentários ou registrava perguntas que levaria a um colega que talvez tivesse de consultar. Depois que meu pai morreu, comecei a encher um outro caderno, anotava pedaços de conversas ocorridas durante o dia, meus temores sobre o que parecia uma invasão iminente do Iraque, sonhos que nunca lembrava, bem como associações inesperadas que vinham dos recessos do meu cérebro. Sei que a ausência do meu pai havia suscitado aquela necessidade de documentar a mim mesmo, mas, à medida que minha caneta corria pelas páginas, me dei conta de outra coisa: eu queria responder com minhas próprias palavras às palavras que ele tinha escrito. Eu estava falando com um morto. Durante aquelas horas na mesa da sala de jantar, eu muitas vezes ouvia a voz estridente de Eggy e a voz de Miranda, bem mais suave, embora raramente conseguisse distinguir o que falavam. Eu sentia o cheiro do jantar delas, ouvia tocar seu telefone, a música que escutavam e, de vez em quando, as vozes guinchadas dos desenhos animados na televisão. Aquelas noites solitárias de inverno pareciam gerar fantasias. Eu anotava algumas. Outras nunca chegaram ao diário preto e branco que reservava para os meus pensamentos particulares, mas a partir de certo momento Miranda passou a aparecer como personagem nesse desconjuntado registro da minha vida. Seus horários eram diferentes dos meus e eu raramente a via. Quando isso acontecia, ela se mostrava educada, reticente e correta, nada mais, porém comecei a sonhar que um dia ainda ia quebrar a sua frieza. Seus olhos distantes, seus dentes imperfeitos, seu corpo escondido sob camadas de roupas quentes tinham se tornado parte de uma vida de que eu precisava.

Certa noite, voltei bem tarde após jantar com um colega, e quando me aproximava da casa percebi que uma persiana da janela do meio do apartamento do jardim estava aberta. Havia uma luz acesa e vi Miranda sentada atrás de uma mesa no quarto da frente. Vestia um roupão de banho, aberto no pescoço, e eu via a curva dos seus seios quando ela se inclinava para a frente, sobre uma grande folha de papel, enquanto a mão se movia e ela desenhava. A seu lado, havia tesouras, canetas, tinteiros e giz. De início pensei que estava trabalhando na programação visual de um livro, mas, quando olhei para baixo, vi uma grande figura feminina com a boca aberta e dentes pontudos como os de um lobo. Havia também outras figuras, menores, mas não consegui identificar. Com medo de que ela me apanhasse espionando, continuei a andar, mas aquela visão momentânea de uma mulher monstruosa ficou na minha cabeça. Naquela noite, lembrei-me da primeira vez que vi *Los caprichos* e como as imagens me causaram engulhos, enquanto eu ia e vinha entre a repulsa e a fascinação. O simples relance da imagem feita por Miranda me fez pensar em Goya e em monstros em geral. O assustador não é a estranheza dos monstros, mas sim sua familiaridade. Reconhecemos as formas, humanas e ao mesmo tempo animais, que foram adulteradas, retorcidas, alongadas ou misturadas até que não conseguimos mais dizer se são uma coisa ou outra. Monstros diluem a fronteira entre as categorias. Fui dormir pensando no sr. T., meu velho paciente, atarantado pelo vozerio desordenado de mortos famosos e infames, homens e mulheres, e no pobre Daniel Paul Schreber, sobre quem Freud escreveu depois de ler suas memórias. Torturado por raios sobrenaturais presos a corpos celestiais, Schreber sofria “milagres gritantes” e “nervos da volúpia”, que o tomavam dos pés à cabeça e lentamente o transformaram em mulher.

Quando era pequena, minha irmã tinha uns ataques. Seus olhos perdiam o foco e então, por um momento, ela se descontrolava. Só uma vez isso durou o bastante para me deixar com medo. Estávamos brincando no bosque atrás da nossa casa. Eu era o pirata que a havia capturado e amarrado com cordas imaginárias a uma árvore, enquanto ela implorava por sua vida. Exatamente na hora em que eu estava fraquejando e ia convidar Inga para ser uma garota pirata, ela abriu a boca para falar e parou abruptamente. Vi suas pálpebras tremerem de um jeito estranho, enquanto uma fina linha de saliva escorria do lábio inferior. A luz do sol iluminou o fio de saliva e ele brilhava como prata enquanto eu olhava para minha irmã. Lembro que houve algum movimento nas folhas acima de nós e que eu podia ouvir o rumor da água no riacho, mas a não ser por isso tudo o mais parecia ter parado junto com Inga. Não sei quanto tempo demorou, apenas alguns segundos, mas aqueles seis ou sete compassos de espera e de vigilância me deixaram apavorado. Imaginei que nossa brincadeira havia feito mal a ela, de algum modo, achei que a minha fantasia de malfeitor tinha paralisado minha irmã. Depois de um intervalo interminável, urrei seu nome e me joguei em seus braços. Na mesma hora ela começou a me consolar. "Erik, você está bem? Você se machucou?"

Hoje estou convencido de que Inga sofria de ausência, o que era chamado de ataques de *petit mal*, que desapareceram espontaneamente quando ela cresceu. O que restou foi a enxaqueca, a aura da enxaqueca e algo de frágil na sua personalidade. Quando garoto, eu sabia que Inga tinha um atributo que a distinguia das demais crianças e que era minha tarefa cuidar dela da melhor forma possível. No seio da família, ela estava a salvo, mas a partir do momento em que embarcávamos no ônibus escolar, sua vulnerabilidade se transformava em um alvo. Ainda posso ver Inga caminhando pelo corredor entre as carteiras na sala de aula, rumo à sua carteira, segurando os livros contra o peito, a longa trança de cabelos louros escorrendo pelas suas costas, os óculos marrons no nariz, e ela tentando dar a impressão de que não ouvia os sussurros grosseiros que a seguiam: "Parafuso frouxo" e "Inga não bate bem". Ela tremia. Esse era seu erro fatal. Seu tremor encorajava os ataques verbais e, como desde muito cedo ela resolvera levar uma vida de pureza e bondade, nunca respondia aos seus algozes. Embora lhe desse uma sensação de superioridade interior, isso pouco fazia para facilitar suas viagens de ônibus ou seus sofrimentos no recreio.

Debilidades neurológicas sempre têm um conteúdo; trata-se de algo que a ciência exata tem relutado em admitir, assim como a psicanálise muitas vezes subestimou a fisiologia de diversas modalidades de doença mental. A matéria dos ataques e das auras prematuras de Inga tinha a ver com nossa formação religiosa. Nem minha mãe nem meu pai eram especialmente devotos, mas lá nos confins do território americano todo mundo frequentava alguma igreja. Nós frequentávamos uma igreja luterana, e os professores da nossa escola dominical nos entupiam com histórias sobre Deus, Jesus e aquela terceira entidade, a mais desoladora, o Espírito Santo. Como eu sentia que meus pais estavam à vontade com o problema de Deus e como não era propenso a "sensações estranhas de alheamento" nem a ver "clarões", do jeito como acontecia com Inga, minha ligação com a divindade era mais abstrata. Eu me preocupava com um Deus invisível, que enxergava o interior da minha cabeça e escutava meus pensamentos. Às vezes, antes de dormir, eu envolvia meu pênis na mão e o escutava falando com rispidez no meu ouvido, dizendo palavras simples como "Não" e "Não faça". Minha irmã, porém, tinha anjos dentro dela. Ouvia o rumor de asas e sentia mãos flamejantes tocar sua cabeça, pousar no seu peito e içá-la rumo ao céu, e às vezes eles lhe falavam em versos ritmados. Ela não gostava nem um pouco das intervenções deles e, quando o serafim lhe fazia uma visita à noite, ela às vezes vinha falar comigo. Se eu não estivesse dormindo, ouvia uma batida suave na minha porta e a voz dela dizia: "Erik, Erik, você está acordado?". E um pouco mais alto: "Erik?". Quando era tarde e eu estava totalmente inconsciente, sentia Inga bater no meu ombro. "Erik, estou com medo. Os anjos." Eu me virava e segurava a mão dela por um tempo, ou deixava que Inga me abraçasse até ela ter forças para poder voltar ao seu quarto. Às vezes sua coragem fraquejava e de manhã eu a encontrava toda encolhida no cantinho da minha cama.

De vez em quando,.minha mãe acordava com os gritos curtos de Inga ou com o som dos seus pés incansáveis tocando de leve o corredor e se levantava para levá-la de volta ao seu quarto e ficava sentada na cama de Inga, tranquilizando-a, ou cantando para ela, até Inga pegar no sono. Depois disso, mamãe sempre entrava no meu quarto sem fazer barulho e colocava a mão na minha testa. Eu fingia estar dormindo, mas minha mãe sabia que eu não estava. Ela dizia: "Está tudo bem, agora. Durma". Inga e eu não falávamos sobre as visitas noturnas, a não ser na hora em que estavam acontecendo, e nunca me passava pela cabeça que minha irmã pudesse estar doente ou louca. Com o tempo, a dúvida contagiou Inga e ela passou a admitir que seu sistema nervoso provavelmente tinha alguma relação com a evocação dos espíritos, mas as experiências são uma parte do que ela é e sua influência não pode ser ignorada. Em outra época, eu talvez fosse o irmão de uma santa ou de uma bruxa.

Alguns dias depois de ter visto Miranda através da janela, vi um clipe de papel, com um elástico preso a ele, caído do lado de dentro da porta que separava minha parte da casa do apartamento alugado. Pensei pouco naquilo, até que um cotonete preso a um fio vermelho foi introduzido por baixo da minha porta na noite seguinte, seguido por um pedaço de cartolina verde, na terceira noite, com três letras grandes: um W, um R e um E. Depois dessa mensagem cifrada, parecia claro que aqueles presentes tinham sido feitos por Eglantine. Na quarta noite, quando eu estava debruçado sobre meus cadernos, abertos à minha frente, ouvi barulho de algo arranhando no corredor. Caminhei na direção do som e vi que uma chave presa a um fio de lã estava sendo empurrada por baixo da minha porta.

"Uma chave", falei. "Que surpresa. Eu queria saber de onde estão vindo esses presentes."

Do outro lado da porta, pude ouvir a respiração forte da menina, e depois a voz de Miranda. "Eggy, o que está fazendo aí? Já é hora de ir para a cama."

Naquele sábado, encontrei mãe e filha na Sétima Avenida, andando de mãos dadas pela rua, quando eu saía de uma loja de ferragens com os pregos de que precisava para a estante de livros que estava montando. Acelerei o passo e chamei por elas.

Miranda acenou para mim com a cabeça. Depois sorriu. O sorriso me deixou absurdamente feliz.

Eggy me fitou. "Mamãe diz que você é um médico das preocupações."

"Sim", falei. "Fui à escola para ser médico e ajudo as pessoas a lidar com as suas preocupações e outros problemas."

"Eu tenho preocupações", disse ela.

"Eggy", disse Miranda. "Todo mundo tem."

Não era isso o que Eggy desejava ouvir. Olhou para a mãe e franziu as sobrancelhas. "Estou falando com o doutor Erik."

Ela lembrava que eu tinha pedido à sua mãe que me chamasse de Erik. "Sabe, Eggy", falei. "Você é muito bem-vinda se quiser bater na minha porta e vir me visitar. Gosto de presentes, mas também gosto de conversar."

Ouvi Miranda soltar um suspiro. Naquele som havia uma palavra. Pensei nos longos dias de trabalho de Miranda e nas suas noites sozinha, com sua agitada filha de cinco anos. Então me dei conta de que nunca a tinha visto na companhia de um homem. Quando me virei para ela, Miranda me olhou nos olhos por alguns segundos, comprimiu os lábios e baixou os olhos para a calçada. Eu não sabia o que fazer. Por um segundo, revi o desenho feroz.

"Estão indo para casa?", perguntei para ela.

Miranda ergueu os olhos, aparentemente recuperada do pequeno espasmo que eu havia acabado de testemunhar. "Sim, fomos ao parque e depois compramos algumas coisas para comer." Levantou o saco que trazia na mão.

Poucos minutos depois, achamos as fotografias. Lá estavam as quatro fotos na escada da nossa casa, quando voltamos. A princípio pensei que eram folhetos de propaganda de restaurantes, que aparecem toda hora na porta das casas do Brooklyn. Já preparado para jogá-las fora, abaixei-me e vi quatro fotos polaroide de Miranda e Eggy no parque. Miranda estava amarrando o sapato de Eggy perto dos balanços do parque de brinquedos. Sobre o torso inclinado de Miranda, alguém havia traçado um círculo preto, cortado por um traço. Soltei uma exclamação baixinho e peguei outra foto, que devia ter sido tirada poucos minutos depois. Miranda empurrava Eggy num balanço e, dessa vez, o círculo com um traço no meio estava desenhado em torno do rosto da mãe. As duas outras fotos eram registros semelhantes do inocente passeio, todos marcados com o mesmo sinal peculiar em alguma parte do corpo de Miranda. Meu primeiro impulso foi esconder das duas aquelas fotos. Que benefício aquilo poderia trazer, eu não tenho a menor ideia. Senti um desejo de proteger as duas de quem quer que fosse o fotógrafo, mas já era tarde demais. Miranda estava ao meu lado, olhava para as fotos, e Eggy pulava e pedia para ver o que estávamos olhando.

“Jogue fora e pronto”, disse Miranda em voz baixa.

“Sabe quem foi que tirou?”, perguntei.

Fitou-me bem nos olhos, a boca tensa. “Jogue no lixo.”

“Vou jogar no lixo dentro de casa”, falei. “Miranda, você já achou fotos dessas... ou outras coisas?”

“O que é isso? Deixe eu ver! Deixe eu ver!”, disse Eggy.

“Não é nada”, retrucou Miranda. Dirigiu-me um olhar de advertência e entendi que eu, burramente, tinha levantado uma questão que não devia ser tratada diante de Eggy.

As quatro fotos estavam na minha mão direita. Fechei o punho e as amassei na mesma hora. Antes de nos despedirmos, falei de novo que, se ela precisasse de alguma coisa, era só me avisar. Estendi a mão e, quando Miranda a apertou, seus dedos pareciam gelo na minha pele.

Descobri o sobrenome de Lisa por intermédio de Ragnild Ulseth, a segunda filha da velha sra. Bakkethun, uma vizinha dos nossos avós. Quando disquei o número do telefone, senti uma trepidação. Embora Ragnild certamente fosse lembrar-se de mim, recordei o cartão de condolências que ela enviou para minha mãe quando meu pai morreu. O bilhete foi escrito por uma mão trêmula, explicando que seu atual estado de saúde a impossibilitava de viajar para estar presente no enterro. Ela já devia ter oitenta e tantos anos. Atendeu o telefone com uma voz rangente, mas determinada. “Você é o filho do Lars, que bom. Que bom.” Falei algumas generalidades por alguns minutos antes de entrar no assunto. Não mencionei o conteúdo da carta, mas lhe disse que minha irmã e eu queríamos identificar os correspondentes do meu pai, se possível. “Lembra uma garota chamada Lisa? Frederick acha que ela trabalhava para os Brekke.”

“Ah, puxa vida, sim. Lembro. Minha cabeça está funcionando que é uma beleza, sabe, é o que sobrou, porque o resto já desmoronou, e é melhor me fazer perguntas sobre os velhos tempos do que sobre o que aconteceu ontem. O dia de ontem pode sumir da minha cabeça, mas não os tempos antigos. Você está falando de Lisa Oland, de Blue Wing. Ficou com os Brekke talvez um ano e vinha para a nossa casa várias vezes. Eu sentia um pouco de pena da menina, tinha uma cicatriz no pescoço, mas fora isso não tinha nada de feia, na verdade, um pouco mais para gorda. Diziam que ela era da pá virada, mas eu não sei de nada disso. Nunca vi nada. Era teimosa, se quer saber, e triste. Não falava muito. Os pais dela vieram de algum lugar das Dakotas, eu acho, e se mudaram para Blue Wing. Correu certo falatório sobre uma encrenca que teria havido lá no lugar de onde eles vieram. Ela sumiu, ah, deixe-me ver, deve ter sido aí pelo verão de 37, mas apareceu outra vez em St. Paul do Sul, na lanchonete do Obert, para ver seu pai. Ele trabalhava lá aos domingos, se bem me lembro."

"Para ver meu pai?"

"Foi o próprio Obert que me contou", disse ela. "É gozado. Eu não sabia que Lisa era tão ligada ao seu pai. Todo nós conhecíamos Lisa, mas ela era arredia e por isso não dava para ter a Lisa como amiga, se entende o que quero dizer."

"Obert era primo do meu pai."

"Sim." A voz de Ragnild ficou mais suave. "Todos eles já se foram, agora. Não sobrou quase ninguém. Com o falecimento do seu pai, puxa, foi uma coisa triste, e tudo acabou. Ele era um homem bom."

"Sim, era sim", falei, quase num sussurro. O que comoveu não foram tanto as palavras que ela disse quanto a maneira como disse. O ritmo e a música de uma outra língua assombravam a sua fala, assim como haviam assombrado a fala do meu pai.

"Sabe alguma coisa sobre o fato de Harry ter ido para a prisão?", perguntei.

Ragnild fez um barulho no telefone. "Pobre homem, ele bebia. Deve ter sido por causa da bebida."

Eggy começou a me fazer visitas. Batia na minha porta mais ou menos uma vez por semana e nossos encontros foram rapidamente ritualizados. Eggy abria a fechadura do seu lado e depois me levava até o sofá para conversar. Eu ouvia histórias de dragões e dinossauros e de um gato chamado Catty que havia fugido de casa e nunca voltou, e sobre sua boneca Wendy, uma garota levada que precisava sempre ser castigada. Em certa ocasião, Eggy entregou-se à escatologia, de que desencadeou uma excitada torrente no meu ouvido. "A bruxa." Fez uma pausa e respirou fundo. "A bruxa, quando ela não estava olhando, comeu a vassoura. Tinha um gosto horroroso. Então ela achou duas pessoas dançando em cima do seu chapéu e aí ela cagou em cima deles e cozinhou os dois num sanduíche." Isso foi seguido por guinchos de riso. Ouvi Eggy falar dos seus pesadelos, um monstro com "dentes compridos, malvados e pontudos" que invadia seu jardim de infância, e uma tempestade de vento no jardim dos fundos da "nossa casa" que despedaçou as cadeiras e arrancou o braço dela, mas ela o colocou de volta no lugar. "Mamãe trabalha num escritório com livros", disse ela, "mas ela é uma artista de verdade. Psiu, ela está trabalhando agora. A gente tem de ficar bem quietinho, bem quietinho." Eggy falou de novo sobre seu pai. "Papai está longe, num lugar especial. Levou o carro para lá quando eu era pequena e não conseguiu mais voltar. Fica muito longe." Eggy balançou a cabeça para trás e para a frente e depois remexeu os dedos sobre o peito. "Ahhh!", gemeu, depois parou abruptamente e me fitou, estreitando os olhos. "Agora ele está tão pequenininho que nem consigo enxergar."

Reconheci a estranheza daquela amizade. Eglantine percebeu que eu era um homem que iria escutá-la. Era o meu trabalho, afinal de contas. Como "dr. Erik", eu servia como um armário de preocupações, ou *worry*, como ela dizia em inglês. Essa palavra podia ser soletrada WRE. Ao mesmo tempo, eu tinha o cuidado de evitar a armadilha de uma terapia *ad hoc*. Eglantine não era minha paciente.

"Um encontro amoroso!", gritou Inga. "Tenho quase cinquenta anos e você quer que eu saia para namorar? Só a palavra já é ofensiva. Vou sair para *namorar*. Vou encontrar um *namorado*." Virou para mim a sua cara pálida. "Já tive *namorados*. O que eu quero é um homem. O meu corpo sofre porque quase não é tocado. Estou começando a me sentir dura, como se fosse feita de pau. Mas a ideia de me enfeitar toda e ir jantar com um desconhecido me parece hoje uma coisa horrível. Além do mais, como é que vou conseguir uma coisa dessas? Pôr um anúncio no *New York Review of Books*?" Inga levantou as palmas das mãos a fim de impedir que eu falasse. "Um metro e oitenta, raivosa, hipersensível, com um pé na velhice, viúva de escritor ainda de luto, formada em filosofia, procura homem gentil e inteligente, entre vinte e cinco e setenta anos, para amar e ser amada." Perto do final da frase, ela baixou um pouco o rosto e vi um brilho molhado em seus olhos.

"Ah, Inga", falei, e abri os braços. Ela tombou para a frente ao encontro dos meus braços, mas não chorou. Deixou que eu a abraçasse por um tempo e depois se desvencilhou.

"Não morra", ela me disse. "É só o que tenho a lhe dizer. Não se atreva a morrer. Quando papai morreu, na mesma hora eu pensei na mamãe. Ela não é tão jovem. Quero que ela viva até os cem anos, cento e cinco, e fique tão boa como está agora..." Inga fez uma pausa. "Sabe, andei lendo os escritos de Max e também do papai nos últimos dias, tentei encontrá-los nas palavras, tentei explicar o meu marido e o meu pai para mim mesma, mas tem alguma coisa faltando, e não estou falando dos seus corpos. Os dois tinham uma característica comum, alguma coisa obtusa e velada. Acho que foi isso o que me atraiu para o Max — essa sombra oblíqua e oculta, que reconheci sem sequer saber o que era." Fez uma pausa. "Lembra quando começaram as caminhadas? Sabe quando ele desapareceu pela primeira vez?"

Ouvi a porta fechar bem de leve na minha mente e senti a dor e o temor que acompanharam o som — uma recordação dentro do meu corpo. "Quando éramos pequenos", respondi. "Não tenho memória de quando ele fez isso; aconteceu mais tarde. Acho que eram doze ou treze horas quando eu me dei conta — a hora em que ele não voltou para casa, só voltou de manhã."

"Mamãe não queria que a gente soubesse. Ele nunca pegava o carro. Você acha que ele simplesmente ficava andando sem parar durante horas?"

"Pode ser", respondi. "Acho que precisava fugir. As emoções tinham se avolumado dentro dele e aí não conseguiu mais ficar em casa. Não sei para onde ele foi."

Inga olhou para mim. "Lembro que ouvi o barulho na hora em que ele saiu. Eu estava deitada na cama totalmente desperta, porque na hora do jantar eu tinha visto no rosto dele aquela expressão pensativa, desligada, desolada. É esquisito", prosseguiu minha irmã. "Fazer uma caminhada, mesmo de noite, mesmo quando a gente está abalada, é uma coisa tão inocente, e no entanto tinha um ar de coisa secreta, tão carregada de emoções que virava uma coisa terrível. Eu nunca soube qual foi a causa. Não houve nenhuma discussão com a mamãe nem nada desse tipo."

"Na faculdade de medicina, houve uma hora em que achei que o papai podia ser um *fugueur*."

"Um *fugueur*?", disse Inga, sorrindo. "Que está fugindo?"

"Sim, o caso chamou muita atenção no século XIX e ainda é diagnosticado como fuga dissociativa. Eu nunca soube de um caso ocorrido com mulher. Sempre ocorre em homens, que de repente fogem de casa e desaparecem durante horas, dias ou semanas, ou até meses, e então de repente acordam em algum lugar, sem lembrar quem são nem o que aconteceu com eles. É extremamente raro, mas vi de fato um caso há anos, quando era médico residente em Payne Whitney. Trouxeram um homem que tinha sofrido uma queda feia na rua. Havia quebrado o cotovelo e estava com diversas contusões, mas nenhum ferimento na cabeça. Eles trataram do homem, só que ele não tinha nenhuma identificação e contou para os médicos que não conseguia lembrar nada anterior a um mês, e não parecia se importar muito com isso. Foi enviado para o setor de psiquiatria. No fim, descobriram que a esposa dele tinha notificado seu desaparecimento na Carolina do Sul, quatro semanas antes. Quando ela chegou, ele não a reconheceu."

"O que vocês fizeram por ele?"

"Não existem medicamentos para isso, só se pode conversar. A esposa fez a longa viagem de ônibus para reaver o marido e, embora os médicos a tivessem prevenido, ela o tratou com severidade. Soubemos que o homem tinha sido humilhado. O dono de uma oficina onde ele trabalhava o havia obrigado a rastejar pela porta, para fora, na frente dos colegas mecânicos, enquanto o sujeito brandia uma chave inglesa acima da sua cabeça. Parece que era uma repetição das brutalidades que ele havia sofrido do pai. Quando foi para casa e encontrou a esposa, ela o chamou de covarde. Ele saiu de casa transtornado e desapareceu."

"Ele recuperou a memória?"

"Sim, uma semana depois."

"Meu irmão, o gênio."

"Não era eu o médico encarregado. Apenas acompanhei o caso e, mesmo sem terapia nenhuma, a maioria das pessoas se recupera espontaneamente."

"Mas o papai sabia quem ele era."

"Sim, mas não posso deixar de pensar que era outra forma de fuga, uma forma para a qual ainda não demos um nome."

Ela fez que sim com a cabeça.

"Ele sempre quis ser tão bom com todo mundo."

"Bom demais", falei.

"Bom demais", repetiu Inga. Era sábado de manhã na rua White. A luz que vinha de cima iluminava as feições delicadas da minha irmã. Achei que ela estava com um aspecto um pouco melhor do que antes. As rugas em volta da boca pareciam menos fundas e a pele embaixo dos olhos tinha perdido seu matiz azulado. A conversa teve lugar depois do jantar. Sonia havia saído com um grupo de colegas da escola. Ficamos calados por um tempo depois disso, um silêncio íntimo, reflexivo, que só é possível entre velhos amigos, e tomamos outra taça de vinho.

"Bem, aqui estamos", disse ela, afinal. "Erik e Inga, duas crianças das camadas privilegiadas da sociedade, residentes em Nova York, com as melhores credenciais, bem-educados de carteirinha, que quase já perderam todo o seu sotaque de Minnesota. Nosso pai nasceu numa casa feita de toras de madeira, numa pradaria. É simplesmente mítico."

Demorei alguns segundos para responder. Veio uma imagem flamejante na minha mente — a imagem de algo que eu nunca tinha visto. "Pegou fogo", falei.

"O quê?"

"A casa de toras de madeira. Foi toda destruída pelo fogo."

"Sim, por isso eles se mudaram para a casa que existe até hoje, a *sua* casa." O sorriso de Inga foi irônico. "Está lá, de pé e vazia."

* * *

A fotografia estava jogada junto ao portão que dava para o apartamento do jardim quando voltei do trabalho. O dia tinha sido longo, e a caminho de casa, no metrô, eu havia terminado de ler um artigo e estava refletindo sobre seu significado quando vi a fotografia jogada no chão, com a frente virada para cima. Quando me curvei para olhar melhor, reconheci de imediato o rosto de Miranda, mas a foto em preto e branco tinha sido alterada. Estavam faltando as íris e as pupilas dos olhos de Miranda. Olhei nos espaços em branco e tive uma sinistra sensação de reconhecimento, depois a sensação se perdeu. Virei o papel, supondo que podia haver alguma mensagem. Percebi o sinal que tinha visto nas fotografias anteriores, um círculo atravessado por um traço, e mais nada.

Quando coloquei a foto sobre a mesa da sala de jantar, me veio a lembrança visceral de um dos meus pacientes jogando uma fotografia em cima de mim e berrando com toda a força dos pulmões: "Fodam-se!". Fazia muito tempo que eu não pensava em Lorenzo, mas ao ver os olhos vazios na fotografia recordei seus discursos veementes durante as sessões e como, antes de ele chegar, eu sempre me preparava para os ataques verbais. Eu saía daquelas sessões com a sensação de que tinha sido espancado fisicamente. Lorenzo tinha vinte e três anos. Os pais o trouxeram até mim e pagavam o tratamento. Havia diversos casos de distúrbio bipolar na sua família e eu temia que ele pudesse estar apresentando sintomas disso. Pensei em prescrever lítio, uma dose muito baixa, mas quando falei do assunto ele protestou com veemência, não queria tomar nenhum medicamento e, não muito tempo depois, me dei conta de que Lorenzo estava mentindo para os pais e me usando como álibi para justificar seu comportamento: "Mas o doutor Davidsen diz que está certo". Terminei o tratamento. Lorenzo mandou para os pais a fotografia que tinha jogado em cima de mim, com uma única alteração. Tinha pegado uma lâmina de barbear e raspado os olhos deles da foto.

Alguém estava seguindo os passos de Miranda e achei que era uma pessoa que ela conhecia. À diferença das fotos polaroide anteriores, provavelmente tiradas às escondidas, essa agora era uma foto de frente, o tipo de fotografia em que, em geral, as pessoas *posam*. A pessoa misteriosa ou havia tirado a fotografia ou, de algum modo, tivera acesso a ela. A única coisa que eu tinha como certa era que o remetente queria perturbar a destinatária. Era um gesto francamente agressivo e isso me levava a pensar que o responsável era um homem, mas eu sabia que podia estar enganado.

Tive de mostrar a foto para ela, é claro. Se a imagem viesse por meu intermédio, o desgosto poderia ser um pouco atenuado. Raspar os olhos é um truque manjado, um clichê extraído de filmes de terror, mas a falta de originalidade não tornava aquilo menos eficaz. Como Inga me disse certa vez, desde Platão a filosofia e a cultura ocidentais têm uma perspectiva ocular: a visão é o nosso sentido predominante. Lemos uns aos outros por meio dos olhos e, anatomicamente, eles são uma extensão do cérebro. Quando vemos os olhos de uma pessoa, olhamos para a sua mente. Alguém sem olhos é algo perturbador pela simples razão de que os olhos são a porta para o eu.

Do seu pequeno quarto no Hotel Coats, na rua Concord, St. Paul do Sul, meu pai contemplava um mundo novo e formidável, cujo núcleo era a lanchonete de Obert. Ele trabalhava em dois fatigantes empregos de zelador durante a semana, assistia às aulas de noite e descascava batatas na lanchonete do Olbert nos domingos. Sua causa: pagar a faculdade. *Durante a semana, a lanchonete do Obert era um lugar agitado. Clientes que trabalhavam nos currais ou numa das firmas empacotadoras vinham tomar o café da manhã e saíam levando, com o almoço, baldes e garrafas térmicas. Voltavam mais tarde para uma refeição sossegada ao fim do dia. Muitos deles se esbaldavam com uma das costeletas gigantes do Obert. Não estou brincando: uma montanha de batatas fritas, quatro fatias de pão e todo o café que o cliente conseguisse beber, por quarenta e cinco centavos. Carne de boi ou de porco assada com purê de batata e molho saía por quarenta centavos a porção. Harry O'Shigley era o chefe de cozinha, homem de tronco volumoso em cima de um par de pernas curtas. Oscar Nelson, um homem pequeno, quase que só consumia leite quente e torradas, conhecido na lanchonete como Cozido do Cemitério. O pequeno cozinheiro morava no corpo de bombeiros, mas era motorista de caminhão da prefeitura. Alguns anos antes, sua filha não quis deixar que ele visse o neto recém-nascido, porque ele chegou lá embriagado. A partir daquele dia, nunca mais tocou numa gota de bebida, mas os excessos da sua vida pregressa eram flagrantes. Billy Muir, mais conhecido como Corta-Vento, por causa do abrigo primitivo que tinha construído para si nas chatas do Mississippi, era um quebra-galho que fazia de tudo um pouco, e também um filósofo caseiro. As pessoas que queriam os seus serviços faziam contato com ele por intermédio de Obert. O reverendo Christianson, conhecido por suas opiniões conservadoras, veio num domingo falar com Billy sobre alguma coisa que era preciso consertar.*

*"O que anda acontecendo na paróquia?", perguntou Billy.*

*"Precisamos de cem membros bons", disse o pároco.*

*"Por que não apanha cem membros ruins e faz deles membros bons?", perguntou Billy.*

Meu pai encarava com bom humor a formidável gentalha de que se viu cercado, o Krammer Feliz, o Tony Pé Quente, o Jerry

Seboso e o Schultz Cabeção, personagens que iluminariam sua paisagem interior pelo resto da vida. São as criaturas da percepção de um jovem, preservadas para sempre sob o brilho dos seus primeiros passos fora de casa. A minha rua Concord era Nova York, uma cidade abarrotada de pessoas esfuziantes, excêntricas e bizarras. Nos primeiros dois meses depois da minha chegada, conheci Boris Izcovich, um sem-teto, alcoólatra, ex-violoncelista; Marian Pibble, a risonha caixa caolha em Bubba's Bagels; e a Grande Rita, a primeira *drag queen* que meus olhos viram. Só alguns centímetros mais baixa do que eu, ela gostava de me segurar na rua, baixava a cabeça sobre o meu ombro e murmurava: "Eu adoro homens grandes". O zelador do primeiro prédio onde fui morar era uma figura chamada Gonzales Bolão, que vivia me pressionando para curá-lo. "Ei, jovem médico, estou com uma dorzinha aqui no joelho. Dá uma olhadinha na minha garganta, pode ser?" Completo catálogo ambulatorial de queixas, desde tumores imaginários até uma fictícia perda de cabelo, Bolão era um verdadeiro pesadelo para qualquer estudante de medicina, mas me lembro dele com carinho, e de todos os outros também. Eram tão nitidamente *não* minnesotianos, *não* luteranos, eram tão *desconhecidos* para mim e, desse modo, perduraram na forma de símbolos radiantes da minha iniciação urbana. Hoje sou menos impressionável, mais propenso a não dar atenção à louca diversidade da vida humana com que deparo todos os dias no metrô e nas ruas. Meus pacientes, que falam todas as línguas e vêm de todos os rincões da vida, me habitavam. Forneciam-me toda a diversidade e todas as colorações que eu podia desejar.

Meu pai ficou triste quando eu resolvi ir para o Leste a fim de estudar medicina. Ele nunca me disse isso. Disse para a minha mãe, que mencionou o fato para mim muitos anos depois. Ele se perguntava por que a universidade de Minnesota não era boa o bastante, ou então a universidade de Wisconsin, onde ele mesmo tinha feito seu doutorado. Acho que meu pai encarava minha opção como uma crítica velada a ele e, embora eu nada soubesse a respeito na ocasião, aquilo criou uma fissura tácita entre nós, que cresceu à medida que os anos passavam.

Enquanto morava em St. Paul do Sul, meu pai conheceu uma jovem com quem saiu duas ou três vezes. *A pobre Dorothy era quase tão inepta quanto eu na arte de encontros amorosos. Tínhamos as mesmas aspirações intelectuais, mas a minha formação e a dela não poderiam ser mais discrepantes. Tudo o que eu dizia parecia bobagem e calculado e, muito provavelmente, era mesmo. O que leva um rapazola de fazenda a cantar a filha de um professor universitário de história? Como amansar um touro Holstein enfezado?* Lars Davidsen se tornou professor universitário de história, mas também continuou um "rapazola de fazenda", e acho que nunca chegou a conciliar os dois. *Os piores clientes na lanchonete do Obert talvez estivessem só a alguns passos da indigência — falidos, ruínas morais e físicas, a desgraça da família, e todos eles, cada um ao seu jeito, um fracasso na vida. Contudo havia bondade entre eles, e pouca hipocrisia.* Durante toda a sua vida, meu pai distribuiu sua ternura com liberalidade para os oprimidos, os infelizes, os desafortunados e os tristes. Ele nunca julgava as pessoas destituídas de poder. Essa era a sua bondade. Era também a sua desgraça. O sucesso, seu próprio sucesso, mas também o meu, era manchado por um sentimento de haver traído as pessoas do nosso lar e os fantasmas que elas haviam deixado dentro dele. A ironia é que a minha ambição, se medirmos as distâncias percorridas, acabou não sendo tão grande quanto a do meu pai.

Vejo Lisa entrando na lanchonete do Obert numa tarde de domingo. É um dia de outono de 1941. O bombardeio de Pearl

Harbour ainda não aconteceu. Imagino uma loura de peitos grandes com feições rudes, vestindo uma capa impermeável abotoada como um jaquetão e com aquelas botas curtas que iam até as canelas que vi nos filmes feitos naquela época. Então vejo Lisa e o meu pai jovem (a cabeça cheia de cabelos) do lado de fora, numa rua enlameada e quase vazia. Ela está com a mão no braço dele e fala de modo agitado, mas estou muito longe para conseguir ouvir o que dizem.

Quando levei a fotografia para Miranda naquela mesma noite, Eggy já estava dormindo. Eu não queria que a menina visse a fotografia modificada da mãe, mas quando vi o rosto tenso e fechado de Miranda me dei conta de que sentia falta da voz sibilante da menina, da sua energia, da sua afeição. Miranda abriu as portas de correr que davam para o cômodo da frente e acenou para que eu avançasse. Entrei num espaço que me era familiar, agora modificado por sua mobília nova e frugal — a grande mesa de trabalho que eu tinha visto pela janela, as estantes de livros, um sofá pequeno e uma caixa de brinquedos. Olhei de relance para a mesa na esperança de ver outros desenhos, mas não havia nada visível. Na parede acima do consolo da lareira, havia um grande desenho, uma imagem em corpo inteiro de uma Eglantine mais jovem, o cabelo delicado iluminado pela direita, de modo que seus cachinhos daquele lado do rosto formavam uma auréola parcial, enquanto ela olhava com ar sério para o espectador, com uma expressão compenetrada, que eu já conhecia, e os braços cruzados sobre o peito. Eggy estava de pé num quarto vazio e sem forma, vestia um traje de banho de uma só peça, e ela parecia bem suja. Os joelhos nus estavam manchados de terra e havia uns pontos escuros em volta da boca, talvez de algum doce que tinha comido. Apesar de a criança estar bem plantada no chão, e da sujeira no seu corpo, o desenho tinha um aspecto etéreo, como se a garotinha fosse mesmo uma criatura encantada, e não um simples mortal. Seria a sua expressão? Seria o vazio do quarto em volta? Embora a luminosidade do desenho transmitisse uma sensação de transcendência, não achei que fosse nada sentimental, não era um desses quadros que transformam as crianças em objetos das falsas projeções românticas dos adultos.

"Que desenho excelente", falei, de modo bastante estúpido.

"Fiz como um exercício de retrato", disse ela. "Às vezes é mais difícil desenhar uma pessoa que a gente conhece bem do que um estranho."

"Eggy me contou que você é uma artista, e não uma simples programadora visual."

"Sim", respondeu. "Eu precisava fazer alguma coisa prática e de que também gostasse." Fitou-me por um momento, antes de desviar os olhos. "Ganho dinheiro com uma atividade. O meu coração está na outra. Você disse que queria falar comigo sobre um assunto, não foi?"

Percebi a dicção calculada e ligeiramente formal de Miranda desde o início, mas seu tom seco me surpreendeu. "Sim, deixaram mais uma fotografia na porta de casa. É muito perturbador."

Miranda esfregou o rosto com a mão. Era um gesto estranhamente masculino, pensei, como um homem que alisa a barba. Ela deu um suspiro. "Deixe-me ver."

Entreguei-lhe a foto. Ela observou a foto por um instante e colocou-a sobre a mesinha de café. Não me convidou para sentar.

"Você está sendo molestada", falei. "O assédio é uma espécie de risco profissional no meu ramo de trabalho. Uma mulher que tem um escritório perto do meu passou por isso no ano passado. Já pensou em dar queixa na polícia?"

"O que eles vão fazer?", perguntou.

"Você sabe quem é que faz isso?"

"Se eu soubesse", retrucou ela, em tom calmo, "por que diria a você?"

Não falou de modo ríspido, mas as palavras me deixaram sem ação e senti um calor subir ao rosto. Naquele instante, fui ferido muito além do que eu sabia ser o razoável. As palavras *porque é a minha casa* vieram à minha mente, mas eu as reprimi. "Desculpe por ter incomodado", falei. "Já vou embora."

Retirei-me sem olhar para ela. Miranda teria de trancar o portão por dentro, mas não me dei ao trabalho de lembrar isso a ela. No primeiro andar, enquanto cozinhava galinha com salsicha e purê de batata para mim, fiquei rememorando aquele encontro várias vezes. Por que ela me diria? O que eu era para ela? O senhorio. O psiquiatra do primeiro andar que tinha feito amizade com a filha dela. Um cara branco e muito alto mesmo, cheio de tesão por ela, ou pior ainda: um intrometido, um bisbilhoteiro da vida alheia, feito uma mulher velha. Eu sabia que estava vulnerável a tais ataques, ainda que fossem secundários. Em termos analíticos, meu equilíbrio narcísico tinha sido abalado, uma ferida fora reaberta. O orgulho, pensei, a maldição dos Davidsen. A dor perdurou pela noite e reapareceu nos dias que se seguiram, quando eu parava um momento para lembrar. Dei graças à viagem diária de metrô, aos meus dias cheios de pacientes, às centenas de artigos que tinha de ler e estava atrasado, dei graças ao Congresso da Empatia no fim de semana seguinte, com as suas palestras boas e ruins. Dei graças a Laura Capelli, colega analista e vizinha em Park Slope que me passou uma ligeira cantada na mesa dos biscoitinhos antes do primeiro palestrante daquele sábado e me deu o seu cartão. "Se nossa reserva de empatia se esgotar", gracejou ela, "podemos reabastecer os tanques com a culpa. Esse é o assunto do congresso do mês que vem." E dei graças à sra. W., uma de minhas pacientes, porque ela começou a me causar dor, em vez de apenas me chatear. As pontadas de dor que eu sentia enquanto a escutava sugeriam que algo estava se agitando dentro da sra. W. e, depois de meses à espera de que ela terminasse de dissecar, de forma precisa e imparcial, os hábitos de seus colegas de trabalho na agência de publicidade e suas versões intelectualizadas da infância, dei boas-vindas ao ligeiro, mas incontestável, tom de raiva na sua voz. "Ele olhou para mim como se eu não existisse", disse ela.

*Fiquei desanimado*, escreveu meu pai, *quando Roger começou a desfazer as malas: ternos, paletós esporte, calças esporte, suéteres, gravatas, pijamas etc. Colocava cada peça de roupa num cabide, suspendia cada uma delas para olhar e depois a pendurava no seu armário com o ar solene de um rito religioso. Quando seu armário ficou cheio, falei que podia usar o espaço que eu não usava no meu, na esperança de que as visitas pensassem que as roupas dele eram minhas. Naquele ambiente novo, eu tinha vergonha da minha pobreza e fazia o possível para disfarçá-la. Acima de tudo, eu não falava desse assunto. Hoje tenho vergonha de ter sentido vergonha. Qual foi a minha primeira impressão do Martin Luther College? Um grande desfile de modas.*

Uma mulher que eu não conhecia estava fechando a porta ao sair do apartamento de Inga quando eu cheguei. Vi seu corpo recurvado e o cabelo cor de ferrugem no patamar da escada na hora em que ela se virou e, com a cabeça abaixada, começou a descer os degraus devagar. Quando nos aproximamos, ela ergueu o rosto de forma abrupta e olhou para o meu rosto por uma fração de segundo. Recuei um pouco para lhe dar passagem, mas ela não se desviou e nossos braços se roçaram por um instante e então, antes de se afastar, ela sorriu. Foi um sorriso meio duro, uma mistura incômoda de vergonha e presunção. Fez-me lembrar uma criança que acabou de dar um pontapé num cachorro e gostou de fazer isso, mas que, quando descoberta, se mostra agudamente consciente da desaprovação dos adultos. A mulher não falou nada. Logo deu as costas para mim e continuou a descer a escada, mas a expressão que eu tinha visto perdurou na minha mente como o vestígio da dor de um beliscão.

Cumprimentei Inga com as palavras "Quem era *aquela*?".

Inga se mostrou abalada. Seu rosto estava sem cor e pude ver que fazia um esforço para controlar a voz, quando falou: "Era uma jornalista do *Inside Gotham*".

"Você deu uma entrevista sobre o seu livro?"

Inga fez que sim com a cabeça. "Pelo menos era o que eu pensava. Era para ser sobre todos os meus livros. Cheguei até a reler *Ensaios sobre a imagem* e *Náusea da cultura* para ter certeza do que ia dizer. O editor da revista deve ter mentido para a Dorothy. Pensei que os editores protegessem a gente dessas safadezas. Durante a primeira meia hora, fiquei confusa a respeito do que a mulher pretendia de fato, mas ela não parava de me fazer perguntas sobre o Max, insinuando todo tipo de coisas..."

"Que tipo de coisas?"

Inga torceu a cara. "Vamos sentar. Estou meio enjoada, Erik."

"Suas mãos estão tremendo."

Inga apertou as mãos na frente do corpo.

Depois que sentamos, perguntei o que diabo a mulher havia falado.

"Não foi nada que ela tenha dito diretamente, foi o que farejei no ar, um cheiro rançoso..."

Olhei para ela. "Um cheiro?"

Inga levantou os ombros e respirou fundo. "Você sabe o que

quero dizer. Ela não estava interessada nos meus escritos nem nas minhas ideias. Queria fofocas sobre o meu casamento, e eu me recusei a falar qualquer coisa. Ela disse: 'Acho que é justo avisar a você que tem muita gente falando e pode ser melhor para você publicar logo a sua história do que ficar em silêncio'. Ela está preparando uma matéria para a revista. Tenho certeza de que será uma dessas reportagens de fofocas que, depois de ler, dá vontade de a gente entrar no chuveiro." Inga pôs a mão trêmula na testa.

"Há alguma coisa de que você tenha medo, Inga?"

"Eu amava o Max de todo o coração. Ele nunca me deixou." Pude ver que Inga estava pensando em como dizer o que veio em seguida. Olhou-me com olhos sérios e bem abertos. "A verdade é que ele era frágil, sensível e um pouco volúvel. Algumas vezes jogava objetos longe pelo quarto. Rugia feito um leão quando ficava zangado. Também podia ficar retraído, às vezes era difícil falar com ele, mas a repórter usou as palavras 'fisicamente agressivo', um eufemismo, eu suponho, para bater na esposa ou algo assim. A uma coisa dessas não se pode responder; fica parecendo que a gente quer desconversar. Não dá para falar nada. Não existe escapatória. Ela também mencionou o uísque com um sorrisinho de escárnio, me perguntou que marca ele preferia, e depois lembrou aquela vez em que o Max deu um murro num resenhador imbecil num jantar do Pen Clube. O Max bebia, mas trabalhou duro todos os dias da sua vida, até ficar doente demais, e isso foi só perto do fim. Mesmo no hospital, ele continuava a fazer anotações. Desde que o conheci, Max acordava de manhã e escrevia. A diferença foi que, quando eu o conheci, ele não era triste. Tinha muita fome de tudo, mas à medida que envelhecia foi ficando mais triste. Depois que a mãe dele morreu, Max sofreu muito, e sofri com ele. Era o meu melhor amigo, mas será que eu sabia tudo a respeito dele? Não, eu não sabia, e também não queria saber. Essa mulher terrível vai procurar Adrian e Roberta. As duas ficaram casadas com ele exatamente durante três anos. Adrian não vai falar nada, mas Roberta vai adorar a chance de jogar merda em cima do Max. Só Deus sabe quantas de suas ex-amantes e casos de uma só noite andam por aí. Ela vai falar com as que continuam a gostar dele e com as que morrem de raiva dele. Vai ouvir o papo furado invejoso de alguns romancistas de terceira categoria e depois vai escrever um lixo que será muito bem documentado, nenhuma palavra citada de forma errada, e depois exibirá isso por todo canto como se fosse a história *autêntica*. É assim que vai ser, Erik. Eu sei. O que me deixou enojada foi o que eu senti nela — uma coisa invasiva e feia que me deu a sensação de estar infectada, não, não era só infectada, mas assustada. Eu fiquei apavorada."

"Com o quê?"

"Tive a sensação de que ela sabe de alguma coisa..." Fez uma pausa. "Também falou de Sonia, de uma forma desagradável. Falou algo sobre todas essas mulheres e só um filho... foi tão..."

"Mãe." Nós dois nos viramos para ver a menina em pessoa parada na porta. "Quem ficou falando de mim?"

"Uma jornalista safada."

"Tinha cabelo vermelho?"

"Sim", respondeu Inga, e eu também, em uníssono.

Sonia deu alguns passos para a frente. "Eu estava no Clube de Poesia Bowery com uns amigos e ela chegou perto de mim. 'Você é a filha de Max Blaustein', blá-blá-blá. Tentei ser educada e me livrar dela, mas ela não queria me largar. Acho que acabei ficando meio zangada. Mandei ela à merda."

Ri. Sonia sorriu para mim, mas Inga balançou a cabeça. "Da próxima vez, diga apenas que não tem nada a dizer."

Não sei por que a imagem de Sonia naquele momento ficou gravada na minha memória. Vestia calça de moletom e uma camiseta esmolambada com algo escrito. Esqueci as palavras, mas me lembro muito bem do seu rosto. Estava tão graciosa, a minha sobrinha, dezoito anos apenas, de pé na porta, com o seu rosto bonito, seus olhos grandes e escuros e aquele corpo comprido e flexível. Parecia tanto com a mãe quanto com o pai, mas naquela noite eu só vi nela o Max. Meu Deus, que saudade eu tinha dele. Como escrevia bem. Ele drenava o subsolo nos seus contos — as profundezas angustiantes da vida humana articuladas numa linguagem que todos compreendemos. Mas Inga tinha razão. Ele de fato ficou mais triste e passava grandes apuros para dormir. Lembro que certa vez sugeri delicadamente que a psicoterapia ou a análise poderiam ser proveitosas para ele e, que se isso parecesse impossível, um antidepressivo talvez reduzisse seu desconforto, mas ele teria de parar de beber. Max inclinou-se, ficou bem perto de mim e me segurou pelo braço. "Erik", disse, "você só quer ajudar, mas eu tenho uma tendência autodestrutiva, caso você não tenha percebido, o que eu duvido muito, pois você ganha a vida com isso, e pessoas feito eu não andam atrás de salvação. Estropiados e malucos, nós avançamos aos trambolhões para a linha de chegada, de caneta em punho."

Naquela noite, sonhei que Inga e eu estávamos num corredor comprido. Sonia estava trancada atrás de uma das portas. Inga andava na minha frente. Havia algo errado com as suas pernas e ela mancava. Na cabeça, usava uma peruca vermelha, que eu achava perturbadora. Gritei o nome de Sonia, andei até uma porta, abri e fui saudado por uma rajada de luz que, em vez de Sonia, iluminou Sarah, que cometeu suicídio em 1992. "Sarah", falei. "Você está aqui." Seus olhos eram enormes. Arrastou os pés na minha direção, com os braços abertos, como se quisesse me abraçar. "Doutor Davidsen", falou, na sua voz estrondosa, alta demais. "Doutor Davidsen, eu consigo enxergar!" Acordei de supetão, esperei que as batidas aceleradas do meu coração amainassem e depois desci para o térreo a fim de tomar um copo de leite. Pus para tocar um disco do Charlie Parker, sentei na minha poltrona verde e fiquei um tempo ouvindo, até me sentir capaz de voltar para a cama.

*O segundo semestre de inglês incluía a tortura de escrever um artigo de pesquisa segundo as normas. Não lembro mais por que escolhi Savonarola, o reformador e mártir italiano que fez os Medici deixarem Florença. Não tive nenhuma dificuldade com o assunto. Mas me perdi na mecânica da pesquisa — as incontáveis fichas, cada qual com uma função especial, que tinham de ser preenchidas assim e assado. As notas de rodapé criaram mais confusão ainda, com termos misteriosos como* ibid. *e* op. cit. *As fichas ficavam distribuídas em pilhas classificadas que ocupavam meu quarto inteiro. Em busca de um alívio temporário para o meu caos mental, fui ver minha correspondência. No correio, abri uma carta que me convocava para apresentação no forte Snelling no dia 16 de março, dois dias antes do prazo para eu terminar a pesquisa. Voltei para meu quarto, reuni todas as fichas amarfanhadas, até a última delas, e joguei tudo na lixeira. Depois de ir para a cama naquela noite, o pânico me atacou. O que eu ia fazer se não fosse aprovado no exame médico do quartel?*

*... Passamos de um médico para outro, à maneira de uma linha de montagem numa fábrica. Nosso último obstáculo era um psiquiatra. "Você tem namorada?", perguntou. Graças a Margaret, respondi com um confiante sim. Ele me aceitou.* Ah, são estes os recursos sofisticados da minha profissão: aceitamos qualquer coisa que conseguir ficar de pé, mas não queremos saber de vea-

dos. Lars Davidsen tinha dezenove anos. A menos que tenha existido algo entre ele e Lisa, Margaret Lien foi a única namorada que teve. Antes de sair de Minnesota pela primeira vez, Lars Davidsen telefonou para ela, que estava no seu dormitório no campus do Martin Luther College, para se despedir. *Não lhe falei do meu estado de espírito tristonho. Apenas batemos um papo. Mas, se tenho algo parecido com uma alma, sem dúvida dela fará parte a voz de Margaret.*

Quando lhe perguntei a respeito da matéria da revista *Inside Gotham*, Inga respondeu que não fora publicada e que estava torcendo para que tivessem desistido da ideia. "Tenho certeza de que não estão nem um pouco interessados no que eu tinha a dizer, e talvez não tenham obtido nada muito apetitoso das outras fontes que procuraram, então é provável que não saia nada... é maçante demais. No entanto é irônico, porque no meu livro eu tento falar sobre a maneira como organizamos as ideias em histórias com início, meio e fim, como os nossos fragmentos de memória não têm nenhuma coerência, antes que sejam reimaginados em palavras. O tempo é uma faculdade da linguagem, da sintaxe e da flexão verbal. Mas aquela mulher não está interessada no problema da consciência e da realidade. Não dá a mínima para a filosofia. Os jornalistas acreditam de fato que podem obter a história *autêntica*, a verdade objetiva, ou contar *os dois* lados da história, como se o mundo sempre estivesse cindido em duas partes. Ao mesmo tempo, 'realidade' se tornou, nos Estados Unidos, sinônimo de chocante e sórdido. Fetichizamos a história *autêntica*, a confissão completa, o *reality show*, gente *de verdade* e vidas *de verdade*, casamentos, divórcios, vícios de celebridades, a humilhação como entretenimento — nossa versão do enforcamento em público. A multidão se reúne para olhar de boca aberta." Depois desse discurso, Inga fez uma pausa. "Sabe em que ela me fez pensar?"

"Não."

"Carla Screttleberg."

"A sua torturadora na sexta série."

Inga fez que sim com a cabeça. "Aquela dor nunca desapareceu. Ela arrebanhava todas as meninas para fazer o que ela queria. Ninguém falava comigo, ou se falavam era para me dizer alguma coisa que me ofendesse. Eu não tinha feito mal a ninguém. Achava aquilo incompreensível, e no entanto aqueles meses agora estão embaçados. Vejo pedaços, não conjuntos, partes do prédio da escola onde algo cruel deve ter sido dito, uma escada, uma porta, a sala de aula, minha carteira escolar, o risco de giz no cimento para brincar de amarelinha. Tudo saturado de um mistério geral. É como se a minha tristeza tivesse impregnado a arquitetura. Posso lhe contar uma história sobre isso, e eu não estaria mentindo, mas essa reconstrução dos fatos seria real ou verdadeira?"

"Não... apenas verdadeira para você, agora.

"Quando a mesma coisa aconteceu com Sonia, fiquei desesperada."

"Mas terminou, para vocês duas."

"Foi resolvido por uma escola nova. Foi como me tornar outra pessoa. Sonia disse a mesma coisa: 'Um dia a gente é um pária e no dia seguinte volta a ser uma pessoa normal outra vez'."

"Como está a Sonia?"

"Ótima."

"E os pesadelos?"

"Diminuíram." Inga engoliu. "Ela não fala muito sobre o pai, você sabe. Isso me deixa preocupada. Ela anda escrevendo uma porção de poemas."

"Deixa você ler?"

"Às vezes. São bons, mas muito assustadores."

"A adolescência é assustadora", falei.

Inga sorriu. "Fico pensando no que ela seria, se não tivesse acontecido o Onze de Setembro."

Lembro-me da hora em que entrei no pronto-socorro naquela manhã. Eu me ouvi explicando que era médico e queria trabalhar como voluntário. Um número incontável de pessoas deve ter se ferido e os feridos eram em número maior do que os hospitais do município podiam atender. A memória fere. "A sua descrição daquele dia é a melhor coisa no livro", falei em voz alta.

Em *Realidade americana: examinando uma obsessão cultural*, Inga dedicou um capítulo à versão oferecida pela mídia do que ocorreu no Onze de Setembro e é uma construção quase instantânea de uma narrativa heroica para encobrir o horror. Ela registrou um dos expedientes cinematográficos da reportagem de televisão, a imagem de bombeiros com um fundo musical e bandeiras americanas ondulando numa tela dividida, as imagens espetaculares, as declarações comovidas de que a ironia havia chegado ao fim, enquanto as ironias mais amargas se multiplicavam umas sobre as outras. Ela escreveu sobre a multidão que aplaudia em outras partes do mundo, que havia fabricado sua própria ficção de um martírio heroico, uma ficção tão poderosa que exalava empatia. E, para se contrapor às imagens banais e às palavras mortas, ela contou sua própria história daquele dia, tal como ela a lembrava, um relato fragmentado. Ouviu no rádio que um avião havia se chocado com a torre oito quarteirões ao sul. Decidiu que ia pegar Sonia na escola e começou a andar para o centro quando viu o segundo avião atingir a outra torre. Então ela começou a correr, no sentido contrário à multidão que fugia de lá, mas ela não registrou de fato o que havia acontecido, correu para a Stuyvesant, onde foi barrada por um policial. Havia também outra mãe a quem não deixavam passar, uma mulher cuja voz fazia lembrar um gato que miava de noite. Inga se lembrava da boca torcida da mulher, sua saliva batendo no colarinho do homem, enquanto ela gemia: "Me deixe passar! Eu quero o meu filho!", e como a visão do rosto da mulher deixou Inga estranhamente calma, tranquila e distante, e como esperou que eles encontrassem sua filha, parada meio zonza no saguão, e que, quando viu afinal o rosto de Sonia, imaginou que devia estar igual ao seu próprio rosto, uma máscara vazia e pálida, e como, na hora em que saíram do prédio, as torres brilhavam vermelhas como esqueletos em chamas e Inga disse para si: "Estou vendo isso. É verdade. Tenho de dizer a mim mesma que é verdade". E depois as duas correram para o norte, rumo à rua White, sem trocarem uma só palavra, correndo junto com centenas de pessoas que se empurravam para longe das chamas. Um homem de quatro, vomitando. Outro homem, aparentemente paralisado, virou-se para o lado errado, enquanto olhava para cima, com a mão sobre a boca. A sensação de premência de Inga, de medo, mas não de pânico. Nenhuma lágrima, nenhum grito. E depois o estranho impulso que a tomou de assalto pouco antes de virarem na rua White. Falou para Sonia: "Está certo, agora se vire e olhe". As duas fizeram isso.

Nos dias seguintes, eu não consegui chegar até elas. A área tinha sido isolada e evacuada, em sua maior parte, mas de algum modo a polícia não chegou ao número 40 da rua White para dizer a seus moradores que tinham de ir embora. No primeiro fim de semana, Inga e Sonia conseguiram vir até o Brooklyn e cozinhei para as duas. Conversamos um pouco. Inga me contou sobre os carros destruídos amontoados na rua Church e o poço fumegante alguns quarteirões ao sul, a poeira esbranquiçada que recobria tudo, feito uma neve tóxica, e falou da sua preocupação com os venenos espalhados no ar. Então elas dormiram, e dormiram muito, o sono da exaustão e talvez do alívio de estar longe de lá, do lugar onde aquilo aconteceu. Mas no domingo, quando Inga perguntou para Sonia o que tinha visto na janela da sua sala de aula naquela manhã, a menina apenas balançou a cabeça, com os olhos inexpressivos e a boca tensa.

Quatro dias depois de os Estados Unidos invadirem o Iraque, Eggy enfiou um desenho por baixo da minha porta. No primeiro plano, duas pessoas de mãos dadas, uma pessoa grande e a outra pequena. As mãos pareciam bolas sobrepostas ligadas a braços esqueléticos. Como a figura menor tinha uma massa de rabiscos em cima da cabeça, achei que era um autorretrato. A outra figura, com uma linha reta no lugar da boca, provavelmente era Miranda. Na sua mão livre, a criança segurava o que à primeira vista me pareceu uma pipa, mas examinei com mais atenção e percebi que, atado à comprida linha curva, havia um homem miúdo, aerotransportado, bem no alto do desenho. Quando baixei os olhos de novo para a representação que Eggy fizera de si mesma e da mãe, não pude deixar de imaginar o que as crianças iriam testemunhar ou sofrer naquele novo pesadelo militar.

E contudo os meus sombrios pensamentos de guerra não evitavam outros pensamentos. Algum tempo depois de Miranda ter dito a frase *Se eu soubesse, por que diria a você?*, tentei evitar que sua imagem mental me acompanhasse quando eu ia para a cama. Pus no lugar outra mulher, Laura Capelli, por exemplo, com seu corpo voluptuoso e seu sorriso largo, e recorria à pornografia: sempre eficiente, mas as fotos vulgares me deixavam deprimido. Eu sonhava em ter companhia, também, em ter conversas, fazer caminhadas, sair para jantar, além de sexo. Miranda e eu mal havíamos trocado poucas palavras e eu tinha de admitir que a minha atração podia ser extinta sob o efeito de uma simples conversa que revelasse uma mente rasteira por trás daqueles olhos enfeitiçadores. Racionalizei que o que havia ocorrido era apenas mais uma rejeição entre muitas, e eu devia aceitá-la, mas havia três imagens que agora tinham tomado conta de mim: o desenho de um monstro feito por Miranda, o seu retrato de Eggy e o próprio desenho de Eggy — a representação da sua própria família, feita por uma criança, talvez? Seria o homem que flutuava uma imagem do seu pai desaparecido? Talvez Eggy quisesse contar para o médico de preocupações aquilo que sua mãe não queria me contar. As palavras de Miranda me levaram a pensar que ela conhecia a identidade do mensageiro misterioso. Além disso, eu supunha que o nexo entre eles dois, na certa, tinha algo a ver com arte e fotografia, e que era plausível que outras fotos houvessem chegado sem eu saber. Escrevi um bilhete para Eggy e enfiei também por baixo da porta.

Cara Eglantine,
Muito obrigado pelo desenho. Gostei muito dele, sobretudo do homenzinho que voa.
Seu amigo,
Erik

Durante os anos em que trabalhei no hospital, eu tinha visto veteranos demais para ceder ao patriotismo idiota que andavam oferecendo para o público na televisão: câmeras e tanques rolando, bandeiras e poeira esvoaçando, jornalistas sôfregos paramentados com roupas de combate cuspindo perdigotos com a voz exaltada ao falar sobre as tropas corajosas, o firme apoio das famílias na terra natal, o sacrifício, o dever, a América, a pátria. O livro de Inga havia falado diretamente sobre esse tipo de espetáculo grotesco, e todavia eu tinha certeza de que as palavras dela encontrariam ouvidos surdos. A história é feita pela amnésia. Na Guerra Civil Americana, isso era chamado de coração de soldado, com o tempo passaram a chamar de trauma de bomba e, depois, de neurose de guerra. Agora é TEPT, transtorno de estresse pós-traumático, o mais antisséptico dos termos para designar o que pode acontecer com alguém que testemunha o indescritível. Durante a Primeira Guerra Mundial, nos alojamentos dos hospitais de campanha, os médicos franceses e ingleses viam esses casos entrarem em bandos — homens cegos, surdos, trêmulos, paralisados, afásicos, catatônicos, alucinados, acossados por pesadelos recorrentes e por insônia, vendo e revendo o que ninguém deveria ver, ou sem sentir absolutamente nada. Sem dúvida, nem todos haviam sofrido lesões cerebrais, portanto os médicos começaram a classificar seus pacientes como AND (ainda não diagnosticado) ou SDS (só Deus sabe), ou *Dieu seul qui sait quoi* (só Deus sabe o que é).

"Doutor Davidsen", disse ele. "Voltou agora, depois de tantos anos. Não é como lembrar, não senhor. É o choque, igual ao que foi, é como se eu estivesse passando por aquilo de novo. Acordo com o impacto na minha perna, nenhuma dor, só a explosão, e depois eu vejo." Alcoólatra crônico, o senhor E. Não foi hospitalizado por trauma. Drenaram as suas ascites, mas foi enviado para mim depois que começou a berrar de noite e acordava o pavilhão inteiro.

"O que você vê?", perguntei.

Ficou com a cara vermelha e enrugada, cheia de pontos marrons. Esfregou as bochechas com as mãos. Os braços sacudiram de modo incontrolável. "Harris em cima de mim. Rodney Harris, sem a cabeça."

O trauma não é uma parte de uma história; situa-se fora da história. É aquilo que não admitimos que faça parte da nossa história.

* * *

Miranda voltou com força à minha consciência naquele fim de semana. Na manhã de domingo, quando peguei meu jornal *The New York Times* na porta de casa por volta das nove horas, eu a vi na calçada. Estava de costas para mim, e aos seus pés estava um balde de água com sabão. Para minha surpresa, ela parecia estar lavando a árvore. Quando ela deu um passo para o lado, logo entendi por quê. O desconhecido tinha deixado seu sinal em tinta vermelha no tronco do alto carvalho, que começava a florescer.

Não desci a escadinha até a calçada para falar com ela. Agarrei meu jornal e fechei a porta quase sem fazer barulho, mas ela percebeu e se virou. Por um momento, nossos olhares se cruzaram através da porta de vidro. Ela não sorriu, mas vi no seu rosto algo mais suave que da vez anterior. Acho que fiz um meneio de cabeça antes de ir tomar meu café da manhã, com o corpo inteiro eletrizado pela expressão no rosto de Miranda.

Numa carta sem data, de 1944, meu pai escreveu: *Depois de muito tempo no mar, nós chegamos a terra. A viagem foi animada e cheia de gente. Não fiquei enjoado, mas muitos comeram o pão que o diabo amassou. As cerimônias na hora em que atravessamos a linha do equador foram cruéis e ao mesmo tempo divertidas. A novidade, para mim, foram os nativos: miúdos, de cabelos encrespados, pretos e descalços, com uma roupa em volta da cintura. Vendiam artigos dentro de conchas e bambus, ou tentavam vender. Posso dizer que estamos em algum ponto da Nova Guiné. Estou escrevendo à luz de vela.*

O rosto de Inga estava corado de entusiasmo quando abriu a porta. Seus olhos se arregalaram e ela falou depressa. "Achei uma coisa no Arquivo Geral de Blue Wing. Não sei o que significa, mas é interessante. Tenho o registro de um casamento entre Alf Odland e Betty Dettling em 1922. Um ano depois tiveram um filho, só que o nome na certidão de nascimento não é Lisa, mas sim *Walter* Odland. Não existe nenhum registro de uma Lisa que seja filha dessas duas pessoas. Papai tinha quinze anos e Lisa tinha de ter pelo menos a mesma idade que ele, provavelmente era mais velha, se já estava trabalhando longe de casa, portanto há alguma coisa errada nessa história."

"Talvez seja um outro Odland."

"Só existe um na cidade", respondeu Inga. "Talvez Lisa fosse filha de um casamento anterior. Talvez ele tenha se divorciado da primeira esposa, ou essa esposa morreu. O divórcio era muito comum entre os imigrantes no campo, claro que isso foi mais tarde, mas mesmo assim não é comum que uma menina fique com o pai e não com a mãe, você não acha? Portanto, o provável é que a mãe tenha morrido. Alf Odland morreu em 1962. Betty viveu até 1975. A boa notícia é que Walter ainda está vivo. Liguei para o número da lista telefônica, mas ninguém atendeu. É um homem velho, que não usa secretária eletrônica, mas tenho esperança de conseguir falar com ele."

Uma repentina sensação de relutância tomou conta de mim, a sensação de que estávamos invadindo o território de algo que poderia dar a volta e nos golpear pelas costas. Eu estava consciente de que era estranho para mim — alguém que escutava tantas confissões de traição, de baixeza e de crueldade — ficar intimidado com uma história oculta em algumas folhas de papel num arquivo público, mas o analista como pessoa capaz de ouvir tudo é algo possível por causa do papel que representa, a posição que ocupa no consultório. Fora dali, eu ocupo um outro território: irmão, filho, amigo. "Tem certeza de que quer continuar a pesquisar isso?"

"Você não tem?"

"Estou pensando em Walter Odland. E se as perguntas que você fizer..." Eu estava mentindo. Até aquele segundo não estava pensando em Walter Odland. "Não, não é isso. Inga, acho que estou preocupado com o que vamos descobrir."

"Eu sempre penso que vou falar com a mamãe sobre esse assunto, mas depois mudo de ideia. Alguma coisa me detém, o temor de magoá-la, eu acho. No pé em que as coisas estão, ela já está sofrendo. No entanto, eu quero saber. Acho que você também quer."

"Sim." Tive um momento de culpa em relação à minha mãe. Precisava telefonar para ela, disse a mim mesmo.

Falamos sobre outros assuntos, então, sobre o projeto de Sonia, um longo poema narrativo rimado, seus planos para a faculdade, seus silêncios. "Metade do tempo, não sei no que ela está pensando, embora seja gentil comigo na maior parte do tempo."

"E ela ainda quer ser psicoterapeuta?"

"Não, mas não acho que ia ficar aborrecida se saísse para almoçar com o tio Erik."

Depois que contei para Inga que eu havia telefonado para Sonia e combinado sair com ela, minha irmã me informou que estava escrevendo um livro diferente de todos os que já havia escrito. Histórias dos filósofos, disse, história de descobertas, histórias que demonstram como sentimento e ideias são inseparáveis. Falavam sobre a carruagem de Pascal suspensa sobre a água na Pont de Neuilly, sobre seu resgate, e sobre o Memorial, escrito no dia 23 de novembro de 1654, uma segunda-feira, quando registrou as palavras do seu êxtase, que Pascal costurou por dentro do seu casaco a fim de manter aquilo sempre consigo. Inga me contou um sonho que Descartes teve quando jovem, no qual era perseguido por fantasmas, enquanto o vento soprava com tanta força que ele não conseguia avançar contra aquelas rajadas, e tropeçava seguidas vezes, falou sobre Wittgenstein, que anotou em seu caderno, no front russo, em 1916: "Há de fato coisas que não podem ser apresentadas em forma de palavras. Elas *se tornam manifestas por si mesmas*. São aquilo que é místico". E por fim da descoberta feita por Kierkegaard do segredo do seu pai. Kierkegaard percebia alguma coisa no seu pai soturno, rigoroso, religioso, e quando o pai estava morrendo Kierkegaard descobriu. Chamou aquilo de "o grande terremoto, a terrível sublevação" que o obrigou a buscar "uma interpretação nova e infalível de todos os fenômenos".

"Estou entusiasmada, Erik", disse-me Inga. "Estou entusiasmada, e existe mais, muito mais, e tudo está muito perto de mim, como se essas histórias de ruptura pertencessem a mim também. O significado real, a descoberta verdadeira raramente é uma coisa seca. Quase sempre vem acompanhado de emoção. Claro, Schopenhauer tinha sangue de barata, mas vou deixá-lo de lado. Não é só na filosofia. Pense em cientistas como o Einstein. Pense em artistas como o Max. Ele ficava tão feliz quando os encontrava, a sua gente e as suas histórias. Ele adorava os seus personagens. Adorava, e eles eram só ficções. Todos nós adoramos nossas ficções." A voz de Inga fraquejou de emoção e seu rosto animado pareceu iluminar-se de dentro.

Minha irmã sempre passara por fases de escrever muito, curvas de produção vigorosa seguidas de enxaquecas e melancolia, o que ela chamava de "baixa neurológica". Se naquele momento eu encarasse minha irmã como uma paciente, com seus olhos brilhantes e seu rosto enlevado, anotaria no meu caderno que ela parecia maníaca. Como um de meus colegas me disse, certa vez: "Todo mundo que atravessa a porta do meu consultório é suspeito". "Você está muito excitada, Inga", falei. "No seu lugar, eu teria certa cautela."

Ela estreitou os olhos e me fitou com um sorriso. "Acha que é uma manifestação da minha personalidade epiléptica, grafomaníaca, eufórica, nefelibata?"

"Mais ou menos", respondi.

"Vivo bastante bem com isso, como você sabe, levando tudo em conta", disse ela, e abriu os braços. "Me dê um abraço."

Aproximei-me de Inga no sofá e pus os braços em volta dela. Pude sentir os ossinhos dos seus ombros quando a abracei. Depois que a soltei, ela virou a cabeça para a janela que dava para o prédio ao lado. Após alguns instantes, ela disse: "Kierkegaard não deixou nenhum registro do segredo do pai. Talvez nós nunca saibamos a respeito do nosso pai. Já tive todo tipo de fantasias a respeito disso, inventei mil histórias na minha cabeça, pensei que eles viram uma mulher morrer ou acharam um cadáver na mata. Cheguei até a pensar em assassinato, que eles viram alguma coisa horrível... Papai nunca esconderia um crime, não é mesmo? Não posso acreditar nisso."

A pequena casa branca ressaltando nos vastos campos em redor me veio à mente, e então me vi mais perto, observando minha avó abrir com um puxão a porta que dava para o sótão do telhado, enquanto nós descíamos no escuro guiados pela sua lanterna. Eu sempre gostei do cheiro de lá, um cheiro de frio, de terra molhada. O cheiro de um túmulo, pensei de repente.

"E então ela procurou por ele quatro anos depois na lanchonete do Obert", continuou Inga. "E aí... há o Harry, e agora tem a questão de uma madrasta. Papai teria queimado a carta. É nisso que fico pensando o tempo todo. Ele teria queimado a carta, Erik. Deve ter deixado para nós uma chave para o seu passado."

*Chaves desconhecidas.*

Saí da rua White mais ou menos às sete horas e, apesar da chuva fria que caía na rua, senti como o dia se prolongava quando fechei a porta pesada atrás de mim. Foi então que vi uma mulher de chapéu vermelho no meio do quarteirão. Andava rumo à Broadway com uma bolsa sobre o ombro. Parei a fim de observá-la, bastante consciente da minha perturbação por se tratar da mesma mulher com a qual havia cruzado na escada, a jornalista da revista *Inside Gotham*. Mas eu não tinha certeza. Ela andava depressa, com a cabeça abaixada, o guarda-chuva inclinado para lhe dar o máximo de proteção, e avançava nos passos velozes e determinados de alguém que cumpre uma missão.

Ao chegar perto da minha casa, vi Eggy através da janela iluminada. Vestia um pijama cor-de-rosa com o desenho meloso de um carro e uma pequena toalha enrolada na cabeça, pulava que nem um coelho no chão da sala. Quando ela se afastava do chão, estreitava os olhos com ar de concentração e a boca se contraía numa careta larga e achatada. Pulava com toda a força que tinha. Quando passei, me dei conta de que torcia para que Eggy me visse, mas ela não viu. Galgando com esforço os degraus da escada, com a minha maleta de trabalho, me veio um forte sentimento de tristeza e fiquei espantado ao sentir os olhos molhados na hora em que abri a porta. Conversei ao telefone com minha mãe naquela noite por um bom tempo. Ela me disse que estava inquieta, incapaz de se concentrar, ler, arrumar seu armário. Procurava meu pai na cama, com as mãos, todas as noites, e ficava surpresa de não achar ninguém lá. Falou-me sobre a morte dele outra vez, seu aspecto quando morreu, e o tipo de lápide que queria para ele. Fez algumas perguntas sobre contas que tinha de pagar e, enquanto eu a ouvia falar, percebia a vulnerabilidade na sua voz, um tremor que antes não existia. Antes de desligarmos o telefone, ela me disse: “E você, meu caro Erik, como vai?”.

"Vou levando", respondi.

As palavras da minha resposta em inglês ecoaram na minha cabeça — "*hanging*", pendurado numa corda, um homem suspenso no espaço, "*in there*", lá. Lá, onde?, pensei. Não aqui, mas lá, em algum outro lugar. A expressão me trouxe à memória Dale Plankey, que se enforcara num dia de primavera na décima série do colégio, no dia em que não pegou o ônibus escolar. Um de meus pacientes, o senhor D., achou o pai pendurado pelo pescoço, em um cinto, no porão. Tinha sete anos de idade. Meus pensamentos continuaram, confusos e atrapalhados, nesse mesmo caminho macabro, enquanto eu comia sozinho, e depois, em vez de ler um artigo sobre a neurobiologia da depressão, bebi uma garrafa inteira de vinho tinto na frente de um filme para o qual nem olhava e depois fiquei ouvindo os carros passarem na praça Garfield, a risada barulhenta de adolescentes que vagavam em bandos sem rumo, o som distante de uma televisão na casa do vizinho. Na hora em que larguei na cama a minha pessoa embriagada e atormentada, rechacei os pensamentos sobre Sarah, enquanto ouvia a voz de Genie, que gritava para mim, "Senhor Perfeito! Senhor Bom e Perfeito! Você é um babaca!", e pensei nas fugas do meu pai. Quando comecei a dormir, eu estava andando com ele, dentro dele, consciente apenas dos meus pés, à medida que um e depois o outro batiam com força no cascalho, movendo-se depressa rumo à escuridão na Dunkel Road, a nossa rua, sem luz nenhuma em parte alguma, apenas a vastidão plana dos milharais dos dois lados.

No dia 6 de dezembro de 1944, meu pai escreveu para os pais dele, da Nova Guiné. *Voltamos para o lugar onde aportamos para descansar um pouco. Escrevo dentro de uma barraca e está chovendo.* No dia seguinte, os homens do regimento 569 receberam sua primeira remessa de correspondência dos Estados Unidos. Entre as cartas, havia a de um amigo do meu pai no Martin Luther College. Uma lesão causada numa partida de futebol americano na escola o mantivera fora do serviço militar.

Lars,

Howard Lee Richards morreu por ferimentos sofridos em combate no dia 17 de outubro de 1944. Pulou de paraquedas no sul da França dois dias depois do dia D, depois de ter ficado na Itália durante dois meses.

Ele deixa saudades em seus eternos camaradas: Lars Davidsen, John Young e Jim Larsen. Escreva! Jim.

*Achei um lugar para me esconder*, escreveu meu pai, *e chorei até não poder mais*. Na mesma correspondência, recebeu uma carta de Margaret. No alto da folha, ela citou Coríntios 12:9, "pois é na fraqueza que a minha força se realiza plenamente. Por isso, de bom grado, me gloriarei das minhas fraquezas".

*Agora não consigo de maneira nenhuma desatar os nós das emoções cruzadas que me assaltaram na noite que se seguiu. Tendo a não acreditar em histórias de repentinas mudanças de atitude em razão deste ou daquele evento em particular. No entanto acredito em precondicionamento — explosivos que se acumulam pouco a pouco ao longo do tempo, até que aparece a centelha de ignição que reclama para si todos os créditos. A notícia da morte de Lee era, em si mesma, mais do que eu era capaz de enfrentar. A definição de graça dada por Paulo zombava e ao mesmo tempo consolava. "A morte de cada dia da vida", como Shakespeare chamou o sono, por fim surgiu no meu caminho. Acordei com uma serenidade estranha. Sem nenhum esforço consciente de minha parte, eu me havia despojado de um interminável acúmulo de preocupações triviais. Havia uma nova sensação de liberdade. Tornei-me um soldado melhor, ou assim gosto de pensar. O tenente Goodwin, oficial que cursou a faculdade, talvez tenha sido o primeiro a perceber uma mudança. Parado junto à rampa, enquanto subíamos para o navio que nos levaria para Luzon, ele tinha uma palavra de encorajamento para cada um de nós. Quando me viu, falou: "Aqui vai o estoico". Depois disso, não me chamou de outra coisa. Na época, eu tinha só uma vaga noção do que a palavra significava.*

*21 de janeiro de 1945. Em algum lugar das Filipinas. Esta é minha segunda carta. É difícil achar tempo para cartas. Durante o dia, estamos sempre em movimento — à noite, não temos luz.*

Miranda estava sem fôlego e, enquanto falava, mantinha os olhos fixos em mim. "Preciso de um favor", disse ela. Estava parada na minha porta às sete horas da noite, numa quarta-feira. Atrás dela, ao pé da escadinha do alpendre, vi Eggy vestida em seu pijama e de suéter grosso. A menina abraçava uma boneca junto ao peito e suas bochechas brilhavam de lágrimas que ainda não haviam secado. "Chamei minhas irmãs, mas elas não podem. Aconteceu uma coisa", arquejou Miranda, "e... e preciso que alguém fique com a Eggy." Desviou os olhos dos meus. "Desculpe incomodar, mas é urgente. Eu não pediria se não fosse."

Fiz que sim com a cabeça: "Vai demorar muito?".

"Não, não deve demorar muito. Eu, eu tenho de resolver uma coisa."

Baixei os olhos para Eglantine, que parecia ter encolhido desde a última vez que eu a vira. Talvez fosse sua imobilidade que lhe dava um aspecto menor. A criança, em geral agitada, estava imobilizada. "Você não se importa de ficar comigo enquanto sua mãe estiver na rua?", perguntei.

Olhou para mim de baixo para cima com olhos imensos. O lábio inferior estava tremendo de modo incontrolável, enquanto fazia que sim com a cabeça.

"Está triste porque ela vai sair."

Fez que sim com a cabeça de novo.

"Eu e você já batemos uns bons papos antes", falei. "Se não quiser conversar comigo, pode ficar desenhando, e eu também tenho uns livros de que você pode gostar."

Miranda desceu a escadinha para a rua e ajoelhou-se na frente da filha. Não ouvi o que disse, mas Eggy segurou a mão da mãe e deixou que ela a trouxesse até a minha porta. Depois de dar um rápido abraço na pobre criança, Miranda foi embora depressa. Assim que a porta fechou, Eglantine começou a berrar: "Mamãe! Mamãe!". A boneca caiu no chão enquanto ela punha as mãos nos dois lados do seu rosto pequeno e contorcido, e soluçava, sacudia a cabeça para trás e para a frente num movimento ritmado que acompanhava seu desespero.

Agachei-me e estendi a mão para tocar seu ombro num gesto de consolo, mas a menina rechaçou minha mão com um tapa e gemeu mais forte ainda, sua voz alcançou a altura de um grito quando ela correu para a sala de visitas e se jogou no sofá.

Resolvi esperar. Em voz alta, eu lhe disse que estaria bem perto — sentado à mesa na sala de jantar, se ela precisasse de mim.

Enquanto ouvia a criança chorar, fiquei mais resistente ao som, desejando, de forma impotente, que ela parasse. Depois de alguns minutos, os soluços recuaram para um registro mais baixo e depois foram substituídos por uma série de sonoras fungadas. Um momento depois, ouvi o som dos passos suaves e em seguida a vi parada na porta. Com os olhos rosados e inchados e duas linhas transparentes de muco escorrendo das narinas até a boca, ela me encarou e, enquanto me encarava, fungava sem querer. Sua cabeça e seu queixo tinham espasmos a cada inspiração.

Depois de outros tantos segundos de silêncio, ela declarou numa voz miúda, mas séria: "Não gosto quando Charlie me chama de Gema de Ovo".

"E quem é Charlie?"

"Um garoto da minha sala."

Aquela página estava virada, e depois disso já éramos bons camaradas, unidos por essa desventura a que chamam de espera. Eggy bebeu três copos de suco, abocanhou um chocolate que estava ali já fazia um mês, uma banana, um iogurte de morango e meia tigela de cereais, pegou de novo Wendy, a boneca, que foi duramente repreendida por causa de numerosas infrações, desenhou quatro figuras de um rato muito triste e depois fez um desenho maior, mais alegre, de uma mulher que identificou como Maroon e a sua tetra-tetra-tetravó, deu uma volta pela casa, que classificou de "grande que nem uma casa", ficou escutando empolgada enquanto eu lia três histórias de *O livro dos contos de fadas*, de Andrew Lang, e conversava animada em todas as pausas entre as nossas atividades. Sua voz de flauta cheia de ar me forneceu relatos sobre as traições ocorridas no jardim de infância. "A Alicia disse que ela não é mais minha amiga. Fiquei triste, mas, quer saber de uma coisa? Ela esqueceu! O Charlie é ruim. Deu um soco no Cosmo. A professora teve de segurar o Charlie pela camisa." A noite também foi intercalada por momentos de preocupação com sua mãe. Diversas vezes vi seu rosto se franzir numa expressão que prenunciava lágrimas, mas elas não vinham. Em vez disso, Eggy soltava um grande suspiro, seguido por uma exclamação, que, apesar de sua sinceridade, era tingido por um traço teatral: "Ah, onde, onde será que a minha mamãe querida está? Ah, onde, onde, mamãe querida?".

De fato, onde? Comecei a pensar no assunto lá pelas onze horas. Nessa altura, tínhamos nos instalado na biblioteca, na frente do filme *O Picolino*, vendo as figuras cinzentas de Fred e Ginger rodopiar, valsar e espernear. Eu tinha dado para Eggy um travesseiro e um cobertor, não porque ela fosse passar a noite ali, sublinhei bem isso, mas porque era mais confortável para ver o filme. À uma hora, *O Picolino* havia emendado no filme *Kitty Foyle* e eu continuava no sofá, a criança dormia ao meu lado, enquanto eu ficava cada vez mais nervoso à espera do som da campainha, torcendo para que eu não tivesse sido ludibriado por aqueles lindos olhos, para que Miranda não tivesse me deixado a noite inteira enquanto ficava nos braços de um amante ou, Deus me livre, que ela tivesse abandonado Eggy para sempre, mas isso já parecia impossível. Eu não sabia grande coisa a respeito de Miranda, porém já a havia visto junto da filha com frequência suficiente para pôr de lado esse pensamento, e depois comecei a pensar no sinistro desconhecido e nas fotografias. Quanto tempo a gente deve esperar antes de ligar para a polícia? Mas a exaustão me derrotou e, quando a campainha tocou, despertei de um pulo, olhei que horas eram, três horas, e corri para o térreo.

Miranda estava na porta, espremendo a mão direita com a esquerda, enquanto o sangue escorria por cima dos dedos. Sem dizer nenhuma palavra, agarrei suas mãos e, depois de achar o corte no dedo indicador da mão direita, levei-a até a cozinha a fim de lavar o sangue, enquanto ela insistia que não era nada, eu não precisava me preocupar, e onde estava Eggy? Pus um curativo no seu dedo, com gaze e esparadrapo, e depois, com a confiança reforçada pelas horas que gastei prestando-lhe *o favor*, pus as mãos nos seus ombros e lhe disse para sentar. Para minha surpresa, ela sentou.

"Já é tarde", falei. "Não sei o que aconteceu com você nem o que está se passando, mas foi uma noite dura para a Eggy, e bastante dura para mim também. Você me meteu nisso e acho que é necessário algum tipo de explicação. Se não for agora, então amanhã."

Miranda ficou sentada, com o dedo enfaixado estendido em cima da mesa na sua frente. Antes de irmos para o andar de cima para retirar Eglantine do sofá, ela se virou para me encarar.

"É uma história comprida", disse. "Comprida demais. Mas eu quero que você saiba que nesta noite eu não tive outra opção. Não tive mesmo."

"E o seu dedo?"

"Efeito colateral", respondeu com um débil sorriso.

"Tem alguma coisa acontecendo com a mamãe", disse Sonia, "uma coisa esquisita." A última palavra da frase soou abafada, enquanto dava uma mordida no seu sanduíche. Ergueu os olhos para mim por um momento e depois examinou o seu prato, enquanto mascava a comida. "Vi a mamãe chorando outro dia de noite quando cheguei em casa, e ela não quis nem falar do assunto."

"A sua mãe pode chorar", falei. "Veja, nem sempre é coisa séria. Ela anda trabalhando demais, e eu tive a impressão de que podia estourar se não tomasse cuidado."

Sonia fez que sim com a cabeça.

"Mas tem alguma outra coisa. Acho que tem a ver com o papai."

"É mesmo?"

"Noite passada, ela viu *Mergulho radical*, mas não ficou parada vendo o filme até o fim, toda hora voltava o filme para ver algumas cenas muitas vezes seguidas, e dava para perceber que estava agitada e perturbada. A questão com a mamãe é que agora ela anda muito aberta comigo. Se eu pergunto o que é que está acontecendo, mamãe me conta. Que isso ou aquilo a deixou meio abalada, mas acontece que ela foi muito vaga quando perguntei por que ficou vendo aquela cena entre Edie Bly e Keith Roland. Não faz nenhum sentido..."

"O seu pai escreveu o roteiro. Talvez ela quisesse ouvir as falas."

"Quinhentas vezes?" Sonia baixou seu sanduíche e começou a torcer uma comprida mecha de cabelo com os dedos da mão direita. Eu já tinha visto Sonia fazer isso antes, um tique, e enquanto a olhava me lembrei de repente dela deitada no colo da mãe, um bebê grande e satisfeito, mamando sua mamadeira, enquanto remexia preguiçosamente com os dedos no cabelo louro e comprido de Inga. Sonia ficou girando a mecha de cabelo e continuou a falar. "Tem alguma coisa acontecendo e é bem provável que a mamãe vá contar para você. Estou um pouco preocupada com o que vai acontecer com ela quando eu for embora."

"Você escolheu a Universidade Columbia para poder ficar perto da sua mãe?"

O rosto de Sonia ganhou uma cor mais forte e ela soltou o cabelo.

"Tio Erik! Isso não é justo. Eu gosto da cidade. Eu adoro. E Columbia é uma escola excelente. Não quero passar os próximos quatro anos metida em algum fim de mundo."

"Vocês duas estão preocupadas uma com a outra."

"Mamãe está preocupada comigo?" Sonia olhou bem para o seu sanduíche comido até a metade. Tinha a linda boca da mãe, os mesmos lábios fartos de Inga quando era jovem. Os rapazes deviam ficar doidos, pensei, e tive certa pena daqueles adolescentes anônimos que ficavam sentados perto dela na sala de aula.

"Ela me contou que você teve uns pesadelos", falei.

"Todo mundo tem pesadelos", respondeu Sonia. "É *normal*." Olhou para o lado quando falou isso, e percebi sua relutância em me fitar nos olhos.

"É uma palavra dura, *normal*", falei.

Ela se virou e fez uma careta.

"Aposto que diz isso para todos os seus pacientes."

As evasões de Sonia não me surpreendem, e no entanto senti nela uma nova confiança. Falou de modo muito arguto a respeito do seu poema longo "Ossos e anjos", e sobre a ambição de escrever. Queria estudar russo para poder ler Marina Tsvetáieva e Anna Akhmátova no original. Quando perguntei, ela confessou que não havia nenhum namorado no horizonte. Tinha uns admiradores, mas ninguém de quem gostasse e, embora tenha dado um suspiro profundo, tive a sensação de que não estava pronta para amar ninguém ainda. Ela também tinha fantasmas silenciosos dentro de si e os protegia com cuidado. Não falei que eu esperava encontrar aqueles fantasmas no seu poema, mas pedi para ver o texto quando ela estivesse pronta para mostrar. Minha sobrinha me deu um forte abraço antes de nos despedirmos na rua Varick e, enquanto a via andar para o leste a caminho de casa, percebi que ela saltitava um pouco. Aquele ímpeto no seu jeito de andar era uma novidade, e me deixava contente.

Enquanto eu caminhava na direção da rua Chambers e do trem número 3, pensava em Max e em *Mergulho radical*. Eu tinha gostado do filme e ele me voltou ao pensamento em fragmentos durante a viagem de metrô e durante toda aquela tarde de sábado quente, radiosa e exuberante. Ele havia escrito o roteiro original para o diretor independente Anthony Farber e uma atriz desconhecida, Edie Bly. Eu gostaria de saber o que foi feito dela. Tinha aparecido em alguns pequenos filmes independentes americanos e depois sumiu. Lembro que fiquei sentado ao lado dela num jantar que Inga e Max ofereceram, antes do início das filmagens. Tinha cabelo escuro e curto, uma cabeça bonita em forma de coração, e um jeito desleixado, um pouco atrevido, que combinava bem com o personagem que representava: Lili. E depois vi seu rosto enorme de perfil na tela, na hora em que inclinava a cabeça para trás para receber um beijo. Lindas mulheres beijando e sendo beijadas. O que seria do cinema sem elas?

A história que Max escreveu era sobre um jovem, Arkadi, que chega de trem a uma cidade sem nome, que parece Queens — era Queens, de fato. Fica vagando pelas ruas e logo descobre que, toda hora que vira uma esquina, os habitantes estão falando uma língua diferente. Algumas línguas do filme são verdadeiras; outras são sons sem sentido. Ele começa a procurar um emprego, mas ninguém consegue entender seu inglês e todo mundo o põe para correr. Três homens vestidos de vermelho gritam disparates para ele e apontam para as suas roupas, berrando gargalhadas de escárnio. Está vestindo calça jeans comum e camiseta. Pouco depois, vê as costas de uma mulher na rua. Ela vira a cabeça linda, sorri para ele e some no meio de uma multidão de amarelo. Segundos depois, ele é espancado de modo brutal por um grupo de estranhos de verde. Após uma série de outras desventuras, Arkadi é abrigado por um amistoso estalajadeiro que lhe arranja um quarto e um emprego de zelador. Enquanto está ali, as cores da pousada se modificam ligeiramente. Certa manhã, o tapete está azulado, no dia seguinte, esverdeado, no outro dia, amarelo e verde. Ele registra seus pensamentos num diário, que se ouve numa voz fora de cena, enquanto vai tocando sua faxina cotidiana, lavando, tirando a poeira e trocando as roupas de cama nos quartos escuros e miseráveis. Embora os quartos contenham objetos, roupas e papéis que ele supõe pertençam aos residentes, nunca vê nenhum deles. De noite, estuda um livro em linguagem de sinais que o estalajadeiro lhe deu de presente.

Há uma tomada que eu adoro, das mãos dele na sombra, contra a parede, enquanto forma o alfabeto da nova língua. Suas rondas de compras pelas ruas, porém, são inevitavelmente intercaladas por alguma ameaça. Gangues de rapazes em roupas de várias cores perambulam sem o controle da polícia. Ele conclui que existe um misterioso código de cores que precisa ser desvendado para compreender aquela cidade nova. A alternativa é que ele está ficando maluco e o espectador não tem certeza de qual teoria é a correta. Arkadi avista Lili na janela de um prédio de apartamentos. Ela olha para baixo, na direção dele, sorri, depois desce a persiana. Ele a vê de longe comprando laranjas numa mercearia. De novo, os olhos dela cruzam com os dele, e Lili sorri, mas, quando ele se aproxima da loja, ela já foi embora. Ele reconhece uma foto dela numa loja de câmeras fotográficas, compra a moldura com a fotografia e coloca na mesinha de cabeceira da sua cama. A foto, porém, é apenas uma das várias encarnações de Lili. Toda vez que Arkadi a vê, a jovem parece diferente: a maquiagem, o cabelo, as roupas, a atitude mudam a cada ocasião. No seu dia de folga, Arkadi perambula pelas ruas e encontra uma galeria de arte. Quando entra, descobre várias pinturas grandes expostas não na parede, mas no chão. Baixa a cabeça e olha para elas, e o espectador entende que alguma coisa extraordinária aconteceu. Quando a câmera dá uma panorâmica nas telas, fica claro que todas as pinturas são idênticas: sete retratos do próprio Arkadi, escrevendo seu diário. Ergue os olhos e vê a linda moça que vem andando na sua direção. Ela sorri e tem início o seu estranho caso de amor.

*Acho que tem a ver com o papai.* Max adorou trabalhar naquele filme e Farber o manteve presente na filmagem para escrever alterações de última hora, se e quando fossem necessárias. Inga possui uma foto emoldurada de Max e Tony com os braços nos ombros um do outro, os dois radiantes, com charutos enormes presos entre os dentes. O ar e a luz da primavera penetravam em mim enquanto caminhava para casa. As cores dos gerânios vermelhos e dos amores-perfeitos roxos em vasos nas sacadas do Brooklyn, as maçãs silvestres de um cor-de-rosa bem vivo e os cornisos brancos pelos quais eu passava me afetavam como dores. Talvez os meus pensamentos a respeito de *Mergulho radical* tivessem estimulado meu sentido para as cores. A mulher evasiva. Genie tinha sido uma delas, pelo menos no início. Miranda era outra. Imaginei Miranda inclinando a cabeça para trás e olhando de baixo para mim, e me imaginei lhe dando um beijo. Ela não tinha me procurado depois que cumpri minha tarefa de cuidar da sua filha e eu não a tinha visto, mas sabia que ela estava lá pelo barulho na hora em que o portão fechava, pelo barulho dos passos dela no chão, embaixo de mim, e pela sua voz berrando com Eggy de vez em quando.

Naquela noite, vi o filme outra vez. Na galeria, a mulher se apresenta como Lili Drake e explica que é a pintora. Quando ele pergunta como ela pode ter pintado a ele se os dois só haviam se visto muito de passagem, ela responde: "Nunca esqueço um rosto". Ela termina na cama de Arkadi naquela mesma noite, mas se recusa a passar a noite inteira com ele. Farber usou a mesma cena três vezes, um *déjà vu* cinematográfico: Lili se veste depressa, vai na ponta dos pés até a porta enquanto o amante fica dormindo, desce correndo pela escada para o térreo e para dentro da cidade. E então certa noite, embora lhe diga que precisa ir embora, Lili adormece ao lado dele. Quando ela acorda, ele a abraça com alegria, mas uma coisa terrível aconteceu: ela não o reconhece mais. "Quem é você?", pergunta friamente. "Quem é você?" A maior parte da ação do filme se passa em silêncio, e a voz fora de cena nunca corresponde ao que o espectador está vendo na tela. Max deu à sua fábula erótica um final ambíguo. Depois de procurar Lili pela cidade inteira, voltando a todos os lugares onde a viu, Arkadi desiste e embarca num trem. Seu destino é incerto, mas quando ele senta, vê uma jovem sentada à sua frente, de óculos escuros, a cabeça inclinada sobre um livro. Há algo de familiar naquela jovem. Ela ergue a cabeça e sorri para Arkadi. Farber procurou por toda parte uma atriz que se parecesse com Edie o suficiente para que a última cena produzisse o efeito desejado. A garota que eles acharam possuía uma semelhança incomum com a jovem atriz, só que não era uma atriz e, apesar do fato de não ter de fazer nada mais do que levantar o queixo e sorrir, a cena demandou quinze tomadas.

Quando o telefone tocou, eu torcia para que fosse Miranda, mas para minha surpresa era Burton, meu velho amigo da escola de medicina, uma pessoa com quem eu não falava havia muitos anos. Burton sempre fora um colega estranho, mas com o correr do tempo ele se tornou cada vez mais isolado e peculiar e acabamos perdendo o contato. Inteligente, mas mal-humorado, Bertie, como era chamado naquela época (seus pais lhe deram de presente o nome horrível de Bernard ou Bernie Burton), largou a medicina e passou para a pesquisa — o campo mal remunerado, porém prestigioso, da história da medicina. Agora trabalhava em algum cargo na biblioteca de medicina na rua 103. Quando ele me perguntou se podíamos jantar juntos, respondi que seria "ótimo" e depois fiquei sentindo certo desconforto, porque percebi que era verdade.

Enquanto eu me preparava para dormir naquela noite, o velho mantra escapou dos meus lábios várias vezes. Veio de modo espontâneo, como sempre, e eu me senti constrangido, como se houvesse algum estranho no quarto ouvindo meu refrão: Sou muito solitário.

*Durante três noites fomos bombardeados com muita força,*

escreveu meu pai. *Eu e outros fomos ingênuos a ponto de acreditar que as bombas que berravam acima da nossa cabeça na primeira noite vinham dos canhões dos nossos próprios navios e que seus alvos estavam assustadoramente próximos. Ouvíamos o matraquear dos estilhaços das bombas quando batiam na areia. Como estávamos errados. Os japoneses, que haviam tomado nossos canhões costeiros em 1942, agora os usavam contra nós. Eram máquinas imensas, montadas em cima de trilhos e empurradas para fora de túneis à noite. Bombardearam nossa praia de modo sistemático e repetitivo. Não demoramos muito tempo para entender o padrão. Como trovões, cada explosão acontecia um pouco mais perto. O terror que a gente sente quando sabe que a próxima pode entrar pela terra até o porão onde a gente está escondido é a pior coisa da guerra. O alívio que a gente sentia toda vez que escapava não tinha espaço para preocupações com a sorte dos nossos camaradas que estavam mais adiante ou na linha de frente. O bombardeio durava a noite inteira, mas parava ao amanhecer. As crateras eram gigantescas.*

*Uma porção de cadáveres jazia na beira do mar em nossa primeira semana na praia. No final, as coisas tinham dado errado para alguns no seu caminho para lá. Recebemos ordem para deixá-los ali mesmo. As equipes incumbidas de contar e recolher os mortos, nos explicaram, iam passar um pente-fino na praia e sabiam o que fazer. Henry Parker e eu fisgamos um cadáver das espumas das ondas. Não suportamos ficar olhando para ele sendo jogado para a frente e para trás pelas ondas. A maior parte dos outros cadáveres estava meio enterrada na areia, de modo que, no caso deles, o enterro já havia mais ou menos sido feito. Cadáveres continuaram a chegar à areia da praia durante mais dois dias, porém em número menor. No terceiro dia, a praia ficou coalhada de suprimentos: rações, munições, cruzes de madeira e estrelas de davi, as necessidades básicas da guerra. Aliás, todos nós trazíamos dentro da mochila uma capa de colchão. Ninguém nunca nos contou por que carregávamos aquele peso extra e, quando a gente descobriu por conta própria, se rendeu sem protestar ao único tabu do exército. Na Segunda Guerra Mundial, cada um carregava nas costas seu próprio saco para guardar cadáver.*

*Todos nós cavamos buracos mais fundos na segunda noite, não eram tocas redondas, mas sim trincheiras compridas. Durante a segunda noite, como a minha trincheira era mais profunda, a água se infiltrou e subiu vários centímetros. Caranguejos rastejantes tombavam lá dentro e aumentavam mais ainda minhas aflições. Mais tarde naquela noite, fui para junto de Henry Parker, cuja trincheira ficava num ponto mais elevado e, por causa de um desmoronamento, tinha espaço para duas pessoas. O medo de Henry era menor que o meu. Toda vez que sobrevivíamos a uma explosão destinada a nos atingir, Henry ria e dizia repetidas vezes: "Erraram! Erraram!". O cansaço extremo se estabeleceu na terceira noite. Com ele veio uma espécie de indiferença fatalista. Apesar do bombardeio, eu dormia quando as bombas eram uma preocupação para outras pessoas. Na manhã do quarto dia, ficamos olhando bombardeiros de mergulho americanos destruir as entradas das cavernas onde se abrigava a artilharia que vinha nos dando tanto trabalho. Pouco mais tarde, recebemos ordem para avançar.*

Depois de ler isso, lembrei-me do meu pai no seu escritório, afastando a cadeira de rodas do tubo de oxigênio que se enrolava embaixo dela, uma irritação constante que o fazia praguejar por trás da sua respiração difícil. Tinha a cabeça debruçada sobre a folha de papel, e eu sabia que estava escrevendo tão rápido quanto podia. A premência da sua tarefa deixava seus músculos tensos, nas costas e no pescoço. Caminhei na direção dele, coloquei a mão no seu ombro. Ele se virou e sorriu, em seguida pôs a mão sobre a minha, num sinal de camaradagem, de alguma vaga compreensão masculina entre nós. Quando curvou a cabeça e voltou a trabalhar, eu me demorei mais um pouco ali no quarto e olhei pela janela para o campo além da estrada Dunkel, estacas marrons ressaltavam acima da neve. Inga e eu estávamos em casa, no Minnesota, para aquilo que seria o último Natal do meu pai. Lembro-me de ter pensado que eu devia falar alguma coisa. Palavras que eu poderia dizer me vieram à cabeça, e depois as deixei de lado. A memória retém a repetição de um velho sentimento. É como se eu estivesse evitando uma coisa que eu temo, mas não sei o que é. Retive o momento porque ele me deixou perturbado e cresceu por causa da emoção. Creio que, em minha própria análise com Magda Herschel, consegui articular a distância que sentia do meu pai e que a minha empatia por ele foi o caminho para eu aceitar o abismo que existia entre nós. Enquanto olhava por aquela janela, no mês de dezembro de 2001, entendi que eu estava iludido.

Na sobremesa e depois de uma longa conversa sobre o livro que Burton estava escrevendo a respeito de teorias da memória, desde os antigos até a mais recente pesquisa cerebral sobre o assunto, ele me perguntou inesperadamente sobre Inga. Havia um leve tremor na sua voz e recordei o terrível atrito que teve com a minha irmã quando éramos todos jovens. Foi um caso triste, porque já naquela época Burton era um sujeito gordo, bamboleante, de cara vermelha, que tinha pouca sorte com as garotas. Seu principal problema, no entanto, não era a aparência, mas a umidade. Mesmo no inverno, Burton tinha um aspecto vaporoso. Bolhas de transpiração ressaltavam no seu lábio superior. Sua testa reluzia e suas camisas escuras se destacavam por causa dos grandes círculos molhados embaixo dos braços. O pobre sujeito dava a impressão de que era úmido até o fundo, um charco peripatético em forma de homem, com um único equipamento vital — seu lenço. Certa vez, na faculdade de medicina, sugeri que existiam tratamentos para a hiperidrose. Burton me informou que havia tentado tudo o que a humanidade conhecia e que não oferecesse o risco de transformá-lo num vegetal, e que seu caso não tinha esperança. "A essência do meu ser é o suor", disse-me ele. O primeiro dia de residência marcou o fim da sua carreira de médico. Seu rosto melancólico, gotejante, as palmas das mãos pegajosas e o lenço encharcado afastavam quase todos os pacientes atentos, mas além disso ele não era uma pessoa talhada para aquela iniciação cansativa. Para ser franco, nenhum de nós era, mas Burton dava mais sinais disso do que os outros. A loucura dos apitinhos eletrônicos, dos eletrocardiogramas de emergência, dos intermináveis exames de sangue, que significavam espetar veias, artérias e colunas vertebrais de crianças aos berros e de octogenários dementes, combinados com a crônica ausência de sono, o derrubaram. Quando um paciente urrava: "Você é um torturador, está me matando", seu rosto se enrugava de sofrimento e, sempre sério, Burton nunca abria o menor sorriso quando Ahmed e Russel, nossos dois residentes humoristas, faziam malabarismos com bolinhos, imitavam algum paciente mais problemático ou faziam piadas sobre "o presunto" ou "vestir o pijama de madeira". Humor fúnebre. Burton não tinha esse senso de humor. O ano também me havia tomado de assalto, me havia exaurido, e de noite eu sonhava com veias protuberantes que escorriam de braços e caíam no chão jorrando sangue. Meu desejo avassalador era unicamente me livrar daquilo e ir em frente. Descobri um jeito de me manter distante de expressões de agonia, do barulho do choro, do cheiro de urina e fezes, da morte e dos mortos. Não era uma guerra, mas entendi o que meu pai queria dizer quando escreveu que, se o bombardeio não era preocupação dele, conseguia dormir.

"Inga está se saindo bem", falei. "Ela teve uns anos bem difíceis depois que o Max morreu e mesmo agora ainda é difícil, mas ela está indo bem."

Burton respirou bem fundo. "Na terça-feira passada, saí da biblioteca para almoçar no parque. Sabe, eu trago o almoço de casa e, bem, acontece que eu a vi. Uma mulher ainda adorável, linda, eu diria. Excepcional."

Ao ouvir o meu velho amigo, lembrei que quando se tratava de alguma coisa mais pessoal a sua fala de repente ficava ainda mais carregada de adjetivos do que já era, em geral. Ele esfregou a testa e continuou: "Pensei em falar com ela. Estava bem perto, sentada logo ali, num banco ao meu lado, depois de tanto tempo, depois do último jantar que tivemos juntos, 5 de novembro de 1981, mas ela estava com alguém, uma mulher, e conversavam animadamente. Por sorte eu tinha alguma coisa para ler. Na verdade, era Shimamura, sobre a memória e a função do lobo frontal na coleção Gassinga. Vou mandar para você, vai gostar". Depois de um olhar que lhe dei, ele voltou a falar de Inga. "Eu não pude deixar de notar o fervor daquilo, da conversa delas, quero dizer. Sua irmã estava muito transtornada." Burton começou a dar batidinhas na testa molhada com o lenço, que durante nossa refeição havia passado de branco para um tom cinzento desagradável. "Ela passou andando bem na minha frente", disse ele. "Não me viu, é claro. Estava distraída, na verdade abalada, bastante fora de si." Então Burton ficou em silêncio e observou o seu prato. "Liguei para você naquela mesma noite."

"Entendo", falei.

Burton pareceu confuso. "Eu me vi numa situação embaraçosa. Como um amigo antigo, apesar do final infeliz do nosso relacionamento, durante o qual me rebaixei imensamente, eu tive, sempre tive, grande estima pela sua irmã e vê-la naquele estado me deixou nervoso. Fiquei ouvindo às escondidas, sinto muito, e não sabia a quem procurar a não ser você."

"E então?"

"E então", repetiu ele, "eu não entendi muito bem. Falaram sobre umas cartas. Ouvi essa palavra muitas vezes, e dinheiro." Pronunciou a palavra *dinheiro* num tom baixo, abafado. "Achei que talvez você soubesse do que se tratava e que pudesse me deixar mais aliviado."

Balancei a cabeça. "Como era a outra mulher?" Meus pensamentos correram para a ruiva.

"Era pequena, muito bonita, cabelo escuro e comprido, uma fisionomia meio dura, eu achei."

"Houve mais alguma coisa?"

"Sua irmã gritou para ela no final: 'Como é que você pôde? Como pôde fazer isso? É desprezível!'"

Fiz força para esconder de Burton minha preocupação quando lhe disse que ia falar com Inga, que ela era uma mulher de muito tato e que o seu rompante não devia significar nada de muito terrível, mas entendi que eu estava falando mais para apaziguar Burton, cujo queixo tremia de emoção.

As sete fotografias que achei na noite seguinte foram deixadas para mim, não para Miranda. Estavam dispostas numa fileira ordenada, no lado de fora da minha porta, cada uma presa a um degrau por um pedaço de fita adesiva. Enquanto me curvava para pegar as fotos, logo identifiquei minha imagem nas fotografias. Tinham sido tiradas no dia em que vim andando para casa com Miranda e Eggy, o dia em que achamos as primeiras fotos polaroide na escada. Não incluíam a descoberta das fotos, só a nossa caminhada pela Sétima Avenida e subindo a Garfield. Em todas as fotografias, Eggy tinha sido apagada — dela só restava uma pequena silhueta branca na calçada. Enquanto eu estava na escada examinando as imagens, achei que tinha ouvido o rápido som do disparador de uma câmera fotográfica, mas quando me virei para olhar para trás não havia ninguém à vista, só uma mulher e um homem que vinham devagar pela calçada, do outro lado da rua. Na hora em que girei a chave na fechadura, segurando de maneira desajeitada as fotos e a maleta junto ao peito com o meu braço esquerdo, o estalido repetitivo voltou. Virei-me depressa, mas de novo não vi ninguém. Empurrei a porta, abri com um só movimento e depois a fechei com um pontapé às minhas costas.

Sentei à mesa, dispus as fotos na minha frente e fui me sentindo mais calmo. Raciocinei que a desconfiança podia transformar quase qualquer mínimo barulho, de fontes as mais diversas, numa fantasia paranoica de que eu estava sendo fotografado às escondidas. Park Slope não é um bairro barulhento, mas também nunca é silencioso. Por morar sozinho, fiquei sensível à mixórdia auditiva que inunda o meu mundo — o estrépito estrondoso de canos de descarga, o silvo sibilante dos radiadores, o zunido das serras elétricas e os tiros de artilharia das furadeiras elétricas. O trânsito ao longe rugia, mesmo quando as ruas locais estavam silenciosas. A maioria das noites da primavera eu ficava ouvindo o rumor abafado das vozes que vinha flutuando dos quintais, os esporádicos gritos, latidos, ganidos e risos que eclodiam na rua, os cinco ou seis versos de rap que subiam de um carro de passagem na rua, as baladas de rock, a música de câmara e o jazz que emanavam das janelas abertas no fim do quarteirão. De manhã, vários pássaros piavam e cantavam de forma regular, e às vezes uma multidão deles se juntava num coro ruidoso e entusiasmado. Mas havia também incontáveis sons indefiníveis: estalos, sussurros, crepitações, chiados e diversos zumbidos mecânicos que palpitavam na balbúrdia que era o fundo musical da minha vida. Eu tinha ficado olhando para as fotografias e portanto ouvi o som de uma câmera. Ao mesmo tempo, se o desconhecido não estava espionando as imediações da minha casa naquele instante, ele tinha andado ali por perto mais cedo naquele mesmo dia, e a simples ideia da sua vigilância era o bastante para produzir uma sensação de ameaça difusa. As silhuetas vazias nas fotografias, no lugar onde devia estar uma criança de cinco anos, tornavam tudo pior ainda. Peguei o telefone e liguei para Miranda.

Se eu tivesse ligado para ela na manhã seguinte à noite em que fiquei com Eggy, como era a minha intenção, teria parecido um gesto pequeno, comum, mas a cada dia que passava depois daquilo o ato de telefonar ganhava mais vulto na minha mente, até que o gesto de apertar onze simples números ficou tão sobrecarregado de significado que eu me vi paralisado. Quando ouvi sua voz, senti um alívio instantâneo, compreendendo de imediato que eu temia que ela fosse me tratar com pouco-caso ou até desligar o telefone na minha cara. Depois que comentei sobre as fotografias, ela disse que ia me telefonar assim que Eggy dormisse e que nós podíamos conversar no térreo.

Lavei minhas axilas, vesti uma camisa limpa e depois me examinei diante do espelho na parte interna da porta do armário. Genie havia colocado o espelho por conta própria e eu raramente o usava, limitava-me ao espelho pequeno no banheiro, onde eu fazia a barba. O homem que olhou para mim não era feio. Tinha traços fortes, regulares, olhos verdes e grandes, e sobrancelhas claras e retas, mas seu corpo era fino e um tanto acanhado na região do peito. Sua pele era de um rosado embranquecido — no lado transparente e riscado de veias. Não era apenas um homem branco, mas um homem muito branco. Esse corpo significaria alguma coisa para Miranda? Por medida de precaução, troquei as meias.

As fotografias não pareceram surpreender Miranda. Quando as viu, cerrou a mandíbula, estreitou os olhos e, depois de respirar fundo uma só vez, começou a contar sua história. Percebi que, quando ela falava, sua narração tinha um caráter de terceira pessoa, um estilo informativo e prático que eu já estava acostumado a ver em alguns de meus pacientes. Esse estilo mantinha a emoção à distância. "Eu o conheci", disse Miranda, "quando éramos estudantes. Eu estava no programa de artes gráficas na Cooper Union. Ele, na Escola de Artes Visuais. Era muito inteligente, conhecia muita coisa, era do tipo abusado, meio cortante, sabe, se considerava um *artiste*." Arrastou de leve a pronúncia da palavra. "Na época, éramos só amigos. Fiquei alguns anos sem vê-lo depois que a gente se formou e aí o encontrei num restaurante em Williamsburg, onde eu estava comendo com uma amiga. Ele me convidou para tomar um drinque com ele na noite seguinte e eu aceitei. Foi aí que me contou que os pais dele tinham morrido num acidente de carro na Califórnia, três anos antes. Ele ainda estava se recuperando do choque." Miranda olhou para o outro lado da sala, para a estante de livros, e depois baixou os olhos. "Depois disso, tudo aconteceu muito depressa. Deixei o apartamento que eu dividia com uma amiga e fomos morar juntos no apartamento dele." Miranda fez uma pausa. Estávamos sentados no seu sofá de lona azul e olhei para os seus braços, que ela havia cruzado sobre o peito. Pareciam reluzir sob a luz da lâmpada. "Ele herdou um dinheiro e por isso não precisava trabalhar, ter emprego. Só continuava a trabalhar na sua arte, que é a fotografia, técnica digital, sobretudo."

"Ele era divertido", disse Miranda. "Um verdadeiro animador, o tipo de pessoa que fazia todo mundo rir, que gostava de contar histórias, dançar, tomar umas e outras." Sua voz havia se modificado. A inflexão era mais pessoal. "Estou contando tudo isso para você porque agora você está envolvido no assunto. Ele pôs você nas fotos." Voltou os olhos para mim e não pude deixar de observar, de novo, o formato e o tamanho dos seus olhos, a maneira como definiam todo o seu rosto. "Ele sabia como ser gentil e afetuoso. Gostava de comprar presentes para mim, me levar para jantar, e adorava falar sobre arte. A gente ia para Chelsea e ficava passeando, e ele era muito perspicaz a respeito daquilo tudo, sabia o que era legal e o que não era. Ele é tão branco quanto você, mas vem de uma família misturada. A avó era meio preta, com algum sangue *cherokee*, o que fazia dele 'um negro disfarçado', como ele dizia. Sabe, só uma gota de sangue." Miranda me dirigiu um sorriso irônico. "Esse é o modo americano."

Olhei para ela e Miranda me fitou nos olhos. Sustentou meu olhar, até que olhei para o lado. É uma coisa difícil ficar muito tempo olhando nos olhos de uma pessoa, e senti sua firmeza como um desafio. Em vez de falar qualquer coisa, fiquei esperando.

"Bem, apesar das precauções, fiquei grávida."

"O pai de Eggy", falei.

"Sim." Olhou para mim outra vez, e agora seus olhos estavam tristonhos.

"No início, ele ficou feliz, ou disse que estava feliz. E depois, passado um tempo, começou a insinuar a ideia de um aborto, não por causa dele, sabe, mas pelo meu bem. E depois, por fim, me disse que não queria um filho. Respondi que tudo bem, eu ia ter o filho sozinha. Eu tinha vinte e oito anos e não ia interromper a gravidez. Meus pais me deram apoio e me mudei para a casa deles." Fez outra pausa. "Sem eles e as minhas irmãs, eu não teria conseguido aguentar." Miranda levantou as pernas sobre o sofá e abraçou os joelhos junto ao peito. Em voz baixa, disse: "*Agora*, ele quer a menina. Agora quer ver a menina".

"E você não quer isso?"

Balançou a cabeça. "Ele nem assinou a certidão de nascimento. Ele a abandonou. Para mim, isso foi o fim."

"Ele mudou de ideia. Mas por que age dessa forma, deixando fotos? É hostil."

"Não sei muito bem se ele encara desse modo. Esse é o seu jeito. Minha mãe diria que ele é 'inconveniente'. Isso era parte da sua atração — um espírito de insurreição. Nunca fazia nada do jeito normal. Punha um nariz de palhaço na cara para ir a um *vernissage*, ou vestia uma camiseta com citação de um crítico de arte que dava assunto para as pessoas ficarem falando. Quando era apresentado a alguém, disparava um comentário muito doido ou então dava uns passinhos de dança, e depois apertava a mão da pessoa. Algumas pessoas tinham ódio dele; outras ficavam encantadas. Sabe, ele não podia simplesmente entrar numa sala, tinha de ter certeza de que as pessoas iam olhar para ele. Gostava de fingir que não era ambicioso, que fazer a sua obra não era o importante, mas gastava um monte de tempo fazendo contatos e chamando a atenção para si, sem que parecesse que era isso o que estava fazendo. E tinha sempre uma câmera. Pedia licença às pessoas antes de fotografar, se não tivesse alternativa, mas nem sempre. Adorava tirar instantâneos de gente famosa. Meio artista, meio *paparazzo*. E também vendia as fotos."

"Nova York está cheia de gente assim", respondi. "Em todos os campos. Em medicina, narizes de palhaço podem ser raros, mas não a autopromoção."

"Eu sei", disse Miranda. "Depois que engravidei, acho que perdi meu valor como adereço de cena."

"O que isso quer dizer?"

"Tive a sensação de que ele não queria mais ser visto comigo. Eu era a sua linda, inteligente namorada *negra*. Minha gravidez era ruim para a sua imagem."

"Ele disse isso?"

"Nem precisava. Mesmo depois que as coisas ficaram ruins entre nós, ele continuou a tirar fotos o tempo todo. Eu acordava e ele já estava com a câmera apontada para mim. Eu estava trabalhando e ele tirava fotos. A gente brigava e ele pegava a câmera, um maníaco da documentação." Fechou os olhos por um instante, como se procurasse se orientar, e quando os abriu olhou direto para mim. "Naquele dia em que você cuidou da Eggy, ele apareceu. Quase todo dia, durante um mês, eu achei fotografias de mim e de Eggy, ou só de mim, quando estávamos juntas, e eu já sabia que mais cedo ou mais tarde ele iria aparecer em pessoa. O número do meu telefone não está na lista, portanto ele não podia telefonar. Ele tocou a campainha e dei com ele plantado na porta, com um enorme cavalo de pelúcia nas mãos. Estava com um ar meio patético. Era horrível. Eu o empurrei para a calçada e lhe disse que não podia simplesmente dar as caras sem mais nem menos e dizer 'Oi, eu sou o seu pai'. Prometi ir ao apartamento dele naquela noite. Todo mundo na família estava ocupado, por isso pedi a você. Assim que cruzei a porta da casa dele, começou a me fotografar. Tive a impressão de que ele queria mais aquelas fotografias do que falar comigo. Por fim baixou a câmera e a gente conversou. Ele diz que quer ter a Eggy na sua vida, mas não diz como. Não quer falar de dinheiro, nem de visitas, nem de nada. Só o que interessa é *ele*."

"E quanto a Eggy? Ela sabe de tudo isso? O que você lhe contou?"

Miranda baixou os joelhos e recostou-se no sofá. "Contei para ela a verdade, da maneira mais delicada que pude: que eu estava morando com o pai dela, que fiquei grávida e que, embora o pai dela seja uma pessoa boa, não era alguém que estivesse preparado para ser um pai de verdade para ela. Mas parece que não colou. Ela fica inventando uma porção de histórias. Que ele é invisível. Que está em outro país."

"Que está numa caixa."

Miranda balançou a cabeça e sorriu.

"Você tem medo dele ou está só incomodada?"

Seus olhos se fixaram na parede. "Não, eu não estou com medo. Ele não é uma pessoa ruim, só imaturo... Não sei."

"Há alguma coisa que você não está contando?", perguntei. As palavras brotaram da minha boca e fiquei com medo de que ela as achasse agressivas.

Miranda virou a cabeça para mim. "Não tem sempre alguma coisa que as pessoas não dizem? Você é psiquiatra. Não é esse o seu trabalho, deduzir o que as pessoas não estão dizendo?"

"Nunca pensei nisso desse modo", respondi. "É um processo, um processo de descoberta."

Miranda ficou em silêncio. "Jeff fez terapia por um tempo. Depois parou."

"Esse é o nome dele?"

"É, Jeffrey Lane."

"Por que você acha que ele retirou Eglantine das fotografias?"

Miranda balançou a cabeça, mas observei seu rosto se contrair de leve e duas lágrimas surgiram no canto interno dos seus olhos. Elas não caíram. Estiquei o braço e toquei sua mão, que estava pousada no joelho, e depois recuei minha mão.

"Ele também retirou os seus olhos", falei.

"Ele adorava os meus olhos", disse ela, com voz insegura. "Vivia falando sobre os meus olhos."

"Você tem olhos lindos." Pude sentir meu rosto corar outra vez quando falei, e me virei para olhar para as janelas. As persianas estavam baixadas e não havia nada para ver.

"Você gosta de mim, não é?", perguntou ela, de modo abrupto.

"Sim."

"Mas você mal me conhece."

"Também é verdade."

Ficamos em silêncio por alguns segundos depois disso, e me dei conta de que eu não me importava, porque Miranda não transmitia nenhum embaraço. Poderíamos ter continuado a conversar se Eggy não aparecesse na porta. Com os braços estendidos e os dedos abertos, ela havia se imobilizado numa posição de pernas tortas. A expressão trágica em seu rosto era digna de uma Ofélia. Olhava ora para a mãe, ora para mim, e depois soluçou as palavras: "Fiz xixi!".

"Está tudo bem, Eggy", respondeu Miranda, com calma. "Não se preocupe."

"Vou embora", falei.

Antes de sair, agachei-me diante da menina e disse: "Isso acontecia comigo antigamente".

Os olhos dela se arregalaram. "Quando você era criança?"

"É", respondi. "Nos velhos tempos de outrora."

Miranda soltou uma risada.

A memória só concede os seus dons quando sacudida por algo do presente. Não é um armazém de palavras ou imagens fixas, mas sim uma rede associativa dinâmica dentro do cérebro que nunca sossega e que é sujeita a revisão toda vez que recuperamos uma cena antiga ou palavras antigas. Eu sabia que, pelo simples fato de entrar na minha vida, Eglantine havia começado a me empurrar para trás, para os aposentos da minha infância, que a despeito da minha análise eu mantivera fechados — ou antes, deixara abertos só o bastante para enxergar uma fresta de luz ou inalar um odor bolorento de vez em quando. Mas naquela noite viajei dentro do corpo do menino e ouvi os estalos da dura capa de borracha por baixo do meu lençol quando eu me mexia na cama e acordava com a urina quente inundando minhas pernas, encharcando meu pijama e as roupas de cama.

Eu me senti desabar num sono pesado outra vez, como alguém drogado, e mais tarde era trazido à consciência pelo contato do algodão gelado nas minhas pernas e pelo cheiro forte, azedo. Como Eggy, eu ia falar com a minha mãe, quando tinha cinco ou seis anos de idade, porém mais tarde eu mesmo embolava os meus lençóis, o pijama e tudo e jogava no cesto de roupa suja. Sou crescido demais, crescido demais, eu dizia para mim mesmo. Meu pai me pegou em flagrante uma vez na hora em que eu saía afobado da área da lavanderia. Ele estava saindo do banheiro naquele momento e eu vi o seu vulto emergir na penumbra. Minha vergonha me deu vontade de correr, mas fiquei paralisado na frente dele. Meu pai pôs a mão grande no meu ombro por um momento, virou-se e seguiu pelo corredor, sem dizer nenhuma palavra.

Enquanto eu esperava que o sr. R. chegasse para a sua sessão, percebi a minha crescente irritação com ele. O sr. R. tinha chegado atrasado cinco vezes seguidas. Quando olhei pela janela do meu consultório para o prédio do outro lado da rua, lembrei-me da expressão que ele tinha usado na última sessão: *autodependência*. Eu havia pensado em Emerson, mas ele não mencionou o filósofo. A palavra tinha aparecido três vezes. O sr. R. tinha uma mãe idosa e um pai ainda mais idoso. Os dois ficavam trabalhando durante muitas e muitas horas todos os dias e o sr. R. teve de aprender a *depender* de si mesmo.

Quando chegou, estava sem fôlego e cheio de explicações. De novo, outra pessoa no escritório só havia desgrudado dele em cima da hora de sair. Ele sorria enquanto se acomodava na sua cadeira. Quando indiquei que o atraso havia se tornado um padrão, ele estendeu os braços com as palmas das mãos voltadas para mim, como se estivesse me prevenindo de um ataque, e disse: "Foi inevitável". Em seguida, começou uma minuciosa descrição da incompetência da sua secretária. Prosseguiu durante um bom tempo, de um jeito agitado, mas depois de uns cinco minutos pareceu estar farto de falar e ficou calado. Depois me pediu que lhe recordasse como tinha sido a última sessão. Ele esquecia com frequência. Depois que lhe contei, ele enfatizou mais uma vez sua independência quando criança. Havia até aprendido a fazer as próprias refeições. Em seguida, falou: "O que eu gostaria mesmo de saber, agora, é no que você está pensando. Você fica aí calmo, frio, controlado, mas no que é que está pensando?".

"Eu estava pensando", respondi, "que enquanto eu esperava você hoje, eu me senti frustrado, e também um pouco zangado, e depois pensei nos horários de trabalho dos meus pais e em como você devia se sentir, esperando a vida toda que eles chegassem em casa."

O sr. R. me lançou um olhar surpreso. Examinou suas mãos, que estavam pousadas nas coxas. Depois as deixou cair frouxamente sobre o assento da cadeira, os olhos voltados para o seu colo. Após uma longa pausa, ergueu o rosto para o meu. Sua boca estava distendida numa careta dura, sem graça, e a pele entre as sobrancelhas tinha duas profundas rugas de aflição.

Pela primeira vez gostei dele.

Recordou o rosto exausto da mãe, suas pernas esticadas para a frente, depois que ela desabava numa cadeira. "'Agora não, agora não. Estou muito cansada.' Sempre dizia isso."

Pouco antes do fim da sessão, ele estava olhando para a parede atrás da minha escrivaninha e vi seus olhos se deterem no tapetinho do Turquestão que estava pendurado ali.

"É novo, não é?", disse ele.

"Não", respondi. "Está aí desde que começamos, faz um ano."

"Puxa, como a gente não repara nas coisas!", disse ele. "Como a gente não repara nas coisas!"

* * *

Minha irmã se recusou a me contar o que havia acontecido no parque. Disse apenas que lamentava muito por Burton e que lhe dava tristeza saber que ele tinha ficado preocupado por causa dela. Quando falei que Sonia também estava preocupada e que ela havia deduzido que o problema tinha algo a ver com Max, Inga ficou em silêncio. Segurei o fone durante alguns segundos à espera de que ela falasse. "Erik", disse ela. "Não posso falar sobre isso. Não posso mesmo. Prometo que, assim que puder, vou contar. Mas não adianta nada me pressionar." Deixei o assunto de lado. Ela imediatamente passou para outro tema, o que eu chamo de defesa volúvel, explicou sofregamente que desejava oferecer um jantar enquanto a nossa mãe estava na cidade, que ela estava quebrando a cabeça por causa do cardápio, que ela havia banido um convidado potencial por causa do seu vegetarianismo, que ela nunca mais faria "aquela maldita berinjela outra vez", só se fosse obrigada. "A mamãe precisa de um pouco de diversão e ela também precisa de carne." E depois, sem hesitação nem reflexão, deixei escapar a frase: "Eu gostaria de levar uma pessoa, se não tiver problema." Inga respondeu que sim, é claro. Perguntei-lhe então sobre Walter Odland. "Nunca mais telefonei", respondeu. "Eu queria tentar de novo, mas acabei me distraindo com outras coisas. Você podia tentar, você sabe disso."

"Sou ambivalente a respeito de toda essa história", falei. Antes de desligarmos o telefone, vi a casinha branca no campo outra vez, com suas janelas escuras. Eu me sinto culpado, pensei. Será que é a minha culpa ou é de alguma outra pessoa?

*Umas duas semanas depois que desembarcamos, tive uma experiência que acho difícil recordar ou comentar*, escreveu meu *pai. É a única experiência de guerra que me voltou à memória de forma incômoda, ao revivê-la em sonhos. Quatro de nós sacolejávamos dentro de um jipe ao descer uma ladeira numa estrada rural. O tenente Madden era um dos quatro. Avistamos um oficial japonês a certa distância. Sabíamos disso porque ele estava com uma espada de samurai. O jeito dele era esquisito. Quando deu por nós, correu em busca de abrigo, num passinho curto, meio afeminado, na ponta dos pés. Em seguida, agachou-se no meio de uma vegetação, embora houvesse esconderijos bem melhores ali perto. Cercamos o japonês e depois avançamos devagar. O pobre coitado estava completamente visível de todos os lados. Ele não se mexia. Eu torcia para que ele tivesse bom senso e se levantasse com as mãos para cima. Tinha assumido o que me parecia uma posição de oração. Em questão de segundos, quatro canos de carabina iriam obrigá-lo a se mexer. Isso havia de retirá-lo do seu transe. Então soaram dois tiros rápidos. Ele não fez nenhum barulho. Tombou para o lado, muito lentamente. Houve algumas contrações, como se ele quisesse esticar-se, e foi só isso. O nosso tenente havia atirado. Nenhum de nós percebeu que ele havia parado e tomado uma posição protegida, o que era o correto a fazer. "Puxa, ele ia estourar uma granada", foi a sua explicação. Não havia granada nenhuma. Havia uma pistola, uma Luger japonesa, mas a alça do coldre estava fechada e bem presa.*

*É pretensioso supor que se sabia o que outra pessoa estava pensando em momentos como esse. Talvez eu esperasse um desfecho humano e depois tive um choque quando aconteceu o contrário. Talvez eu tenha achado que não se deve atirar em alguém que está rezando. A sua posição de oração teve um forte impacto sobre mim. Fiquei muito perturbado e, segundo os critérios militares, agi muito mal. Parti para cima do tenente, dizendo que ele também devia ser morto. Fui afastado do local e levei uns tabefes. Pus a cabeça no lugar outra vez e senti vergonha do que tinha fei-*

*to. O tenente nos contou que ele achou que nossa vida estava em risco. Ele mesmo talvez sobrevivesse a uma granada, mas nós não. Poderia viver, disse ele, com aquilo que havia acontecido, mas não com o que poderia ter acontecido. O oficial japonês certamente havia ficado perturbado por experiências anteriores e talvez tivesse andado sem rumo durante dias, sem ser visto. Como ele se separou da sua unidade? Um oficial de quê? Por que se escondeu e, no entanto, não se escondeu? A experiência me deixou mais insensível. Uns seis meses depois, quando eu estava no Japão, comecei a reviver a cena triste, muitas vezes na hora em que ia dormir.*

Meu pai disse que o homem "se agachou" no capim e depois assumiu uma posição que o fez pensar em alguém que reza. Imagino o homem de joelhos, suplicando aos céus, pedindo misericórdia. Talvez estivesse com as mãos juntas. Depois, soaram os tiros. *Harris, em cima de mim. Rodney Harris sem cabeça.* Memórias invasivas. Fragmentos. São pedaços que não vão se encaixar. Os gritos de Sonia de noite. Os pesadelos do meu avô. Eu sabia que a pesquisa estava confirmando aquilo que eu sempre havia sentido ser verdade em meus pacientes: suas lembranças de guerra, de estupro, de acidentes quase fatais e de prédios que desmoronam não são semelhantes às outras lembranças. São mantidas em separado na mente. Recordei as imagens de exames de tomografia por emissão de pósitrons de pacientes com distúrbio de estresse pós-traumático e os realces coloridos que indicam o fluxo sanguíneo aumentado no lado direito do cérebro e nas regiões límbicas e paralímbicas, o cérebro antigo, em termos evolutivos, e o fluxo sanguíneo diminuído nas regiões corticais do lado esquerdo, as sedes da linguagem. O trauma não aparece em palavras, mas num bramido de terror, às vezes com imagens. Palavras criam a anatomia de uma história, mas dentro dessa história há fendas que não podem ser fechadas. Através delas meu pai viu muitos cadáveres, mas aquele era diferente. Para além do combate. Eu lhe suplico. Me ajude. O homem não reagiu, não se muniu de uma granada, nem de uma pistola. Eu me pergunto se o oficial assustado fez meu pai se lembrar de um outro homem que havia se jogado aos seus joelhos, implorando uma nova chance, ou quem sabe a posição humilde, assustada do oficial japonês era em si mesma uma metáfora visual que evocou em Lars Davidsen algo que ele não podia exprimir em palavras.

"Não havia nenhum vento no dia em que Lars morreu", disse minha mãe, na primeira noite da sua visita. "E estava nevando. A neve caía na vertical, em flocos grandes, lentos, hora após hora. Durante um tempo, no início da tarde, antes de Inga chegar, fiquei sozinha com ele. Já não estava consciente. Segurei sua mão, esfreguei seus braços e sua testa. Durante esse tempo, senti que alguém havia entrado no quarto, por trás de mim. Pensei que era a enfermeira, mas quando me virei, não tinha ninguém ali. Aconteceu três vezes." Minha mãe balançou a cabeça devagar. "Não fiquei nem um pouco assustada com isso", disse ela. "Foi só um fato."Com as mãos pálidas cruzadas à sua frente, ela estava sentada à mesa diante de mim, seus olhos grandes e azuis em intensa concentração. "Lars não podia ter ido do jeito que estava. Sei disso. Não podia. Mesmo assim, é esquisito. A parte mais estranha na morte dele é eu não poder contar mais nada para ele. Se estou na rua e converso com alguém, ainda penso assim: Ah, tenho de ir correndo para casa e contar para o Lars, ou então, o Lars vai adorar saber disso, e depois me lembro de que ele não está mais aqui para eu lhe contar." Minha mãe sorriu de leve. Percebi que seu olhar tinha se voltado para dentro. Um instante depois, estendeu o braço para mim e segurou minha mão com as suas. Até onde me lembro, ela pegava minha mão desse jeito e, depois que a havia segurado, a acariciava algumas vezes antes de soltá-la.

Não existe nenhuma fronteira nítida entre recordar e imaginar. Quando ouço um paciente, não estou reconstruindo os "fatos" de um histórico de caso, mas sim procurando padrões, linhas de sentimentos e associações capazes de nos afastar de repetições dolorosas e nos conduzir para um entendimento articulado. Como disse Inga, nós fazemos as nossas narrativas, e as histórias criadas não podem ser separadas da cultura em que vivemos. Há vezes, porém, em que a fantasia, a ilusão ou rematadas mentiras se apresentam por autobiografia, e é preciso fazer alguma distinção nominal entre fato e ficção. A dúvida é um sentimento incômodo, que pode rapidamente se transformar em desconfiança e, nas circunstâncias íntimas da psicoterapia, pode se tornar algo francamente perigoso. Comecei a sentir essa incerteza com relação à srta. L. em abril e agora reconheço que isso assinalou uma guinada, não só nela, mas em mim.

Durante quase seis meses, a bonita e bem-vestida srta. L. se mantinha sentada e tensa na sua cadeira, os joelhos muito juntos, os olhos abaixados, enquanto expunha uma vida de privilégios, dinheiro e desleixo: o divórcio dos pais quando tinha dois anos, os namorados em série da mãe, as longas viagens da mãe, junto com eles, para casas e apartamentos em Aspen, Paris, sul da França, os colapsos nervosos da mãe, os acessos de choro, de bebedeira e de compras. As babás e as enfermeiras em série da srta. L., a detestada segunda esposa do pai e os detestados dois filhos que tiveram, os telefonemas inconstantes do pai e seus presentes esporádicos, as duas escolas primárias detestadas, suas tentativas de suicídio, suas internações hospitalares, as três semanas numa faculdade repugnante, seus amantes abandonados, tanto homens como mulheres, todos eles seres humanos repulsivos, os terapeutas que ela havia deixado, todos incompetentes, os cursos que havia começado e depois largado, por causa da burrice dos professores, os amigos que havia perdido, os empregos que havia perdido, os períodos de apatia e os sentimentos de irrealidade, seus delirantes sonhos de grandeza, suas raivas. Na vida da srta. L., as pessoas se distribuíam em apenas duas categorias: anjos e demônios, e os primeiros podiam rapidamente se transformar nos últimos. "Procurei o senhor", disse ela, no início, "porque ouvi dizer que o senhor é o melhor." Eu falei que palavras como *melhor* e *pior* não se aplicam à psicoterapia, que se trata de um trabalho feito em conjunto, mas a srta. L. queria um gênio, um divino pai/mãe/médico/amigo. Quando mostrei isso para ela, sorriu e disse com doçura: "Acho que o senhor pode me ajudar, só isso". A idealização que fez de mim não durou muito. Ela começou a ricochetear de um extremo a outro e, enquanto eu desabava de herói para vilão, me sentia cada vez mais frágil e ferido. Era difícil manter o equilíbrio, mas, pior ainda, ela às vezes tinha de fazer um grande esforço para nos separar um do outro, e sua confusão começou a me causar um profundo desconforto.

A voz da srta. L. era esganiçada. "Minha mãe diz que eu devia desculpá-la e acabar logo com essa história! Pode acreditar numa coisa dessas?"

"Pensei que você não estava falando com a sua mãe."

"E não estou. Na última vez em que conversamos, ela falou isso. Perguntei se você pode acreditar numa coisa dessas. Você me interrompeu!" A sua fúria dava a sensação de um tapa.

"Sim, posso acreditar que é isso o que a sua mãe desejava. Estou interessado no fato de que você não falou com ela durante um ano, mas a sua raiva contra ela é muito imediata, como se ela estivesse aqui conosco, agora."

Durante alguns segundos, a srta. L. não falou nada. Observei como cerrava os punhos. "Muito bem", retrucou ela. "O que vai vir agora, doutor Sabe-Tudo?"

"Não sei", respondi, "porque eu não sei tudo."

"Para que serve tudo isso, afinal, se estou aqui na companhia de um ignorante?"

"A sua raiva, talvez. Talvez se concentrando na sua raiva contra mim, você possa entender melhor a história entre você e a sua mãe. Há sempre uma esperança na raiva, eu acho, uma esperança de que as coisas sejam diferentes."

"Esperança?" Ela olhou para os joelhos, com os lábios trêmulos, e eu a vi abrir as mãos. "Tem razão, eu preciso ficar zangada. É que nem uma droga. Eu desejo muito isso. Quando não estou zangada, eu me sinto gelada."

Tenho uma imagem da srta. L. diante da porta fechada de uma casa, em plena tempestade de neve, tremendo na escadinha da porta. A dor que essa imagem mental produziu foi aguda como uma faca.

Conversamos sobre suas palavras *me sinto gelada* e a minha imagem da srta. L. do lado de fora da casa, sem poder entrar, debaixo da neve, conversamos sobre o fato de ela se sentir entorpecida, vazia e irreal, sobre fantasias de vingança, e ela foi ficando mais calma. Eu me senti como um homem que conseguiu conduzir uma embarcação para fora de uma tormenta no mar.

Depois que a sessão terminou, ela andou até a porta, virou-se e disse tranquilamente: "Minha mãe tentou me matar, sabe? Eu me lembrei disso. Tudo está me voltando agora à lembrança. Vou lhe contar na próxima sessão".

Estou atravessando o campus do Martin Luther College depois de sair da minha aula de química orgânica, perdido em pensamentos sobre o restante do semestre e sobre tudo o que eu tinha de fazer. É o final do outono e faz muito frio. A recordação traz um toque de folhas secas, de cor parda, levantadas pelo vento, e alguns flocos de neve intermitentes, duros e miúdos, que batem no meu rosto. Ergo o rosto. Meu pai vem andando na minha direção a passos largos. Sorrio para ele. Será que devo fazer um gesto, erguer a mão? Não sei. Ele olha direto no meu rosto, mas não me reconhece. É como se não me conhecesse. Continua andando. Eu continuo andando. Por que não o detenho? Por que não corro para alcançá-lo, dar um tapinha no seu ombro? Pai, sou eu, Erik. Estamos com saudades lá em casa. Você está indo para a sua aula? Por que não vou com você? Não vou porque há alguma coisa que me proíbe, naquele rosto fechado, como uma porta que é melhor manter trancada. A ideia de abrir a porta produz o antigo horror. Me sinto gelado. As palavras da srta. L. me voltam à memória. Recordei o incidente antes, mas sem grande emoção. Posso ver a calçada, recordo o assombro, o desconforto, porém antes eu via de um modo diferente: meu pai, o professor distraído. Um cabeça de vento. Com os cotovelos apoiados na escrivaninha, apertei os lados da cabeça com as duas mãos e me permiti sofrer. Continuei nessa posição por bem mais de um minuto. Antes de me levantar, entendi que minha visão da srta. L. no meio do frio também tinha sido uma imagem de mim mesmo.

A caminho do trabalho para casa, me enchi de coragem e toquei a campainha da casa de Miranda. Quando ela abriu a porta, vestia um jeans apertado, salpicado de tinta, uma camiseta pequena e um lenço azul, amarrado no alto da cabeça. Ela me cumprimentou e depois ficou me olhando, na expectativa.

"Vim aqui", falei, empregando as expressões que havia planejado, "convidar você para um jantar que a minha irmã vai oferecer para a minha mãe na semana que vem, sexta-feira. Ela está na cidade por uns dias..."

Interrompi porque Miranda baixou os olhos e estava fitando as mãos.

Insisti. "Eu gostaria de ir com alguém, é só isso. Não é nada formal."

"Não sei se posso."

Minha frustração deve ter sido óbvia. Percebi que estava cerrando os dentes. Todavia, insisti. As palavras vieram antes que eu pudesse detê-las: "Você podia encarar isso como um favor".

Ela ergueu o rosto para mim. "Sim", respondeu, e um sorriso atravessou o seu rosto por um instante. "Nesse caso, se eu conseguir arranjar uma babá, quer dizer, alguém que não seja você, eu aceito o convite."

Senti um momento de triunfo, imediatamente seguido por um constrangimento e, depois, por culpa. Eu tinha me rebaixado à coerção. Nós dois sabíamos disso e fiquei olhando para os meus sapatos por alguns segundos, até que Eglantine veio dançando pelo corredor, enquanto cantarolava: "Trá-lá-lá-lá, rá-tá-tá-tá, pim-pom-pom-pom". Balançava para cima e para baixo o pedaço de papel que trazia na mão e, quando me alcançou, estendeu-o para mim, cheia de orgulho. Olhei para Miranda por um momento, antes de me virar para Eggy, e fiquei aliviado ao ver que ela parecia achar graça naquilo, não estava irritada. O desenho tinha sido feito a carvão, com grandes faixas de borrões pretos. Adivinhei cinco ou seis retângulos grandes, algumas cruzes, e três figuras mais abaixo, que pareciam estar dormindo. Quando pedi para Eggy que me explicasse o desenho, ela ficou de joelhos e acenou para eu me abaixar ao seu lado.

"É gente morta", disse ela. "Debaixo da terra, no *chimitério*. Estão mortos de verdade, para valer. Esta aqui é a minha bisavó, e este aqui é o meu bisavô." Eggy moveu seus lábios maleáveis num beicinho aflito e muito pouco convincente. Depois, a fim de acrescentar a isso uma emoção exagerada, fungou o nariz algumas vezes e passou o punho fechado embaixo do olho.

"E quem é esta pessoa tão grande, cheia de cabelo?", perguntei, apontando com o dedo as linhas de um corpo esticado, de bruços.

Eggy me fitou com olhos muito abertos. "É a Babá Grande. Só ela pode levantar, brigar e depois morrer de novo. Ela tem a ciência."

Quando levantei os olhos para Miranda, ela estava sorrindo. "A Babá Grande era uma líder dos negros fugidos, uma Obá. Lutou contra os ingleses e negociou com eles um tratado para que o território dos negros fugidos continuasse independente. Ela se tornou a grande heroína jamaicana. Meu pai é uma espécie de historiador amador dos negros fugidos na região da América Central, por isso Eggy ouviu muitas histórias sobre ela. Foi um personagem histórico, mas também é uma lenda. É impossível separar as duas coisas."

Enquanto Eggy estava atarefada se fingindo de morta e depois ressuscitando como uma trovejante Babá Grande, Miranda me puxou para o lado e disse: "Erik, ele parou de mandar fotografias". Acho que foi a primeira vez que me chamou pelo nome e isso me deu um pequeno calafrio. Quando lhe disse que eu achava que aquilo era um bom sinal, Miranda respondeu em voz mais baixa: "Sim, mas ele não respondeu os meus telefonemas. Pensei melhor no assunto e acho que eu e ele devíamos organizar algum esquema, para o bem de Eggy, só que ele desapareceu. Deixei mensagens no apartamento dele e no seu celular, mas não deu em nada".

Sugeri que desse algum tempo para ele. Antes de ir embora, peguei a mão de Miranda na minha mão para me despedir e de repente me lembrei do seu dedo ensanguentado. "Sempre quis saber como foi que você cortou o dedo naquela noite", falei, percebendo que aquilo me dava a chance de continuar a segurar sua mão. Examinei o dedo, que tinha uma pequena cicatriz.

Miranda não retirou a mão e senti um arrepio de sensação sexual passar entre nós. Sem querer perder seu contato, apertei sua mão com firmeza e depois a puxei para junto do meu peito. Miranda, que nitidamente não contava com o meu puxão impetuoso, deu um soluço, claudicou para a frente e depois começou a rir. Aturdido pelo constrangimento, soltei sua mão.

Ela ergueu o rosto para mim, com olhos gentis e um pequeno sorriso ainda em seus lábios. Depois o sorriso desapareceu de repente. Falou devagar: "Jeff pegou uma faca e disse que ia abrir um corte no próprio braço, se eu não o deixasse ver Eggy. Arranquei a faca da mão dele e, por acidente, me cortei".

Cada história sobre Lane trazia mais nitidez à imagem do homem, mas aquela última história, com a sua ameaça teatral, amplificou minha inquietação. Eu sabia muito bem que todas as pessoas razoavelmente sãs "perdem o controle", uma expressão que nunca deixa de me trazer à memória a lâmina de um machado cortando o ar. Num acesso de raiva, Genie certa vez jogou uma escova de dentes contra o meu rosto, um momento que poderia ser cômico se ela não tivesse jogado a pequena arma com uma força considerável. Lane não brandiu a faca contra a ex-amante, mas eu estava começando a temer que fosse bem mais instável do que Miranda supunha.

Na época em que meu pai deixou as Filipinas, o menino que havia se alistado no exército aos dezenove anos como soldado raso tinha sido promovido a primeiro-sargento e, durante um jogo de pôquer tarde da noite, ganhou o apelido de Lou. Um de seus camaradas tinha decretado que meu pai se parecia com o ator Lew Ayres. Lew era transcrito como Lou. O apelido pegou e os seus homens só o chamavam assim. Depois que a guerra terminou, ele foi servir no Japão e, após quatro anos, seu tempo de serviço militar finalmente chegou ao fim. Na noite anterior à sua partida para os Estados Unidos, a companhia se reuniu para despedir-se dele numa cerimônia que, escreveu meu pai, *misturou sinceridade com leviandade*. Em suas memórias, no entanto, ele registrou a leviandade daquela noite.

*A exemplo da maioria das unidades militares, tínhamos um grupo pequeno que fazia precisos treinamentos militares de ordem-unida e complexas manobras coreográficas como passatempo. Os artistas mais sofisticados usavam fuzis. Nossa equipe de cinco, com uma queda para o cômico, punha sobre os ombros vassouras e escovões, que eram mais afins ao manual de manuseio de armas do que as nossas carabinas. Esses treinamentos, muitas vezes, eram feitos em silêncio, apenas contando um número preestabelecido de passos antes de fazer uma curva. Naquela noite, porém, quatro soldados foram marchar e um deles gritava as ordens com sotaque escandinavo do Minnesota. Eles tinham desenvolvido um esquema em que dois obedeciam à sequência e dois faziam o contrário, ou era o que parecia. Porém, por meio de uma cadeia sucessiva de ordens, eles acabavam de algum jeito se juntando outra vez. Também sabiam cantar um pouco. Como encerramento, marcharam ao som de uma canção de marchar saltitante e bem conhecida, que já era feita para a gente inserir um nome na letra. Recordo a primeira estrofe:*

Somos os soldados do sargento Lou.
Somos os salteadores da noite.
Lutamos contra os filhos da puta
Que preferem correr a lutar.

Meu pai soube que, como gesto de despedida na formatura da noite do dia seguinte, iam pedir a ele que passasse as tropas em revista. *Os esquadrões marchariam como unidades individuais e depois se fundiriam com seus pelotões a fim de entrar em formação de companhia. Os suboficiais, segundo a hierarquia, iriam se reportar ao meu substituto, o qual por sua vez se reportaria a mim, e eu, ao comandante da companhia ou ao oficial do dia, uma cerimônia simples que marcava o final das minhas funções como oficial no quinquagésimo sexto. No fim, foi mais do que isso.*

*Um banco tosco que servia como estrado para guardar três ou quatro tonéis de gasolina na garagem da frota tinha sido instalado como meu palanque para passar as tropas em revista. Era uma parada em uniforme completo. Então veio algo de que não me haviam avisado — uma mudança na cadeia de comando. Os cabos se reportaram aos sargentos dos pelotões, os sargentos dos pelotões se reportaram ao novo primeiro-sargento, o qual por sua vez se reportou ao tenente Noel. Ele se reportou ao coronel Bass e o coronel Bass, a exemplo dos subordinados à sua frente, deu meia-volta, bateu continência, e se reportou a mim. Nenhum ganhador de medalha de ouro na Olimpíada, parado no seu pódio brilhante, pode ter sentido uma enxurrada de emoções mais forte do que eu senti naquele momento, no meu palanque salpicado de gasolina. Outras vezes na vida, tempos depois, recebi vastas homenagens por ter ocupado altos cargos, mas em nenhuma tive mais prazer do que naquela ocasião.*

Eu tinha intenção de voltar para o Brooklyn, trocar de roupa e acompanhar Miranda até a casa de Inga, mas pouco antes de eu sair do meu consultório o telefone tocou e ouvi uma voz familiar que me disse: “O velho cérebro ruim voltou, doutor, fissuras tectônicas infravermelhas por baixo do crânio. A falha verborrágica, blá-blá-blá, desarvorado, sequestrado, o gênio multilingual, glotal, fricativo e boquirroto”.

“Senhor T.?”, falei. “É o senhor?”

"O rio, Heráclito, cara. O mexeriqueiro do diabo, o matraca. Eu", balbuciou, "não quero ir."

Ao saber que meu antigo paciente estava na porta do edifício, desci depressa a escada em vez de esperar o elevador, e saí em disparada pela porta. Mal o reconheci. O esguio aluno de pós-graduação de literatura comparada que eu havia tratado em Payne Whitney dez anos antes tinha ficado imensamente gordo. Suas roupas estavam imundas e ele tinha uma ferida purulenta na bochecha balofa. Estava de joelhos na calçada, o encardido caderno preto e branco apertado junto ao peito, o queixo levantado, como se estivesse suplicando aos céus. Notei também que seus olhos corriam para um lado e para o outro. As vozes na certa estavam vindo rápidas e furiosas. Ofereci-lhe a minha mão e ele conseguiu içar seu corpo enorme até ficar de pé. "Eles não estão satisfeitos com você", disse ele. "Cuidado."

"Vou levá-lo para a emergência do Hospital de Nova York. Vamos juntos de táxi até lá. Está bem?"

O sr. T. olhou para mim, fez que sim com a cabeça e continuou a falar. "Uns colonos safados do outro lado querem me colocar na vala, cara, os grandes cabeças mortas (não gratos, mas ingratos), Goethe, Goering, Deus, Buda, Bach, Bruno, Houdini, Himmler, Spinoza, santa Teresa. Rasputin. Elvis. Túmulos falantes. Escolhidos do outro lado. Espaços não dimensionais, textos que perpassam e batem com força em mim bem aqui. Mingus. Temor e tremor, temor e tremor. Repetição. Palavras assassinas. Eles querem me levar para lá." O sr. T. segurou o caderno junto ao rosto. "A vida inteira", sussurrou. "Vácuo e barulho vazio, meninos."

Depois que consegui um táxi, acomodei meu companheiro alucinado ao meu lado e dei o endereço para o motorista, vi o sr. T. abrir seu caderno, pegar a caneta e começar a escrever. O sr. T. não estava redigindo, estava tomando ditado dos mortos. Poetas, filósofos, profetas, tiranos e vários outros falavam por meio dele, para produzir um emaranhado de referências, neologismos e citações confusas em pelo menos três idiomas. Eu tinha tratado aquele paciente em Payne Whitney durante cinco meses e observei como ele ia melhorando pouco a pouco. Antes, ele protegia zelosamente seu caderno dos ladrões que estavam atrás das suas "revelações". Se entendidas de forma correta, aquelas verdades universais teriam o poder de ampliar a vida do leitor. O sr. T. era um mestre do verbo. As vogais e as consoantes em sua fala eram mecanismos geradores que criavam frases tão memoráveis como "Lavínia na Eslovênia está resvalando para a esquizofrenia", um verso que provinha daquilo que o sr. T, certa vez, me definiu como uma "obra-prima em cadeia, Insignia Divinia de Iggy". Mas as vozes também quase haviam feito o sr. T. em pedaços. Depois da internação, tinha ficado parado, tenso, ao lado da cama, com uma expressão atormentada mas alerta no rosto, e gemeu durante horas.

Quando estávamos andando juntos ao encontro do psiquiatra da emergência, o sr. T. continuava a monologar. "Multi-vox." Fechou os olhos. "*Vox et praetera nihil, non*, não, *nein, nicht*, nada."

"Você parou de tomar seu remédio?", perguntei.

"Não consegui suportar os remédios, doutor. Cerejas envenenadas. Me deixaram tão gordo, tão devagar, tão devagar, meu irmão."

O sr. T. se arrastava para a frente. Eu torcia para que não recusasse as cerejas agora. Estava com o caderno aberto. Então parou. Senti um ímpeto de aflição, com medo de que ele desse meia-volta. Ele estava olhando para baixo, para um trecho borrado, riscado, quase ilegível, escrito em versos, um poema:

Onde fica o bar, senhor Farr?
Où est la cicatriz, Désespoir?

Wo ist mein Schade Estrela Mar
Mit la lumière bizarre
Ich will etwas sagen,
Monsieur Fragen.
Krankheit. Visão de cego.
Palco respaldado. Folha de Fúria.

O sr. T. se deixou ficar ali de boa vontade. Fiz questão de que o deixassem ficar com o seu caderno. A última coisa que ele disse para o médico que o atendeu foi: "Haloperidol, não. Ele não tolera isso".

"Encontro você lá", disse Miranda, quando lhe contei a respeito do meu caso de emergência. "Não tem problema."

Em vez de chegar atrasado, como eu receava, fui o primeiro convidado a chegar. Minha mãe, hospedada na casa de Inga, ainda não tinha saído do seu quarto, e Sonia também não estava à vista. O apartamento estava iluminado com velas. Senti o cheiro de cordeiro assado, manjericão, fósforos queimados, e do perfume da minha irmã. Na tentativa de tirar o sr. T. da minha cabeça, disse a mim mesmo que na manhã seguinte iria ver como ele estava.

Minha irmã estava com o seu jeito de diva, vestida num paletozinho justo de seda e de calças apertadas, o cabelo puxado para cima, a boca vermelha. Falei para ela que só lhe faltava uma piteira para completar a figura.

"Larguei o cigarro, lembra?"

Com um sorriso maldoso, Inga levantou o polegar e começou a enumerar os convidados, levantando um dedo para cada um deles: "Você e a sua misteriosa heroína de Shakespeare; mamãe, Sonia, eu; Henry Morris, professor de literatura americana da Universidade de Nova York, conheceu Max um pouco, está se recuperando de um divórcio da velha e doida Mary. Ele é um tiquinho formal, mas é uma pessoa muito inteligente. Na verdade, gosto muito dele. Tivemos um *encontro*." Inga piscou para mim, depois levantou o polegar da outra mão para continuar a contagem. "Meu amigo Leo Hertzberg, mais um professor universitário, só que aposentado, de história da arte, em Columbia, mora na rua Greene, enxerga pouco, mas é muito interessante e extremamente gentil. Eu o conheci por intermédio do meu amigo Lazlo Finkelman. Andei lendo Pascal para ele toda semana durante uma hora, mais ou menos, e depois tomávamos chá. Sua maior tristeza é que o filho único morreu aos onze anos. Os desenhos de Matthew estão espalhados pelo seu apartamento inteiro." Olhou para mim. "E convidei o Burton."

"Não pode estar falando sério", retruquei. "Depois daquele incidente no parque do qual você não quis falar?"

O sorriso de Inga desapareceu. "Bem, foi por isso que o chamei. Localizei o número do seu telefone no catálogo e liguei."

Não pude continuar a conversa porque fomos interrompidos pela campainha e, segundos depois, Miranda chegou. Dizer "Miranda estava linda naquela noite" seria injusto. Quando eu a vi atravessar a porta, senti um choque de admiração. Vestia um suéter branco que deixava os ombros à mostra, calça preta e pingentes dourados nas orelhas, mas foram o seu pescoço e os seus braços esguios e longos e os seus olhos cintilantes que me aniquilaram, para não falar da sua postura. Suas costas eretas e seu queixo ligeiramente levantado transmitiam uma inefável mistura de confiança e orgulho. Inga logo começou a conversar com ela. Minha mãe e Sonia vieram dos fundos do apartamento, de braços dados, ambas muito arrumadas para a ocasião, embora no caso de Sonia isso significasse um vestido folgado, acompanhado por botas de motociclista.

Não foi a primeira vez, na cidade de Nova York, que um grupo heterogêneo de divorciados, viúvos, desolados, ou apenas solitários se reuniam para jantar, mas apesar do fato de Inga ter uma porção de amigos que andavam em pares, ela não havia incluído nenhuma dupla de pessoas casadas na sua lista de convidados. Era uma noite em homenagem à nossa mãe, cuja mente não se havia desprendido do nosso pai por muito tempo, naquele primeiro ano após sua morte, e Inga talvez tenha pensado que a visão de casais íntimos, velhos ou jovens, poderia ser penosa para ela. Eu sabia que a minha irmã encarava o jantar como um ritual, organizado em torno da ideia de que conversar é uma forma de jogo. Como crianças no recreio, os jogadores têm de fazer um esforço para resistir à tentação do jogo bruto e manter-se em limites respeitosos. Ela também achava que a combinação de personalidades era crucial para o sucesso ou o fracasso, e assim prestei muita atenção nos dois desconhecidos a quem fui apresentado naquela noite.

Leo Hertzberg era um homem de estatura mediana, com o cabelo grisalho já rareando, barba, uma barriguinha, e óculos que escondiam os olhos. Tateava o caminho com cuidado, com a ajuda de uma bengala. Quando chegou a Inga, os dois trocaram dois beijinhos na bochecha e, depois dos beijos, ouvi o homem dizer para ela em voz baixa: "Pode dar uma olhada em mim para ver se não está nada fora do lugar?".

Inga colocou as mãos nos ombros dele, olhou para a sua camisa azul, a gravata banal, o paletó esporte cinzento, umas calças um pouco amarrotadas, e disse: "Você está muito chique. Não precisa de nenhum ajuste".

O homem sorriu e balançou a cabeça, como se dissesse: Embora o elogio me deixe contente, sei que não é verdade.

A primeira coisa que notei em Henry Morris foram seus olhos. Depois de observá-lo por um tempo, entendi que ele piscava com menos frequência do que a maioria das pessoas, um traço algo desconcertante. O homem era só uns cinco centímetros mais baixo do que eu, incrivelmente bonito, e calculei que alguns anos mais jovem do que a minha irmã. Quando apertou minha mão, olhou direto para mim, seu olhar frio, mas não inamistoso. Seu aperto de mão, porém, era forte, quase combativo, e tive a sensação de que ele podia ser um desses homens que instintivamente tratam todos os outros como rivais. Mas o que me deu em que pensar foi o que presenciei alguns minutos depois. Morris estava conversando com Inga na cozinha e ela ria de alguma coisa que ele tinha dito. Quando ela se virou para pegar um prato de *hors-d'oeuvres*, eu o vi colocar os dedos em volta da parte de cima do braço direito de Inga e começar a apertá-lo, fazendo uma pressão cada vez maior, ou assim me pareceu. Inga parou de rir e virou-se para olhar para ele, sua fisionomia tranquila e obediente, os olhos cintilantes. Depois, com um leve sorriso, ela pôs a mão gentilmente sobre a dele e a fez soltá-la. A ligação erótica entre ambos era palpável, e deduzi que o uso da palavra *encontro* tinha sido um eufemismo por parte de Inga.

Burton chegou, afinal. O restante de nós estava sentado, com as nossas bebidas, perto da parte da frente do salão. Quando Inga abriu a porta para ele, meu amigo pareceu mais volumoso do que o habitual, como se estivesse com roupas excessivas para aquela noite de primavera. Assim que entrou na sala, estendeu para a frente um buquê de flores, envolvido em plástico, que ele segurava com as duas mãos, e passou a se desculpar copiosamente pelo atraso. Quando examinei seu corpo mais detidamente, comecei a desconfiar que ele havia improvisado alguma espécie de retentor de suor por baixo da roupa, suspeita confirmada quando Inga tomou as flores dele e ouvi com clareza um roçagar na região próxima às axilas de Burton. Mas o que me preocupou foi o seu rosto. Sua expressão, quando seus olhos encontraram os de Inga, foi tão desprevenida, de uma adoração tão declarada, que me fez pensar não em um homem apaixonado, mas sim num cachorro que fica sonhando acordado quando vê a amante. Meu coração foi ao fundo.

A conversa se moveu em zigue-zague naquela noite, da guerra no Iraque para as vicissitudes da memória e o caráter dos sonhos. O vinho foi servido com fartura e não está bem claro como passamos de um tema para outro, mas sei que, enquanto estávamos sentados e ingeríamos o cordeiro assado, eu soube que Harry Morris estava escrevendo um livro sobre Max — um baita detalhe que Inga havia deixado de fora da sua descrição dele —, que Morris era ruidosamente contra a guerra e também que partia e mastigava sua carne com uma precisão e com um requinte que me impressionaram por sua minúcia.

O lenço de Burton parecia ter vida própria naquela noite. Como uma bandeira branca, ele se desfraldava, enxugava e esfregava o rosto do meu amigo, e depois desaparecia dentro do bolso do peito do paletó do dono. Burton parecia animado, uma combinação, eu desconfio, do vinho com a proximidade do ser amado, porque quando ele sorria, o que era frequente, seus lábios tinham um toque frouxo e mole, que eu não vira antes. Burton discorria sobre algum assunto para Inga, no lado oposto da mesa, enquanto minha irmã, de bochechas coradas, fazia que sim com a cabeça, entusiasticamente. Minha mãe teve uma conversa em particular com Leo Hertzberg, da qual só ouvi fragmentos. Ele disse: "Depois que saímos de Berlim, meus pais acharam um apartamento em Hampstead. Lembro que me parecia pequeno e sujo, e não gostei do cheiro que tinha". "Eu morava fora de Oslo durante a ocupação", disse minha mãe, em voz baixa. "Depois da guerra, assim como uma porção de garotas norueguesas, fui para a Inglaterra e trabalhei como doméstica. Fiquei com uma família em Henley-on-Thames por um ano. Depois voltei para a universidade." Miranda estava mais à vontade do que eu a tinha visto até então. Sorria mais, usava mais as mãos quando falava e pensei comigo mesmo que, por maiores que fossem os fardos que a oprimiam, pelo menos momentaneamente ela os havia esquecido. Estava sentada junto de mim, à mesa, e a presença do seu corpo tão perto do meu parecia ativar meus nervos periféricos. Eu quase chegava a sentir os nervos latejando. Ela usava um perfume, e eu tive um forte desejo de encostar meu nariz no vão atrás da sua orelha e inalar o aroma. Miranda falava comigo e com Henry sobre os primeiros construtivistas russos e os seus projetos de diagramação de livros, assunto sobre o qual eu nada conhecia, mas então a conversa passou para o emprego da cor a fim de produzir efeitos emotivos, e Miranda disse que um certo matiz de turquesa claro lhe dava arrepios — como se estivesse pegando um resfriado. Falei sobre sinestesia e lembrei o caso de um homem sobre o qual eu havia lido e que involuntariamente via uma cor toda vez que encontrava uma pessoa. "Acho que ele via verde para uma pessoa retraída, por exemplo." "Mas cores sempre têm sentimentos", disse Sonia. "Vermelho é totalmente diferente de azul."

Nossa conversa foi interrompida por uma exclamação de Inga. "Quer dizer que você está associando sistemas de memória clássicos e neurociência! É maravilhoso!" Burton sorriu de modo triunfante para Inga. O lenço pulou de dentro do seu bolso, estalou no ar chamando a atenção e fez contato com sua taça de vinho, que prontamente voou para fora da mesa e se espatifou no chão. A despeito dos protestos imediatos de Inga, do comentário de Henry, "que trajetória", e do aplauso espontâneo de Sonia, Burton, com uma expressão mortificada no rosto, lançou seu ser balofo no chão e, enquanto sua misteriosa roupa de baixo crepitava, começou a catar os cacos de vidro.

O incidente da taça quebrada assinalou uma mudança na

noite. Nós oito nos acomodamos na sala de estar. Depois de pedir permissão, Morris fumou um charuto e Burton, de forma bastante surpreendente, fez o mesmo. O conhaque circulava e as velas, antes compridas, que brilhavam na sala agora bruxuleavam curtas, na brisa que entrava pelas janelas abertas, seus pavios acesos indistintos por trás da fumaça que subia.

"No entanto", disse minha mãe para Leo Hertzberg, com um débil sorriso no rosto, "existem muitas coisas na vida que não compreendemos, coisas que acontecem sem nenhuma explicação."

Eu tinha certeza de que ela se referia à presença invisível que entrou no quarto no dia em que meu pai morreu.

Leo fez que sim. Pareceu pensativo e um pouco triste, achei.

Burton, pelo visto, havia se recuperado, sacudiu-se e de repente todos ouvimos: "Senhora Davidsen", disse ele.

"Marit", respondeu minha mãe.

"Bem, obrigado. Para mim é uma honra." Burton acenou para minha mãe com a cabeça. "Marit, não poderia estar mais de acordo com a senhora. Em minhas pesquisas, bem, talvez não em todas as minhas pesquisas mas em boa parte delas, com certeza ficou patentemente claro que nós, ou seja, não eu, mas os cientistas, ignoramos toda uma gama de fenômenos humanos. Vejamos o caso do sono." Burton enxugou o rosto. "Ninguém sabe por que a gente dorme. E os sonhos. Ninguém sabe por que a gente sonha. Na década de 1970, em 1976, para ser exato, sim, posso ser exato, Daniel Dennett sugeriu que os sonhos podem não ser reais, que não seriam sequer experiências, apenas memórias falsas que nos invadem quando acordamos. Agora isso está desacreditado. Totalmente. E também a teoria do REM, o Movimento Rápido do Olho."

"É mesmo?", disse minha mãe, educadamente.

"É fato." O lenço tocava o rosto de leve. "Existem sonhos fora do REM, alguns deles são totalmente indistinguíveis dos sonhos do REM. Allan Hobson" — Burton tomou fôlego e foi em frente —, "o homem da 'síntese-ativação', *par excellence*, um maioral nesse campo, acredita que mecanismos da ponte do tronco encefálico, aquele território do cérebro réptil, em tempos remotos", o lenço voou para o pescoço de Burton "*causam* sono e sonhos. No seu modelo, as imagens dos sonhos são preenchidas aleatoriamente e o lobo frontal tenta dar algum sentido a isso. Os sonhos não têm nenhum sentido, segundo ele, nada de desejos, nada de disfarces, nada de Freud. Mark Solmes, psicanalista, pesquisador do cérebro e neurologista, protesta e discorda de forma apaixonada. Eu o ouvi falar não faz muito tempo. Excelente exposição. Pacientes com lesões específicas no lobo frontal param completamente de sonhar. Ele acredita que partes do lobo frontal geram as imagens dos sonhos, que há complexos processos cognitivos envolvidos, portanto os sonhos *têm* sentido de fato. A memória participa, mas ninguém sabe exatamente como. Francis Crick, sim, o inimitável Crick do DNA, propôs que os sonhos são o descarte do lixo da memória, os restos, tolice, se quiserem, remexidos e expelidos no nosso sonho. David Foulkes acha que memórias e episódios semânticos são acionados *aleatoriamente* nos sonhos, mas que os sonhos têm padrões previsíveis. Houve uma ideia, que resistiu muito tempo, ah, deixe-me ver, pelo menos desde Jenkins e Dallenbach, em 1924, segundo a qual, quando sonhamos, processamos e fortalecemos as nossas memórias. Então..." O cérebro de Burton estava perdendo o ímpeto. Começou a falar como quem recita: "Houve Fishbein e Gutwein, Hars e Hennevin..."

Inga bondosamente interrompeu as notas de rodapé e exclamou: "Fishbein e Gutwein! Esses nomes são maravilhosos. Uma sopa de laboratório: espinhas de peixe e um bom vinho!".

Burton sorriu encabulado, a testa molhada e lustrosa à luz das velas. "Nunca pensei nisso. De todo modo, muitos pesquisadores dizem que eles estão errados quanto à memória, quero dizer."

"Eu sei que os sonhos provêm das memórias", disse Sonia, com o rosto sério.

Olhei para a minha sobrinha. "Existem diferentes tipos de sonhos", falei. "Tive pacientes com sonhos repetitivos sobre um único fato terrível. São antes reconstituições do que narrativas de sonho. O seu avô tinha sonhos assim depois da guerra."

Os olhos de Sonia se abriram muito e ficaram pensativos, mas ela não me respondeu.

"Em meus sonhos", disse Miranda, "em geral eu moro na mesma casa. Não se parece com nenhum lugar em que eu tenha morado. Parte da casa me pertence, mas há certa dúvida a respeito dos outros cômodos. Estão todos interligados, sabe, e às vezes eu abro uma porta e dou com um cômodo totalmente novo para mim, só que nunca está claro a quem pertence." Tinha uma expressão pensativa. "No quinto andar, há três dormitórios pequenos de que eu havia me esquecido, não sei como. Viro a chave que está na porta e então redescubro os quartos um a um. Estão em péssimo estado e eu preciso reformá-los, mas por algum motivo nunca faço isso. Algum de vocês volta sempre ao mesmo lugar em seus sonhos, quero dizer, lugares que não existem em parte alguma, a não ser no sonho?"

"Não tenho certeza", respondeu Inga. "Em geral é uma casa ou um apartamento que deveria ser um lugar específico, só que não se parece com ele de forma alguma."

"Sim, eu tenho esse sonho também", disse Miranda. "Mas ultimamente andei recordando os meus sonhos e me dei conta de que aquilo que acontece do outro lado é uma espécie de existência paralela. Tenho uma lembrança do que aconteceu lá. Existe passado, presente e futuro. Volto para a mesma casa, mas ela é...", Miranda piscou os olhos, como se puxasse pela memória, "é como se as regras da vida fossem diferentes. A paisagem da janela também muda. Às vezes é nos Estados Unidos, às vezes é na Jamaica. Eu andei desenhando os meus sonhos e eles podem ser bem estranhos, mas não são absurdos."

"E os desenhos que você faz se parecem com os sonhos?", perguntou Inga. "Quando termina o desenho, tem a sensação de que são precisos?"

Miranda inclinou-se para a frente e fez um gesto com a mão direita. "Não", respondeu. "Não são precisos no sentido que você está falando. Começo com os rascunhos dos desenhos, que faço assim que acordo, e depois vou completando as imagens pouco a pouco, abrindo caminho para prosseguir, de modo a garantir que os desenhos não *pareçam* errados."

"Eu tive sonhos muito curiosos a respeito do meu corpo", disse minha mãe, "quer dizer, deformado."

"Eu também", disse Miranda. "Que eu tinha me transformado num monstro."

Pensei no monstro feminino que eu tinha visto no desenho de Miranda — sua boca imensa e seus dentes iguais às presas de um cão: uma mulher-lobo.

"Muitas vezes sonhei que eu tinha olhos extras", disse Inga. "Mais um ou dois olhos na testa ou na parte de trás da cabeça. Isso é monstruoso, mas no sonho eu me sentia só um pouco perturbada."

"Antes de dormir de fato", disse Miranda, "muitas vezes vejo criaturas horríveis que ficam o tempo todo mudando de forma. Eu as acho fascinantes. Quero saber de onde vêm."

"Alucinações hipnagógicas", disse Burton.

"Então é esse o nome delas. Eu achava que tinham um nome melhor." Miranda pareceu pensativa.

"Eu fico sendo perseguida o tempo todo", disse Sonia. "Fico surpresa de não acordar cansada, depois de passar a noite inteira correndo."

"Nos meus sonhos agora", disse Leo, em tom calmo, "minha visão é tão embaçada quanto na hora em que estou acordado. Eu sonho num borrão, com barulhos, palavras e tato, e eu também corro, dos soldados nazistas que conseguiram chegar à rua Greene e estão batendo na porta."

"A verdade é", disse Henry, "que eu raramente recordo os meus sonhos." Estalou os dedos. "Eles desaparecem."

"Você tem de acordar devagar", disse Miranda, "e anotar... ou desenhar."

Henry pôs o braço sobre o encosto do sofá por trás de Inga e moveu o braço para perto do pescoço dela. Vi minha mãe observar aquele gesto.

"Você é um analista, Erik", disse Henry. "Tem de interpretar os sonhos. Qual a sua posição sobre tudo isso? Segue a linha freudiana ortodoxa?"

"Bem", respondi, perguntando a mim mesmo se não haveria um toque de hostilidade na voz dele. "Aconteceu muita coisa na psicanálise depois de Freud. Sabemos que Freud estava seguro de que a maior parte daquilo que o cérebro faz é inconsciente. Ele não inventou essa ideia, é claro — temos de dar certo crédito pelo menos a Helmholtz —, mesmo assim, não faz muito tempo que muitos cientistas rejeitaram a simples possibilidade disso. Passei a encarar a consciência como um contínuo de estados, desde a cogitação plenamente desperta até o sonhar acordado, até a consciência alterada das alucinações e dos sonhos. Porém a interpretação dos sonhos só pode ocorrer quando estamos despertos. Creio que significado é aquilo que a mente faz e quer. É essencial para a percepção e para a consciência, em todas as suas formas. Mas os significados importantes na psicoterapia são subjetivos. Há muitas pesquisas que confirmam que o conteúdo dos sonhos reflete os conflitos emocionais do sonhador."

"Hartmann", interveio Burton.

"Sim", falei. "Ao contar um sonho, o paciente explora uma parte profundamente emocional de si mesmo e cria o significado por meio de associações no interior de uma história lembrada. A teoria do absurdo dos sonhos, que Burton mencionou, não explica por que os sonhos são narrativas."

"Max usava estruturas de sonhos em seus romances", disse Morris, virando-se para Inga. "Guinadas e transformações repentinas. Estou pensando em *Um homem em casa*. Horace acorda, vai para o trabalho, vem para casa, janta, dá o beijo de boa-noite nos filhos, faz amor com a esposa e, no dia seguinte, acorda e eles sumiram. A casa está vazia, exceto pela cama onde ele está dormindo. Não tem mais nada lá."

"Ler a obra de Max", disse Inga devagar, "é como vê-lo de novo num sonho." Sua voz se desfez ao pronunciar a palavra *vê-lo*. "A gente sabe que vai encontrar alguém, mas aí o rosto está completamente errado, é de outra pessoa." As mãos de Inga começam a tremer. Minha mãe dirigiu para a filha um olhar preocupado. O lenço de Burton desapareceu entre as palmas das mãos e Sonia virou a cabeça para a janela. *É alguma coisa a respeito do papai*. Henry Morris, porém, manteve os olhos firmes e fixos no rosto de minha irmã.

"Não se preocupem", disse Inga, apertando as coxas com as mãos. "Estou bem. Vai passar." Deu um sorriso torto. "Acho que todo mundo sente que os sonhos são importantes, de um modo ou de outro. Os egípcios acreditavam nos símbolos universais dos sonhos. Os gregos achavam que os sonhos eram mensagens divinas; Artemidoro escreveu a *Oneirocritica*, uma espécie de dicionário da interpretação dos sonhos. Maomé sonhou boa parte do Corão, e há muitos outros casos." Inga baixou a voz. "Noite passada, sonhei que eu estava na casa antiga onde fomos criados. Você, mamãe, e você, Erik, estavam lá, e tudo parecia exatamente do jeito que era. Estávamos na sala de estar e de repente o papai apareceu ali, de pé, em carne e osso, igualzinho como era. Mas não usava nem o andador, nem a máscara de oxigênio. Eu sabia que ele estava morto, e depois ele desapareceu. No sonho, falei para mim mesma: 'Vi o fantasma do meu pai.'"

Depois de uma pausa, Leo falou: "Não pode ser acidental o fato de trazermos de volta, em nossos sonhos, pessoas mortas que conhecemos e amamos. Sem dúvida, é uma forma de desejo."

Sonia estava encolhida na cadeira. Lançou um olhar para Leo enquanto ele falava, depois abraçou os joelhos e balançou o corpo algumas vezes, para a frente e para trás. Articulou só com a boca uma palavra para si mesma, mas eu não consegui adivinhar qual era.

Então todos ficamos em silêncio. Observei uma vela crepitar por um momento, antes de apagar. A festa estava mais do que terminada. Sonia sussurrou que gostaria de me ver em breve. Leo beijou a mão da minha irmã, e o seu gesto pareceu natural. Tenho certeza de que Burton gostaria de fazer a mesma coisa, mas beijar mãos não fazia parte do seu repertório. Quando Inga beijou as duas bochechas de Burton para se despedir, seu rosto corou até ficar vermelho-escuro. Minha última impressão foi da minha mãe na hora em que observava Inga despedir-se de Henry, seus olhos atentos e também desconfiados.

Miranda e eu voltamos de táxi para a mesma casa. Eu a convidei a subir para tomar uma saideira. Cheguei até a usar a palavra, que soou estranha na minha boca, mas ela recusou. Beijou-me de forma educada nas duas bochechas para despedir-se, agradeceu pela "noite adorável" e deixou-me com as minhas proezas imaginárias, nas quais ela, como de hábito, representava um papel de destaque.

Meu pai voltou para sua terra natal no navio SS *Milford* no início de abril de 1945, desembarcou em Seattle, onde comeu *um pequeno mas saboroso pedaço de carne, que na verdade era um bife*, um presente da marinha, e então foi rapidamente desligado do serviço militar. *Meu último ataque grave de malária começou antes de eu embarcar no trem para casa. Primeiro vem um calor por trás dos olhos; os calafrios e a febre chegam depois. Dividi um banco com um sargento que estava a caminho do Acampamento McCoy em Wisconsin para ser desligado. De vez em quando ele pegava uma carta, que lia. Pude perceber que a carta não continha boas notícias. Mais tarde, quando comecei a me sentir melhor, ele me contou que sua esposa havia conhecido outro homem e queria o divórcio. Ela dizia que a culpa era dele. O homem não era uma companhia agradável, mas queria conversar. O último vagão tinha uma plataforma na traseira. Esqueci como fomos parar ali, mas quando estávamos debruçados num parapeito de ferro, contemplando o horizonte ocidental que deixávamos para trás, ele declarou — agora sem nenhum medo de que o ouvissem — que a primeira coisa que faria quando chegasse em casa era matar a esposa.*

*Meu espanto não foi nem de longe tão bem elaborado como eu o estou explicando agora. Seria só papo furado de soldado? Seria uma brincadeira para ver como eu ia reagir? Será que eu tinha de encontrar um jeito de denunciá-lo? Meus sentimentos tenderam logo a defender a esposa. Primeiro tentei uma conversa do tipo "Você não pode estar falando sério". Lembrei que, pelo menos uma vez por semana, alguém na nossa unidade recebia uma carta que rompia um noivado ou um namoro. "Bem-vindo ao clube" era o melhor que os seus camaradas podiam dizer. "Vamos indicar você para ganhar uma medalha", diziam outros. "Você vai ter de pegar o ônibus seguinte" também servia como máxima da sabedoria militar. Disse para ele que achava seu plano uma burrice. Na hora em que chegamos a St. Paul, ele tinha resolvido visitar primeiro seus pais e depois uma irmã, já casada. Mais tarde, iria encarar a esposa. Não fiz nenhum esforço para denunciá-lo.*

Meu pai pegou o ônibus para Cannon Falls. O pai dele estava no seu turno de trabalho no Sanatório Fontes Minerais e Lotte estava no seu trabalho em St. Paul do Sul. Minha avó, tio Fredrik e Ragnild Lund esperavam na estação. *Minha mãe perdeu totalmente a compostura quando me viu sair do ônibus. Houve um verdadeiro espetáculo em público. Ragnild, a quem eu mal reconheci, porque havia perdido muito peso, olhava para nós com um terno constrangimento. Havia algo estranho em Fredrik, que a princípio eu não consegui captar. Ele tinha crescido pelo menos quinze centímetros desde a última vez em que o vira. Depois entramos no Ford 1935 da minha mãe e fomos para casa, onde nada havia mudado, exceto a maior deterioração dos prédios — em especial o celeiro. Essa foi a minha chegada em casa.*

Minha avó deve ter desatado a chorar. Acho isso uma coisa comum, mas meu pai, em geral compassivo, transmite nessa passagem uma irritação, na melhor hipótese, e uma vergonha, na pior hipótese. Será que ela chorou e gritou? Será que se jogou sobre ele? Falta alguma coisa. No parágrafo seguinte, ele tenta explicar-se melhor. *A capacidade de nossa mãe de se preocupar não tinha limites. Muito embora eu soubesse disso, não conseguia entender o que ela havia suportado durante a minha permanência no outro lado do oceano. Houve baixas de guerra na nossa comunidade. Quando aqueles telegramas terríveis alcançavam famílias que nós conhecíamos, os temores de minha mãe aumentavam. O pastor Adolph Egge havia corado no púlpito quando fazia sermões sobre jovens que ele havia crismado. Isso fazia minha mãe vagar pelos porões, em desespero, durante dias. Papai não sabia como lidar com aquilo, ninguém sabia, aliás. Muitas vezes eu me perguntei que impacto isso pode ter tido sobre Fredrik, e sobre Lotte também, por falar nisso, mas ela era mais velha e não morava naquela casa.*

Tenho uma vaga lembrança do meu pai demolindo o celeiro vazio com o tio Fredrik. Posso estar enganado. É possível que meu pai tenha me contado a respeito disso, apenas, e eu produzi uma imagem para completar a história. O certo é que ele não queria que a estrutura degradada atraísse a ruína sobre a propriedade. A palavra *decadência* vem ao pensamento. Ele fez questão de que o celeiro fosse posto abaixo. Uma questão de orgulho.

Depois de conversar com a mãe do sr. T., o médico de plantão na enfermaria descobriu aquilo que eu já sabia: o sr. T. havia parado de tomar seus remédios. A olanzapina havia funcionado bem, aparentemente, para os sintomas dele, mas também o havia deixado obeso e, depois de um ano, ele havia achado intolerável o aumento de peso e aquilo que chamava de "cabeça lenta". Quando parou de repente, essa mudança precipitou o colapso psicótico que testemunhei. Estavam experimentando risperidona, o que parecia razoável. O dr. N. estava apressado e, quando lhe perguntei sobre os escritos do sr. T., ele mencionou "desordem mental", e isso foi o fim da conversa. Enquanto foi meu paciente, o sr. T. havia despertado a minha simpatia e depois, a minha afeição. Seus avós paternos tinham sobrevivido aos campos de morte nazistas, mas seu pai nunca falou do assunto. Voltei às minhas anotações antigas. As primeiras palavras que ele disse para mim foram: "A terra está gritando".

A história que a srta. L. me contou foi que, quando era muito pequena, "mais ou menos dois anos", sua mãe a puxou para fora do berço no meio da noite e jogou-a contra a parede várias vezes, "feito uma boneca de pano". A lembrança voltou no mesmo instante. Ela via e revia a cena, vezes seguidas. Quando terminou de me contar, falou: "Foi uma tentativa de homicídio", e o vestígio de um sorriso surgiu em seu rosto.

Tratei muitos pacientes que foram agredidos quando crianças — surrados, estuprados, sexualmente molestados —, mas logo percebi que havia alguma coisa errada na história da srta. L. A amnésia infantil impede lembranças explícitas de uma idade tão precoce, embora às vezes as pessoas tomem fatos posteriores como se tivessem acontecido antes. As palavras "feito uma boneca de pano" também me perturbaram: as palavras sugeriam que ela estivesse antes vendo que participando da cena. Esse tipo de visão dissociada pode ocorrer quando as pessoas são gravemente traumatizadas, mas sua referência seguinte a "tentativa de homicídio" tinha um toque de tribunal, e o ligeiro sorriso depois que ela relatou a lembrança me alertou para seu valor sádico para ela. Era como se eu, e não ela, fosse uma boneca de pano.

Quando articulei essas dúvidas, ela ficou em silêncio por três minutos, fitando-me com olhos apagados. Chamei sua atenção para o fato de que tínhamos um trato. Se ela não tivesse nada de especial para dizer, devia dizer qualquer coisa que lhe viesse à cabeça. As palavras *eu odeio você* vieram à *minha* cabeça, e senti o pronome oscilar entre nós. *Você me odeia.* Em que eu estava pensando de fato?

A srta. L. começou a afagar suas coxas, enquanto continuava a olhar fixo para mim. Em seguida, passou a massageá-las. O efeito foi imediato. Senti-me excitado e tive uma repentina fantasia de esbofeteá-la com força e empurrá-la da cadeira para o chão. Ela sorriu e tive a nítida impressão de que estava lendo os meus pensamentos. Suas mãos pararam de se mexer. Quando eu lhe disse que seus gestos de sedução podiam ser um esforço para me controlar, a srta. L. disse: "Sabia que a minha madrasta anda xeretando pelo meu prédio e contando mentiras sobre mim para os meus vizinhos?".

Quando lhe perguntei que provas tinha para pensar aquilo, ela bramiu: "Eu sei. Se não acredita em mim, de que adianta?".

A questão era exatamente essa, mas o fato de eu ter dito aquilo acabou levando para outro beco sem saída.

Depois que ela foi embora, me senti desnorteado. Os delírios da srta. L., a sua paranoia e o que eu receava que fossem mentiras me afetaram como um homem perdido numa neblina venenosa, desesperadamente à procura de uma saída. No fim do dia, telefonei e deixei um recado para Magda. Eu sabia que precisava de ajuda no caso da srta. L. Na plataforma do metrô, achei difícil raciocinar, a não ser em fragmentos, e enquanto o trem rugia e chegava à estação, tive o terrível pensamento de que o guincho das rodas parecia humano.

Exatamente uma semana depois do jantar na casa de minha irmã, fui despertado por ruídos no chão acima do meu quarto. No sonho eu criava uma engenhoca com uma roldana para facilitar a retirada de livros na minha biblioteca. Uma espécie de mão mecânica ficava presa na ponta da minha engenhoca, mas quando tentei usá-la para pegar determinado volume, os dedos murcharam e viraram tocos inúteis. Semiconsciente, pensei primeiro que estava ouvindo os passos da minha mãe acima de mim, mas então lembrei que ela estava hospedada na casa de Inga. Talvez alguém estivesse andando no cômodo vizinho. Muitas vezes é difícil identificar a direção de onde vem um barulho em prédios de alvenaria, feitos de arenito pardo. Não seria a primeira vez que eu me enganava. Sentei-me na cama, prendi a respiração e escutei com atenção. Não, os passos eram mesmo acima de mim, vinham através do teto. Havia alguém no meu escritório. Eu tinha um intruso em casa. Com o máximo de silêncio possível, disquei 911 e sussurrei a informação no telefone. A atendente falou várias vezes: "Não consigo ouvi-lo", mas afinal consegui que ela compreendesse o endereço e a situação. Nos momentos seguintes, pesei as consequências das minhas ações. Se eu ficasse quieto, o ladrão poderia pegar o que quisesse e ir embora. Mas, quando ouvi que ele estava indo para o andar de cima, me lembrei do martelo que havia deixado dentro do armário depois de prender um gancho extra na face interna da porta. É terrível tentar mover-se sem fazer barulho altas horas da noite, quando qualquer ruído soa amplificado, mas consegui me deslocar em silêncio até o armário, abrir a porta só com um rangido, e agarrei o martelo. Em seguida, andei na direção da porta, abri de leve e me posicionei melhor para ter uma visão do corredor e da escada. Eu sabia que, se tentasse descer aquela escada, cada degrau iria soltar um rangido. Imóvel, fiquei esperando. A pessoa veio descendo devagar, parava entre um degrau e outro. Aquilo me pareceu demorar muito tempo. Por fim, vi um tênis grande, seguido por uma perna nua e a bainha de um calção folgado, entre os patamares da escada. Aquela parte inferior do corpo estava apenas levemente iluminada pela claraboia acima. Meus pulmões tinham se contraído até virarem dois sacos quase sem ar e, de modo consciente, respirei só uma vez, para não ficar tonto. Então, vi mãos, sem nenhuma arma, seguidas de um tronco magro numa camiseta folgada. O homem tateava com cautela os degraus da escada, enquanto eles gemiam alto. Manteve a mão no corrimão, até alcançar o fim da escada, e então parou. Devagar, com cuidado, continuou a avançar pelo corredor, na minha direção. Havia o brilho de uma luz fraca que ficava acesa durante a noite, no banheiro, e ela iluminou o rosto de um jovem de cabelo preto e pele morena, pelo menos quinze centímetros mais baixo que eu. A um metro e pouco da minha porta, vi o jovem colocar a mão no bolso, e aí pulei para o corredor com o martelo em punho. Quando gritei: "Que diabo está fazendo na minha casa?", percebi que a coisa que o homem havia tirado do bolso era uma pequena câmera digital, e no mesmo instante compreendi que estava cara a cara com Jeffrey Lane. A revelação me fez baixar o martelo. Em seguida, gelei. Ele viu sua chance, virou-se e correu, mas teve o descaramento de se virar e me fotografar. A minha raiva reacendeu, fui atrás dele pela escada, berrando que tinha chamado a polícia. Ele subiu aos pulos, dois degraus de cada vez, disparou pelo patamar no fim da escada, abriu a porta para o telhado e subiu depressa a escadinha de aço, comigo no seu encalço. Enquanto eu subia a escadinha de aço, olhei para cima e vi que o alçapão estava aberto. Tentei segurar seu pé, mas ele era veloz demais para mim. No momento em que consegui chegar ao telhado, ele já estava correndo no meio das chaminés do vizinho; fiquei olhando, ofegante, enquanto ele desceu, correu junto à fila de casas e desapareceu.

Contei tudo para a polícia, exceto que eu conhecia, ou pensava conhecer, a identidade do intruso e que ele tinha tirado fotografias. Mentir para os guardas me deu uma sensação incômoda. Ao mesmo tempo, percebi a tranquilidade com que fiz isso, como se fosse a coisa mais corriqueira. Porém, apenas alguns segundos depois de as palavras terem saído da minha boca, comecei a me perguntar se a minha intenção de proteger Miranda não estava mal direcionada. Um homem que invade a casa dos outros e tira fotografias tem de ser preso, não tem? E no entanto eu sabia que tinha feito algo idiota. No domingo anterior, eu havia subido ao telhado para verificar o estado da claraboia, porque tinha notado uma pequena goteira durante uma tempestade. Subi várias vezes com pincel e selador para reforçar o piche rachado e devo ter esquecido de trancar o alçapão quando terminei.

Depois que a polícia tomou meu depoimento e, com cortesia, reconheceu que tais incidentes raramente terminam em prisão, voltei para a cozinha, servi uma taça de vinho tinto e bebi devagar. Eu podia ter matado o homem se não tivesse visto a câmera. Ele correu um risco idiota. Será que estava tentando chegar a Miranda? O que fazia no meu escritório? Enquanto eu ruminava a respeito do incidente, parecia que me lembrava de alguma coisa no rosto dele, logo depois de ter tirado a minha fotografia — uma expressão de euforia? Não. Escolhi outra palavra: deleite. Por um momento, o ex-amante de Miranda, o pai de Eglantine, me olhou com deleite. Para ele, pensei, a fotografia é uma forma de roubo, um ataque de surpresa que age como um estimulante. O ramo de atividade daquele homem era o roubo de aparências.

"Parece alguma coisa que ele faria e, ao mesmo tempo, não parece", disse Miranda. "Uma vez ele me contou que, quando estava no ensino médio, roubava os armários dos colegas, não porque quisesse os objetos, mas porque era um gesto de revolta contra a cultura do consumo." Parou um momento. "Discutimos por causa disso. Ele me chamou de 'puritana moralista inflexível'." Quando pronunciou aquela condenação, Miranda sorriu. "Ele não pegou nada de você, pegou?"

"Não tem nada faltando, até onde notei." Estávamos sentados na sala da frente do apartamento de Miranda. Eglantine estava no jardim. Eu podia ouvir a menina cantando. "Achei que ele estava atrás de você."

"Sabe o que eu acho? Na certa ele queria fotografar a casa, talvez entrar no nosso apartamento e tirar fotos de mim e de Eggy dormindo."

"Por quê?"

"Bem, ele gosta de tirar fotografias de pessoas dormindo. Gosta disso porque o tema da foto não sabe, porque as pessoas estão vulneráveis."

"Mas você não tem medo dele?"

"Não acho que ele vá nos fazer mal, se é isso o que você quer dizer." Miranda olhou para o lado por um momento. Era difícil saber o que ela sentia ou não sentia em relação a Lane. Depois de alguns segundos de silêncio, pedi para ver alguns dos seus desenhos de sonhos.

Apesar da rápida visão anterior do monstro de Miranda, eu não sabia o que esperar. Ela explicou que, para os sonhos, gostava de uma forma com quadros em molduras para contar a história. O primeiro quadro tomava uma página inteira. Vi uma escada grande, no interior de uma casa, meticulosamente reproduzida, colorida em tons frios de azul. Sua precisão e seus detalhes me levaram a pensar nas histórias em quadrinhos do Super-Homem que eu escondia embaixo do colchão quando criança. Miranda tinha usado caneta, lápis de cor e algum guache. Depois de um momento, percebi que a perspectiva estava ligeiramente errada, quer dizer, não seguia as regras que esperamos, e essa ligeira alteração criava o efeito de sonho que Miranda havia mencionado no jantar. Perto do alto, havia uma porta vermelha e estreita, seu canto também era meio torto. O segundo desenho era um quarto grande com uma única peça de mobília: uma cama de ferro com colchão esfarrapado, sem lençol. Mais acima, havia uma só janela, com quatro seções. No desenho seguinte, a cama era vista de cima e sobre ela surgira uma pessoa, alguém velho e frágil, cujo corpo estava coberto por um lençol. Eu não sabia se era um homem ou uma mulher, mas a cabeça pálida da figura era miúda e enrugada, parecia antes uma cabeça encolhida que eu tinha visto certa vez, com a diferença de que tinha uma cor de nata pouco antes de virar manteiga — um amarelo esbranquiçado. Debaixo do lençol dava para ver o contorno de um corpo pequeno, encolhido em posição fetal. Na imagem final, o lençol fora retirado e, embora a cabeça continuasse, o corpo exposto agora tomava toda a cama estreita: a cabeça em miniatura estava ligada a um tronco feminino robusto, com membros compridos e atléticos, de uma cor marrom fechada. Um dos pés estava acorrentado ao pé da cama. A cabecinha de alfinete murcha no corpo voluptuoso era grotesca, e deixei escapar um som de surpresa.

"Eu sei", disse Miranda, "é terrível, e acho que no sonho era pior ainda. Fiquei apavorada. Fiz um esboço da cabeça na mesma hora, no entanto, enquanto trabalhava na sequência, de repente entendi de onde vinha. Andei lendo muita coisa sobre a história da Jamaica." Apontou para o crânio encarquilhado. "Isso é como a pequena cabeça colonial branca que queria governar o imenso corpo negro da Jamaica. Veja, um pé está acorrentado, escravizado, o outro está livre, como os escravos fugidos. É como se o meu cérebro tivesse amontoado tudo isso numa única figura horrenda." Fez uma pausa. "Mas também acho que a pequena cabeça velha e o corpo nesta parte", Miranda seguiu com o dedo o corpo coberto pelo lençol, "devem ter vindo de minha avó. Ela ficou muito pequena quando estava morrendo. Mamãe disse que no final era como segurar uma criança. O avô dela era um branco, então você está vendo que tudo é misturado, e também tem sangue indígena na família. A vovó era muitas coisas. Frequentou escolas anglicanas, lia poetas ingleses e era forte em civilidade e boas maneiras. Suas filhas e netas deveriam ser perfeitas damas. Ao mesmo tempo, ela sabia muita coisa sobre ervas medicinais e adorava contar histórias sobre zumbis."

"Zumbis?"

"Fantasmas, espíritos."

"Minha avó ouvia os passos do fantasma do meu avô, que entrava e saía da casa. Ela jurava que ele estava o tempo todo com o chapéu na cabeça."

Eu tinha esperança de ver outros desenhos de sonhos, mas

Eggy veio correndo para nós e, pulando na frente da mãe, falou: "Por favor, mamãe, por favor, a gente pode ir ao parque, por favor?".

Nós três ficamos no parque Prospect durante umas duas horas, demos uma grande volta pelo prado, fomos até o poço, e depois entramos nas trilhas da mata, aonde eu nunca tinha ido. Miranda e eu caminhávamos. Eggy saltitava, rodopiava, dava piruetas meio tortas e corria. Depois de pedir permissão aos donos, ela acariciava todos os cachorros que apareciam. Chamava os patos, elogiava os pedestres por suas roupas. "Que chapéu lindo", "adoro o seu vestido", "que tênis bacana", e no geral tornava impossível, para nós três, passar por qualquer ser humano ou animal sem sermos notados. Enquanto eu observava a menina à minha frente, lembranças da noite anterior voltavam ao pensamento de modo intermitente, mas mesmo quando eu não estava ativamente recordando o homem que havia entrado pelo telhado, eu compreendia que o encontro havia deixado sua marca no meu corpo, uma sequela em forma de inquietação que me deixava alerta a ruídos e sensível às pessoas próximas de nós. Várias vezes virei a cabeça para identificar a origem do som de passos. Embora não disséssemos nada, eu sentia que Miranda também estava muito suscetível. Quando Eggy foi atrás de um esquilo, saiu da trilha e desapareceu nos arbustos, Miranda a chamou de volta numa voz de timbre estridente, que eu nunca tinha ouvido. Eggy imediatamente voltou de um pulo. "Mamãe", disse ela, olhando de baixo para Miranda com uma cara espantada. "Estou aqui. Estou aqui. Não se preocupe." Miranda pareceu embaraçada. Curvou-se e sorriu para a filha. "Tenho de saber onde você está, é só isso, portanto trate de não sumir desse jeito."

Enquanto andávamos, Miranda me contou que sua família havia se mudado para Nova York depois que o tio morreu. O pai de Miranda e o irmão mais novo dele tinham negócios juntos, e a morte dele fora um golpe terrível para o seu pai, que tinha uma irmã em Londres e mais um irmão na Jamaica, porém nunca fora próximo deles como era do "tio Richard". Quando falou esse nome, Miranda baixou a voz e virou o rosto para o outro lado. O pai dela vendeu seu negócio e recomeçou a vida no Brooklyn, onde tinha uma porção de conhecidos na comunidade jamaicana. A família comprou uma grande casa em estilo vitoriano, em Ditmas Park, onde os pais dela ainda moravam. Os bisavós paternos de Miranda foram militantes no movimento pan-africano e tinham conhecido Marcus Garvey. Era óbvio que Miranda sentia orgulho deles, sobretudo da bisavó, Henrietta Casaubon. "Tinha a pele muito clara e, naquele tempo, isso representava status. Era muito bem-educada e se formou em história... também era bonita", disse ela. "Então conheceu meu bisavô, George, que era um homem cheio de grandes ideias a respeito da identidade negra e, bem, ela se tornou instruída. Mas acho que ele vivia atrás de outras mulheres e o casamento não era lá muito feliz. Moraram no Harlem por um tempo, mas terminaram voltando para a Jamaica. Meu pai me contou que, quando estavam em Nova York, Henrietta teve uma prima a quem ela não podia visitar, porque estava morrendo."

No final, Eggy se cansou e eu a carreguei nos ombros por vários quarteirões, enquanto ela agarrava meu queixo com as mãos e eu segurava suas pernas com firmeza. Depois de um tempo, ela apertou a bochecha contra a minha cabeça e começou a cantar em voz suave e baixa: "Ah, doutor Erik, ele era chique, trá-lá-lá, pim-pom-pom, pororó, pororó". Os pororós e trá-lá-lás depois viraram um cantarolar de lábios fechados, com pausas no meio.

Relutante em deixar que as duas fossem embora, eu as convenci a vir almoçar comigo. Fizemos um pedido a um restaurante tailandês que entregava em domicílio e me dei conta de que gostava da maneira como Miranda comia. Enquanto ela mastigava com paciência, olhava para mim com aqueles olhos dramáticos e escutava com tanta atenção que eu tinha clara consciência de cada palavra que eu pronunciava. Depois que deixamos Eggy diante de um vídeo de *Cantando na chuva*, Miranda me perguntou acerca do meu trabalho.

"Por que deixou seu emprego no hospital?"

"Era difícil", respondi. "Longas horas. Uma crise depois da outra, sem parar. A burocracia piorou e o atendimento piorou. Tinha o negócio das seguradoras. Eles não deixam mais as pessoas ficarem no hospital. Mandam os pacientes embora depressa demais. Além disso eu ganhava menos dinheiro do que ganho agora." E pensei comigo mesmo: *Sarah*.

*Não posso dizer essa palavra para você. Não posso dizer porque é proibida e não faz sentido. Escrevi a palavra numa folha de papel. Fico olhando para a palavra. Sarah tinha escrito o pronome* eu.

"Você está bem?", perguntou Miranda, com delicadeza.

"Estou", respondi.

"Na certa você está achando que o Jeff é doido como são seus pacientes, mas eu não acredito nisso. Quando ele estava mandando as fotografias, fiquei preocupada, mas o fato é que ele sempre está trabalhando em algum projeto meio maluco. Tem um milhão de fotografias coladas em todas as paredes. Ele apaga um nariz ou um objeto e substitui por alguma outra coisa. Vive seguindo uma porção de gente, tira fotos dessas pessoas e depois manipula os resultados. Ele dizia: 'Estou refazendo o mundo'." Miranda desviou o olhar de mim e olhou para a cozinha.

Pus minha mão sobre as mãos dela. Miranda baixou os olhos e depois, com um puxão, recuou os dedos, que estavam embaixo da minha mão. A canção "Make 'em laugh" ressoou no cômodo vizinho e me perguntei se Eggy não teria aumentado o volume. Miranda olhou para mim e disse: "Não posso lhe dizer como sou grata por sua bondade comigo e com Eglantine". Percebi o retorno da antiga formalidade na sua voz e na sua dicção, e desviei o olhar. "Você tem sido ótimo." Meu corpo inteiro enrijeceu enquanto ela continuava a falar e, embora a escutasse, senti uma parte de mim fugir e deixar a nós dois para trás. Eu estava esperando as palavras que sabia que viriam, e vieram. "Sua amizade é importante para mim. Não quero perdê-lo como amigo, mas as coisas andam muito complicadas para mim agora." Miranda falou por certo tempo, mas não recordo muita coisa do que ela disse depois disso, porque não tinha mais nenhuma importância. Eu estava recebendo ordens de bater em retirada e, enquanto ficava ali sentado na frente dela, fingindo ouvir suas palavras, olhava para as caixas brancas de carne de porco com manjericão e galinha ao *curry* deixadas pela metade, e para uma porção de arroz grudento deixada no prato de Eggy, que ela havia moldado em forma de bola, e eu estava vagamente consciente da canção que ia alcançando o seu clímax: "*Make 'em laugh, make 'em laugh, make 'em laugh!*". A dor logo abaixo das minhas costelas chegou, vaga e familiar, e uma palavra arcaica voltou à minha mente, *dolor*, do latim. Doloroso, pensei, doloroso doutor Davidsen. Depois que as duas foram embora, joguei fora as caixas e, enquanto lavava os pratos, lembrei uma história que meu pai uma vez me contou a respeito de parentes nossos, um certo Sjur Davidsen, que deixou Bergen, na Noruega, em 1893. Meu pai tinha algumas cartas que o homem havia escrito para os meus avós, mas em 1910 ele parou de escrever. Meu pai conseguiu localizar um dos sobrinhos de Sjur, escreveu para ele e recebeu uma resposta. Em 1911, Sjur Davidsen tinha se matado em Minot, na Dakota do Norte. "Disseram que o motivo foi *kvinnersog*", disse meu pai. Literalmente, a palavra significa *desgosto de mulher*.

Levei minha mãe de carro até o aeroporto. Durante boa parte do percurso ela falou despreocupadamente sobre seu regresso para Minnesota, sobre o pequeno apartamento que a aguardava e sobre várias amigas que estava ansiosa para reencontrar. Ficamos em silêncio por algum tempo depois disso. Em seguida ela perguntou o que eu sabia a respeito de Henry, e então falei: "Quase nada". Ela fez que sim com a cabeça, pensativa.

"Miranda é muito educada", disse ela.

"Sim, é mesmo."

"Refinada."

"Sim", respondi, olhando para minha mãe e pensando aonde ela queria chegar. A infância completamente burguesa de minha mãe na Noruega a tornou sensível demais a nuances de comportamento social.

"Isso pode ser difícil", disse ela.

"Está se referindo ao fato de Miranda ser negra?", perguntei.

Minha mãe virou-se para mim e sorriu. "Isso mesmo", respondeu, "e o fato de que ela tem um filho do primeiro casamento e que sinto nela uma espécie de..." Fez uma pausa e escolheu bem a palavra. "Ambivalência."

Ela não precisava dizer "em relação a você". Senti uma pontada de orgulho ferido, misturada com irritação, com a referência abertamente sutil da minha mãe à questão da raça. Notei também que não a corrigi acerca do primeiro *casamento*. Caímos de novo num silêncio.

O trânsito fluía bem, mas então, pouco antes da saída para o aeroporto de La Guardia, os carros reduziram a velocidade e, enquanto avançávamos lentamente, ela disse: "Você sabe que demorei um ano inteiro para conseguir o visto de que precisava para viajar para os Estados Unidos para poder me casar com o seu pai".

"Sei", falei.

"Fazia muito tempo que eu não via Lars." Minha mãe tateou

dentro da bolsa que trazia no colo. "Quando desci pela prancha de desembarque, ele estava me esperando. Caminhou na minha direção, olhei para o seu rosto e foi como se na verdade eu não o conhecesse, como se ele fosse um estranho para mim. Nem posso lhe contar como era perturbador, Erik. Mas então seu pai começou a falar comigo, a gesticular com as mãos e de repente ele era o mesmo de antes, o querido Lars outra vez."

"Quanto tempo durou... o intervalo em que não o reconheceu?"

"Bem, eu o reconheci, é claro, mas de certo modo não era ele. Não sei. Foi muito breve, nem um minuto, talvez só alguns segundos, mas nunca esqueci."

Quando nos separamos no portão da segurança, minha mãe me deu só um abraço forte e depois me fitou nos olhos. "Erik", disse, em voz baixa, afetuosa. "Se eu pudesse, lançaria um feitiço nela." Depois se virou, colocou a bolsa e os sapatos na esteira rolante e aguardou que a mulher de uniforme acenasse para ela atravessar o arco.

*Apesar da alegria de vir para casa*, escreveu meu pai, *passei o verão num mal-estar generalizado. Eu estava com saudades. Sentia falta da vida militar, não só do meu círculo de amigos, mas da camaradagem que só o serviço militar pode proporcionar. Sentia falta do caráter bruto do nosso cotidiano, das brincadeiras turbulentas e bem-humoradas que faziam parte dele, um padrão que incluía trabalho pesado e jogo bruto, sem que os dois se misturassem. Passei a gostar da ordem e da hierarquia militar como se fossem algo justo. Passei a gostar até dos excessos do exército, quando se tratava da manutenção dos alojamentos, vestuários, equipamentos e armas. Achava a vida civil, a minha própria casa inclusive, desleixada e, às vezes, caótica.*

Meu pai passou boa parte do verão de 1946 cortando árvores. O começo foi uma conversa entre meu avô e um vizinho. O velho Larsen disse que uma porção de árvores estava morrendo na sua propriedade e meu pai se ofereceu para comprar algumas daquelas árvores como fonte de madeira. *Na manhã seguinte, nos encontramos e marcamos as árvores que seriam minhas, árvores velhas e esplêndidas que se alçavam a doze metros antes de começarem os galhos. Os carvalhos valiam quatro dólares cada. A tília, uma madeira mole, ficava por três. Cortar madeira não é propriamente um serviço de verão. A mata está quente e úmida, com o ar parado e os mosquitos e os pernilongos estão por todo lado. Minhas ferramentas eram uma serra grande, um machado, um malho e um conjunto de cunhas de ferro. A não ser pela ajuda do papai e de Fredrik para avaliar as árvores, eu trabalhava sozinho. Saboreava a solidão daquele trabalho e tinha uma energia interminável, que requeria um uso. Lembro a satisfação de ir para a cama fisicamente esgotado. Uma serra grande individual é uma ferramenta que sabe como deixar a gente assim. A gente tem de empurrar e também tem de puxar, ao contrário do que acontece com a serra grande feita para trabalhar em dupla.*

Recordo meu pai atrás de mim, suas mãos sobre as minhas mãos enquanto levantávamos o machado juntos e depois o fazíamos baixar e bater em cheio sobre uma tora, que se fendia exatamente ao meio, bem no veio da madeira. Mais tarde, aprendi a cortar madeira sozinho, sob a vigilância do meu pai. Depois de um tempo, meus braços doíam e meu corpo inteiro ficava cansado, mas jamais contei isso para ele. E meu pai tinha razão: havia um prazer em acertar no ponto exato e ver a tora abrir-se na nossa frente. Chego a vê-lo agora, sorrindo, enquanto o suor poreja e escorre no seu rosto, a camisa de mangas arregaçadas acima do cotovelo, as mãos nos quadris, examinando a pilha de madeira, que aumentava sem parar. "Está indo bem, Erik, está indo bem."

Sozinho na mata, o ex-sargento empurrava e puxava sua serra grande. Ele serrava e talhava a casca das árvores mortas, seus adversários grandiosos num jogo de carências emocionais. Não tinha a menor ideia do que ia fazer com a madeira, mas tocar aquelas tílias e aqueles carvalhos servia a um propósito que ia além da utilidade: o trabalho como exorcismo. Foi o tio Fredrik que me contou que ele não tinha a menor ideia do que o papai havia sofrido durante a guerra até que uma noite seu irmão martelou com os punhos o forro do teto do quarto até perfurá-lo enquanto estava dormindo. Fredrik não elaborou o fato, mas desconfio que os demônios do meu pai eram uma legião. Alguns penetraram nele no Pacífico, mas também havia outros. Depois que garantiu a um psiquiatra de meia-tigela do exército em Forte Snelling que gostava de garotas, meu pai pode ter pensado que estava deixando para trás os velhos demônios, para sempre. Talvez tenha sido aquele lugar o que acabou trazendo de volta os demônios enfurecidos, a visão da casa pequena e do celeiro vazio, decadente: "a minha casa".

A dor que senti durante a fala de Miranda não me largou. Compreendi que eu havia projetado a mim mesmo num futuro que incluía Miranda e Eggy e, sem esse porvir imaginário, me vi lançado no estado de total desolação de um presente sem amor. De manhã, acordei em meio a uma névoa e, embora em geral ela subisse quando eu estava com os meus pacientes, eu sabia que tinha entrado numa fase daquilo que no jargão médico é chamado de anedonia: falta de alegria. Também me dei conta de que minha reação à declaração de Miranda não poderia ser dissociada da morte do meu pai, morte que eu tinha a sensação de ter lamentado de modo insuficiente. Minha investigação das suas memórias e minhas anotações diárias sobre o homem eram nitidamente formas de luto, mas também faltava alguma coisa em mim, e essa ausência tinha se transformado em agitação. Minhas noites eram ruins. Como um homem possesso, eu ouvia uma infinidade de vozes que clamavam em busca de espaço dentro da minha cabeça, um discurso interior fragmentado, acompanhado por imagens, que inevitavelmente se tornavam mais desarticuladas à medida que eu entrava na fronteira entre a vigília e o sono. Certa noite, vi um vulto semelhante à minha mãe, sozinha na casa antiga, e depois caminhando perto do riacho, seu corpo esguio avançava a passos largos, com determinação, mas então ela andou mais devagar e passou a seguir em zigue-zague pela trilha. *Se pudesse, eu lançaria um feitiço nela*. Como foi que minha mãe soube? Ninguém sabe por que dormimos nem por que sonhamos. *Sei que você jamais vai dizer nada sobre o que aconteceu. Agora não pode ter mais importância nenhuma, nem para ela que está no céu, nem para os que estão na terra*. As palavras da carta de Lisa me atormentavam, como se eu estivesse de algum modo envolvido na questão, como se eu fosse responsável. Às vezes, quando me sentia finalmente arrastado para o sono, ouvia a tosse do meu pai, um som inconfundível, como a sua voz, e aquilo me impelia de volta à consciência. Um bando de fantasmas eróticos, em constante mudança, me mantinha acordado também, prostitutas obedientes inventadas para aliviar a pressão sexual que eu sentia, apertada como as tiras de uma camisa de força. Mas quando a minha volúpia masturbatória ganhava mais altitude, as ficções começavam inevitavelmente a tomar a aparência de Miranda, e minhas cópulas imaginárias com a sua substituta não eram gentis, mas ásperas e irritadas, e depois a amargura e a culpa se instalavam sobre o meu peito, como uma barra de ferro fria. E assim os pensamentos aflitos se amontoavam uns sobre os outros. Eu estava preocupado com Lane e pensava ouvir seus passos no telhado. Sonhava que achava uma câmera perto da minha cama e, quando eu abria sua tampa de trás, escorria sangue e muco por cima das minhas mãos, como se a câmera fosse um animal ferido. Eu estava preocupado com a minha irmã e com a mulher desconhecida que estava com ela no parque, e tinha dúvidas a respeito de Henry. Os olhos do homem eram como os de um falcão. Estava escrevendo um livro sobre Max. *Acho que é sobre o papai.* Os personagens de Max, Rodney Fallensworth, Dorothea Stone, sra. Hedgewater e o palhaço, o Homem Verde, se tornavam objeto de suspeita durante minhas crises noturnas, como se fossem pistas ficcionais. Recordava a estranha narrativa de *Um homem em casa* e me perguntava se a família desaparecida de Horace escondia um desejo ou um temor secreto do autor. Vi os dedos de Arkadi formando palavras em *Mergulho radical* como se os sinais fossem uma mensagem secreta. O que Inga estava procurando quando viu o filme? O que aquela jornalista ruiva com seu sorriso envergonhado achava que Inga sabia? Eu via Sarah rastejar para fora da janela do quarto da sua mãe e despencar doze andares, como se eu tivesse estado lá e houvesse presenciado tudo. Depois a mãe dela, perturbada e aos gritos no meu consultório: "Foi você que a deixou solta! Você a matou!". E o seu cabelo, duro por dentro de uma touca, totalmente imóvel apesar da sua gesticulação histérica. A voz da srta. L.: um martelo que bate. O meu medo. A voz de Peter Fowler, sua mão nas minhas costas. "Carbamazepina, meu velho, ajuda a conter a fúria." A prepotente, arrogante farmacologia de Fowler. "Tem de ficar em dia, Davidsen. Todo dia surge uma novidade no campo do transtorno bipolar." O meu punho golpeando o seu queixo. A cabeça do homem batendo numa parede e a fantasia trazendo alívio, enquanto trechos de artigos correm pela minha cabeça: "desregulação emocional, distúrbio de identidade". *Neutralidade*, pensei. O que isso significa? Outra mentira. O sr. T. dando vazão às suas revelações: "Descarrilado. Fui errado. Ela foi libertada. Ele está assustado. Não dá para ser diplomado". E a srta. L.: "Como é que a gente pode acreditar nessa bosta de terapia? Quer dizer, é a maior besteira ficar aqui sentada olhando para a sua cara. Você acha mesmo que é importante, não é?". Eu a imagino no chão, minhas mãos segurando seus pulsos. *Eu odeio você.*

Em suma, minhas noites viraram combates de luta livre contra mim mesmo e eu sentia uma forte atração pelo alheamento farmacológico: zolpidem — para dormir depressa. Eu já havia tomado outras vezes, quando viajava para a Europa a fim de participar de congressos, e o medicamento não se limitava a eliminar a espera do sono, ele bania a experiência do sono: não havia nem sombra de um despertar obscuro no meio da noite, nenhuma sensação de acordar saindo de um sono, nenhuma consciência velada do meu corpo na cama. A misteriosa capacidade da pílula para me manter fora do ar durante sete horas, uma capacidade que sempre me inspirou desconfiança, agora cintilava como uma pequenina e branca promessa de um paraíso.

"Mamãe não está em casa", disse Sonia ao telefone. "Estou preocupada de verdade, tio Erik. Ela não costuma fazer isso. São nove horas. Não havia nenhum recado para mim, nada, nada. Ela não está atendendo o celular. Estou em casa desde as seis horas, esperando e telefonando o tempo todo."

"Tem certeza de que ela não falou de alguma festa, ou jantar, ou alguma outra coisa, e você acabou esquecendo?"

"Não!" Dava para ouvir a respiração ofegante de Sonia. "Talvez ela tenha se machucado ou quem sabe foi assaltada. E além do mais tem aquela mulher."

"Que mulher?"

"Aquela jornalista idiota, Linda sei lá de quê Búrguer."

"A ruiva?"

"É. Ela andou telefonando. Outro dia ouvi a mamãe falando assim: 'Não tenho nada para dizer a você. Já repeti isso muitas vezes'. Ela parecia tão perturbada, e depois ficou muito pálida." Sonia fez uma pausa. "Naquela noite, ouvi mamãe conversando com alguém no seu quarto, uma conversa comprida. Falava em voz baixa, mas pude perceber que ela estava transtornada, e ela anda muito esquisita, distraída, escrevendo feito uma louca, vive esgotada, e não me pergunta mais sobre o meu trabalho, nem sobre nada. Tem alguma coisa acontecendo, alguma coisa ruim." Depois de outra pausa, Sonia disse: "Tio Erik, você não pode vir para cá? Daqui, você podia ir ao seu consultório, não é? Vou fazer a sua cama. Estou muito assustada, com medo de que tenha acontecido alguma coisa. Estou ficando louca".

Encontrei Sonia de pijama, andando para um lado e para o outro no amplo cômodo da frente do apartamento, que tinha um cheiro de fumaça de cigarro e de purificador de ar. A mesinha de café estava entulhada de livros, papéis, cascas de laranja, embalagens de chiclete e dinheiro trocado. Não me escapou a observação de que, pela segunda vez, eu me via à espera da chegada da mãe de alguém. Fiz o melhor que pude para tranquilizar Sonia, mas eu também estava preocupado. Inga era responsável, nunca se descuidava com os horários e era zelosamente protetora da filha. Aquilo não fazia sentido.

"Talvez ela esteja com o Henry", falei.

Sonia fechou a cara.

"Você não gosta dele?"

"Ele é legal. Já telefonei para lá, mas ela não está."

Sonia deixou várias mensagens para Inga. Ligou a televisão e ficamos assistindo, distraídos, enquanto uma lagarta ampliadíssima rastejava sobre uma folha verde e uma voz masculina tagarelava sobre as suas maravilhas. Sonia estava torcendo os fios do cabelo num ritmo alarmante e, depois de procurar em centenas de canais e não achar nada que a gente considerasse, ainda que remotamente, capaz de nos entreter, perguntei se ela não estava a fim de ler o seu poema para mim. A princípio, Sonia se esquivou, disse que não conseguia se concentrar, que estava nervosa demais, porém depois cedeu e, após me explicar que ainda estava reformulando o texto, que não se sentia segura a respeito de nenhum dos parágrafos e que havia um muito importante que ainda nem fora escrito, e que ela havia escolhido uma forma constritiva para ver se era capaz de escrever assim, Sonia apanhou um pequeno maço de folhas de papel em cima da mesinha de café e começou a ler para mim, com voz clara:

> Cinco anos atrás, vi meu pai morrer.
> Seu cadáver vazio havia perdido o homem que eu conhecia,
> O homem que cantava canções de ninar
> De noite ou me contava histórias de Paradou,
> A cidadezinha onde fantasmas choram e suspiram,
> Suas vozes rarefeitas lamentam, chamam
> Os que eles deixaram para trás. Eles me davam medo,
> Aqueles seres espectrais da eternidade.
>
> Hoje, eu gostaria de ficar frente a frente com aqueles fantasmas
> Outra vez, porque entendi que os mortos não magoam,
> Os vivos sim. Meu Deus, faça que aquele tempo volte,
> Eu suplico. Deus, me conceda esse alívio.
> Leve-me de volta para o regime há muito perdido
> E que eu amava. Um beijo de boa-noite bastava para eu
> Acreditar que meu pai sabia a verdade: o papel que eu representava
> Requeria uma máscara estoica. Por baixo, eu tinha medo.

Tossi de leve. Genie e eu tínhamos visitado Max, Inga e Sonia num verão em Paradou, uma cidadezinha na Provença, perto de Les Baux, onde eles haviam alugado uma casa. Recordo Max sorrindo à luz das velas, que cintilavam sobre a mesa, quando estávamos sentados ao ar livre. Um cigarro entre os dedos, a fumaça rodopiava para cima e ele havia erguido sua taça num brinde à estação, à vida boa, à família.

Sonia ergueu os olhos para mim: "Você não achou horrível, achou?".

Enquanto eu balançava a cabeça, ela continuou: "É a mesma forma de *Don Juan*, de Byron. Essas oitavas em geral são cômicas, sabe, mas eu queria ver se podiam ficar sérias". Fez uma pausa e pensei nas maquinações linguísticas e nas rimas malucas do sr. T. "Aqui, era para entrar uma estrofe sobre o Onze de Setembro, mas nunca consegui escrever. Tentei muitas e muitas vezes, mas é difícil demais. Talvez eu deixe só um espaço em branco, um nada, um grande espaço vazio só com a data." Sonia olhou para mim, sua expressão de repente ficou feroz. "Aí, vêm estas duas estrofes:

> Dizem que os jovens não conhecem a mortalidade,
> Mas está errado. Eu a sinto em meus ossos,
> Meu cérebro, meus olhos, meus braços e pernas, em mim toda,
> E também em coisas temidas, como telefones
> Que tocam dando notícia de calamidades recentes,
> Em sons que ouço antes de dormir, os gemidos
> De vozes desencarnadas dentro da minha cabeça,
> Meus próprios ecos desesperados para os mortos.
>
> Policiais vieram um dia dar uma busca em nosso telhado,
> Dois homens de cara triste, com luvas e sacos plásticos.
> Subiram a escada na esperança de encontrar provas
> De que partes do corpo continuavam por trás do forro.
> Fugimos antes que suas buscas dessem em nada.

Eu ainda o vejo com nitidez. Ele se ajoelha e raspa
O piche, um policial cujos olhos brancos
Não traem esperança, mágoa, nem surpresa."

Um segundo antes de ela pronunciar a última palavra, ouvimos o barulho da chave de Inga na fechadura da porta. Minha irmã entrou voando na sala e Sonia desatou a chorar. Eu não via Sonia chorar desde que ela era menina e o som me deixou temporariamente sem voz. Inga correu ao encontro da filha, envolveu-a em seus braços e começou a se desculpar, aos brados, enquanto apertava a cabeça da filha contra o peito, mas depois de alguns momentos Sonia empurrou a mãe para trás e disse, com voz implacável: "O que está acontecendo? O que está acontecendo? Você vai me contar. Agora!".

Inga recostou-se no sofá entre mim e Sonia. Sua testa enrugou-se, antes de ela começar a falar, e seus olhos azuis ficaram com um ar fúnebre.

"Tem a ver com o papai, não é? O que aquela tal de Búrguer está querendo?"

"Quer que eu fale sobre o meu casamento com o seu pai e eu não quero falar sobre isso, não com ela. Essa mulher anda por aí tentando falar com todos os nossos amigos ou meio amigos... Ela anda atrás deles feito um cão de caça, como dizem. É incansável, mas acho que ela finalmente entendeu." Inga olhou para o chão. "Não se preocupe, querida", disse, "você não precisa se preocupar."

Sonia não insistiu mais com a mãe, o que me deixou surpreso de início, mas depois achei que ela na verdade não queria saber. Era mais seguro deixar as coisas do jeito que estavam.

Inga preparou uma omelete de queijo e nós três conversamos de modo agradável sobre assuntos corriqueiros. Percebi que, com a presença da mãe, o corpo de Sonia se modificou — a garota que torcia os fios de cabelo e de ombros curvados voltara a ser a mesma pessoa de antes, doce, mas inescrutável. Mais ou menos à meia-noite, minha sobrinha pediu desculpas e foi dormir. Antes de se retirar, colocou os braços compridos em volta do meu pescoço e me beijou na bochecha. "Adoro você, tio Erik", disse ela. "E muito obrigada por ter vindo."

Esse tributo, folgo em dizer, chegou como um auspicioso raio de sol através das nuvens no inverno e, enquanto eu dava boa-noite para Sonia, senti um súbito calor subir ao meu rosto.

Foi naquela noite que eu e minha irmã conversamos sobre o que ela andava escondendo. Ela não foi direto ao assunto, em vez disso rodou um pouco para um lado e para outro, no início, e eu não fiz pressão sobre ela. "Lembra aquela cena no filme *Mergulho radical* em que ela acorda e não o reconhece?"

"Claro", respondi. "Vi o filme outra vez, poucas semanas atrás."

"É um momento de fato terrível, não é?", prosseguiu Inga. "Ser visto, mas não ser reconhecido. Ele se transformou num estranho outra vez. E depois tem aquelas pinturas que ela fez para ele e que ele acha no seu quarto, depois que andou procurando por ela em toda parte, e ele leva as pinturas para os fundos da pousada e põe fogo nelas, uma fogueira de si mesmo. Nessa hora, a gente sabe que ele desistiu."

Fiz que sim com a cabeça.

"Esse problema", falei, "tem a ver com o filme?"

"Foi onde eu estive esta noite. Fui visitar Edie Bly."

"A atriz de *Mergulho radical*?"

"Sim", disse Inga. Virou-se para a janela como se a atriz pudesse estar do outro lado da rua.

"Uma coisa aconteceu conosco, Erik, comigo e com o Max, na época do filme, bem, não, antes disso, na verdade. Foi depois que Sadie morreu. Max não sabia que a morte da mãe iria ter um efeito tão forte sobre ele. Os seus ataques de pânico tiveram início naquela ocasião. Era terrível, até ele começar a tomar o remédio. Ele olhava para mim de um jeito diferente. Quero dizer, durante anos e anos, os olhos dele eram tão vivos e brilhantes, e de repente ficaram turvos." Inga mordeu os lábios por um momento. "Bem, certa noite, a gente estava brigando por algum motivo que esqueci completamente e ele olhou para mim e disse: 'Talvez fosse melhor se a gente morasse separado por um tempo'."

Olhei para Inga. "Mas o Max nunca deixou você, não foi?"

Inga balançou a cabeça. "Não, mas quando ele disse essas palavras foi como se eu desmoronasse. Não é engraçado? Quero dizer, acontece toda hora, com todo mundo, mas naquele momento eu me dei conta de que tínhamos ideias diferentes sobre aquilo tudo. Para mim, o casamento era, é, um absoluto. Max tinha sido casado duas vezes antes..."

"Sim, mas não por muito tempo", falei.

"É verdade. Contudo aquelas palavras me magoaram muito." Inga apertou as palmas das mãos contra o peito. "Já naquela ocasião, uma parte de mim pensava assim: 'Ah, meu Deus, isso é tão banal'." Inga pronunciou a última palavra de modo seco e com uma frieza irônica que eu nunca tinha ouvido nela antes. "O marido mais velho que sente o peso da idade e se cansa de uma vida excessivamente familiar..." Sua voz foi diminuindo.

"Falei para ele que eu não queria aquilo. Disse que o casamento podia ser uma coisa difícil; está mudando o tempo todo, mas que mesmo assim eu o amava tremendamente. Ele foi gentil comigo, na hora. Meu Deus, como ele sabia ser gentil, só que eu não queria gentileza. Depois que ele começou a trabalhar no filme, eu raramente o via, na verdade. Ele vivia nas filmagens, ia ver a projeção das tomadas todas as noites, só chegava em casa depois que eu estava dormindo. Mas ele estava feliz, nervoso, porém feliz. Adorava o trabalho." Inga respirou fundo.

"Mas, veja bem, o problema entre nós era culpa *minha*." Os lábios dela tremeram um instante. "Na época, eu era difícil, meio doida, na verdade, quando paro para pensar agora. Tinha terminado o meu livro. Foi muito difícil escrever, muito penoso, mas eu sabia que estava bom, que era fora do comum. Sabia também, ou achava que sabia, que o livro podia ser criticado, ou pior, ignorado, e senti que eu não ia conseguir suportar isso. Eu me queixava, gemia e lamentava a minha sorte, como a esquecida e mal compreendida esposa intelectual. Eu sofria por antecipação aquilo que eu receava que fosse acontecer, e também fazia o Max sofrer."

"Mas o seu livro foi muito bem recebido", falei.

"Senhor psicanalista, o senhor devia saber que o problema não é a realidade."

Sorri.

"E não ajudava muito", continuou Inga, "o fato de que tudo o que Max falasse... quero dizer, mesmo que ele dissesse 'comi ovo no café da manhã', era como se Deus tivesse falado alguma coisa."

"Ele também foi atacado. A vida é assim, Inga."

"Eu sei", respondeu ela. "Não estou querendo me desculpar. Comecei a entender como eu era doida, como era difícil, fútil e cega. A ironia era que estava escrevendo sobre ver, sobre como perceber o mundo e que, como disse Kant, não podemos alcançar a coisa em si, nunca, mas isso não quer dizer que não existe um mundo fora de nós. O problema é que somos todos cegos, todos dependentes de representações preordenadas, naquilo que pensamos que vamos ver. Na maior parte do tempo é assim. Não experimentamos o mundo. Experimentamos as nossas expectativas a respeito do mundo. Essa expectativa é muito, muito complicada. Minhas expectativas se tornaram loucas. Eu nunca fui tomada a sério como queria. Comecei querendo ter nascido homem. Eu queria ser feia."

"Não de verdade", falei.

"Meio de verdade. Porque o mundo tem preconceitos, eu fiquei zangada. Minha percepção da minha pessoa muito séria e importante e a maneira como eu imaginava que os outros me percebiam eram uma coisa de doido."

"*Imaginava* é a palavra-chave", falei.

Inga franziu as sobrancelhas. "Eu sei. Mas, Erik, antes e depois de Max morrer, havia gente que não me reconhecia sem *ele*, gente com quem eu conversava, para quem eu havia preparado jantares aqui nesta casa, gente que eu *conhecia*, não eram amigos íntimos, mas gente que devia me conhecer. Max virou o único contexto para a percepção que eles tinham de mim. Não era culpa de Max. Ele odiava isso. Tinha pena de mim e é claro que o meu orgulho ficou tremendamente ferido. Quando vi o filme pela primeira vez, achei que a cena do esquecimento tinha sido escrita para mim, só que invertida. Uma mulher esquece um homem."

"Você esqueceu pessoas, Inga. Na verdade, já vi pessoas se aproximarem de você e você não se lembrar delas de jeito nenhum."

Inga não estava ouvindo. "Agora, eu acho que é sobre uma outra coisa, aquela cena."

"Sobre o quê?"

"É sobre a Edie."

Senti um aperto no peito. "De que modo?"

"Ele se apaixonou por ela, Erik. Foi ele que quis incluir Edie no elenco. Ela não havia feito muitos filmes, você sabe, só uns dois ou três filmes independentes e obscuros, mas o Max brigou em favor dela. Acho que ele se apaixonou por Edie antes mesmo de falar com ela. Era muito jovem na época, muito bonita, e muito louca. Recordo de ver como ela dançava na festa que comemorou o final das filmagens e pensei comigo mesma que Edie tinha alguma coisa de selvagem, feito um animal, não cruel, na verdade, mas irrefletida, se entende o que eu quero dizer. Isso é muito desejável, não é? Os homens adoram isso."

"Não sei", respondi.

"Sim, sabe, sim. Você se casou com uma garota assim."

Ignorei o comentário. "Você está me dizendo então que o Max teve um caso com ela?"

"Sim." O rosto de Inga estava duro e seus olhos, frios.

"Você sabia disso, na época?"

"Não, mas desconfiava. Tinha ciúmes dela, porque senti nele uma atração. Eu nunca tinha percebido isso antes, não daquele jeito."

"Seja lá o que tiver acontecido entre os dois, o Max voltou para você." Falei essas palavras em voz baixa e nunca vou esquecer o rosto da minha irmã enquanto me ouvia. Ela estava sorrindo — um sorriso tenso, implacável, insensível. Uma mecha de cabelo caiu sobre a sua sobrancelha esquerda e ela a afastou dali.

"Foi isso o que eu sempre pensei, Erik, que se tinha havido alguma coisa entre eles, não importava, porque ele havia voltado para mim." Inga apertou as mãos uma contra a outra, como se medisse o comprimento dos dedos. "Mas hoje à noite Edie me contou que *ela* o deixou, que ele a queria desesperadamente, mas ela o descartou, terminou com ele. Portanto, veja bem, eu posso ter ficado com Max por pura falta de opção dele." Inga ainda estava sorrindo e achei difícil encarar sua fisionomia frágil.

"Inga", falei. "Você sabe que a vida não é assim. Não pode supor essas coisas. Digamos que Max tivesse ido embora com ela. Acha que o caso deles iria durar? Por quanto tempo? Ele ia voltar para os seus braços depois de uma semana."

"Ela está com as cartas dele, e ela vai vender todas."

Soltei um gemido. "Era com a Edie que você estava conversando no parque quando Burton viu você."

"Para publicar as cartas, ela precisa da minha permissão. Como o Max está morto, eu sou dona do conteúdo das cartas, mas ela é dona das cartas físicas e pode fazer com elas o que bem entender."

"Bem, nesse caso não há problema", falei.

"Mas o conteúdo pode ser parafraseado, usado. Já aconteceu antes."

Minha irmã se levantou e caminhou até a janela. Estava de costas para mim, mas, pelos seus ombros e pelo seu pescoço, eu podia ver que ela havia se preparado, havia tolhido as emoções dentro de si, com toda a força que tinha. Pôs os dedos finos e compridos sobre a esquadria da janela e disse: "Tenho a sensação de que estou no meio de uma novela de televisão brega ou de uma trama secundária de romance francês do século XVIII. Tenho o tempo todo a consciência de como isso é impróprio, hipócrita. Quero dizer, uma coisa é isso acontecer, outra coisa é fazerem um grande alarde por causa disso, a vida íntima das pessoas ser comprada e vendida como se fosse um saco de mercadorias baratas, e eu tenho de representar o papel banal, cretino, de esposa enganada". Durante alguns segundos, não falou nada, enquanto apertava o copo entre as mãos. "O mais estranho de tudo", disse ela para a rua escura, "é que de repente descobri que vivi uma outra vida. Não é esquisito? Quero dizer, agora eu tenho de reescrever minha própria história, refazê-la inteira, de cima a baixo." Depois de mais uma pausa comprida, minha irmã deu meia-volta para olhar para mim. Cerrou os dois punhos e brandiu-os na minha direção, o rosto tenso e furioso. "Tenho de acrescentar pelo menos *dois* personagens novos." Inga mantinha a voz baixa e entendi que estava tomando cuidado para não acordar Sonia. Brandiu os punhos na minha direção outra vez e depois, num gesto único, atormentado, agarrou a própria cabeça.

Levantei-me e andei na sua direção. Quando alcancei suas

mãos para segurá-las, ela disse num tom baixo e trêmulo: “Não, não, não me toque. Eu vou ter um ataque”.

“Inga”, falei.

“Tem mais.” Inga deixou as mãos tombarem ao lado do corpo. Seus olhos estavam apagados e sua voz tinha um traço distante, alheio. Enquanto falava, seu rosto ia perdendo toda cor e eu a vi oscilar por um instante. “Fiquei perturbada por um momento. Estou tonta. É a droga da minha cabeça.” Pôs a mão na barriga.

Depois que guiei Inga até o sofá, encontrei as suas pílulas, lhe dei um copo de água e a cobri com um cobertor. Ela disse: “Edie diz que Max é o pai do filho dela”.

Não reagi por alguns segundos. Um outro filho, pensei, um filho. “Você acha que é verdade?”

Ela encolheu os ombros. Os dois sabíamos que emoções fortes podiam provocar as suas enxaquecas e, depois que Inga estava deitada com a cabeça sobre o travesseiro, relaxou num alívio que às vezes só a doença é capaz de proporcionar. Sorriu para mim. Eu já tinha visto aquilo inúmeras vezes em meus pacientes — aquele débil sorriso hospitalar. Continuamos conversando, nossas vozes baixas e nossas palavras lentas. Inga me contou que Edie andava envolvida com outra pessoa na ocasião em que andou saindo com o Max, portanto tinha dúvidas sobre aquela história. Quando perguntei por que Edie havia esperado todos aqueles anos para declarar a identidade do pai do seu filho, Inga disse: “Agora ela está divorciada, o homem saiu da vida dela e acho que começou a pensar em Max”. Minha irmã não tinha visto as cartas em questão. Edie se recusou a lhe dar cópias e se mostrou reticente a respeito do que está escrito nelas. No entanto deu a entender que as cartas têm algum significado especial, além do fato de terem sido escritas por Max, para ela. Argumentei que, embora a tal de Fehlburger andasse fuçando por todo lado atrás de uma reportagem, era improvável que sua revista fosse desembolsar o dinheiro para comprar as cartas. Os papéis de Max estavam na coleção de Berg na Biblioteca Pública de Nova York e eu sabia que os pesquisadores precisavam de autorização para visitar o arquivo. Será que um colecionador particular estaria interessado nas cartas? Eu não sabia muito bem. Entendi que, para Inga, o mais importante era proteger Sonia. "Não posso suportar ver a Sonia magoada por causa disso", disse Inga.

Por volta da uma e meia, olhei para a minha irmã, embaixo do cobertor azul. Tinha as pernas encolhidas junto ao peito e seu rosto delicado parecia pálido e exausto. Disse que ela devia dormir. Inga estendeu o braço para tocar minha mão e falou: "Ainda não, Erik. Quero conversar mais um pouco com você, mas não sobre esse assunto. Agora que a casa veio abaixo, andei pensando um bocado sobre mim e você, quando éramos crianças. Lembra que eu costumava brincar de príncipe e princesa com você?".

"Lembro", respondi, e comecei a sorrir. "Lembro que, quando fiz seis ou sete anos, eu impus limites para você. Não tem mais Branca de Neve, não tem mais Bela Adormecida."

Inga sorriu para mim. As desmaiadas sombras violeta embaixo dos seus olhos lhes davam um ar mais profundo. "Quando você era bem pequeno mesmo, gostava de ser a princesa. Eu vestia você com roupas de menina e fazia o papel do príncipe."

"Não me lembro disso."

"Você gostava de ficar morto e depois acordar. Podia ficar repetindo isso muitas e muitas vezes. Depois, começou a fazer só o papel de príncipe. Eu adorava ficar deitada esperando o beijo que iria me despertar, fingindo que você não era o meu irmãozinho. Eu adorava abrir os olhos e me sentar. Eu adorava milagres." Fechou os olhos e então, enquanto ainda estavam fechados, falou: "Era erótico. Ser estimulada a voltar à vida". Respirou fundo. "É o que está acontecendo comigo agora, junto com o Henry. Eu havia quase esquecido que pode existir o arrebatamento."

Não respondi. A palavra *arrebatamento* ecoou na minha mente durante alguns segundos e depois Inga disse: "Maggie Tupy".

"A pequena Maggie Tupy, do fim da rua. Eu gostava dela."

"Lembra o dia em que nós dançamos para você só de combinação? Maggie e eu ficamos de combinação ao ar livre. Era excitante, tão perto da nudez, e eu tinha a sensação de que estava com vontade de fazer xixi, só que não era verdade. Eu devia ter uns nove anos. Lembro-me de correr e rodopiar até a minha cabeça ficar muito leve e eu sentir uma dor no lado do corpo."

"Naquele dia, eu dei um beijo nela." Vi Maggie Tupy com os seus cachos castanhos, as folhas de grama subiam em torno do seu corpo. De súbito, me veio a lembrança dos seus joelhos nus abaixo da combinação branca e manchada. Os joelhos estavam manchados de verde por causa da grama, manchados de cinza por causa da terra, e de vermelho por causa do sangue das esfoladuras ligeiras que nunca saravam porque as casquinhas sempre acabavam saindo. Maggie olhava para mim por um olho só, entrefechado, e havia torcido a boca para não deixar que a gargalhada escapasse, mas eu queria beijar aqueles lábios contraídos, da cor de framboesa, e me inclinei bem junto dela, apertei a boca na sua boca, de um modo rápido, mas enfático. Senti uma enorme alegria. "Maggie Tupy", falei em voz alta.

Inga ficou deitada e fechou os olhos. "E também teve aquele dia em que os pássaros comeram cheios de vontade as nossas migalhas de pão. Lembra?"

Vi as faixas irregulares de sol sobre a terra, salpicada pela sombra das folhas acima de nós, enquanto estávamos no alto do barranco, atrás da casa, e vimos a repentina revoada de um bando de estorninhos nas árvores acima de nossa cabeça, e o som da água do riacho passando ficou mais distante quando o ruído das asas que batiam se tornou mais alto e observamos os pássaros que mergulharam para pegar o pão que tínhamos deixado numa trilha comprida atrás de nós.

Minha irmã fechou os olhos. "Parecia um mundo mágico, não era? Como se o conto tivesse virado realidade e o mundo tivesse ficado encantado."

Segurei a mão de Inga, apertei e, depois de uma breve pausa, falei: "Era sim".

Meu pai recomeçou a estudar na faculdade Martin Luther, dessa vez com o dinheiro das bolsas de estudo reservadas para os ex-combatentes. Tinha vinte e quatro anos de idade. Eu o imagino sentado ao lado do amigo Don no concerto do coral. Estão sentados num banco de igreja, porque suponho que o coral cantou na capela da faculdade. *Uma das peças*, escreveu meu pai, *"Oh, dia cheio de graça", despertou em mim uma lembrança de fatos, alguns agradáveis, a princípio, que levaram pouco a pouco para as imagens de horror da matança desnecessária do oficial japonês. Para o susto de Don, comecei a tremer. Menti e disse que era uma ponta de malária. Foi a minha única volta ao passado à luz do dia, mas eu vivia com medo de que acontecesse outras vezes.* Li essas frases para mim mesmo várias vezes, tentando penetrar no seu sentido. "Oh, dia cheio de graça" não constava do hinário luterano que caiu nas minhas mãos há alguns anos, mas imaginei que talvez em algum ponto do texto ou da música haveria uma alusão que deflagrou a sucessão de imagens que meu pai não foi capaz de interromper.

A memória traumática chega ao cérebro como um choque.

"Achei que íamos morrer no apartamento", me disse a jovem. "Mas um policial nos encontrou. Levou-nos para fora e começamos a correr." Ela respirou fundo. "Mal conseguíamos enxergar nem respirar. Estava escuro e andamos debaixo daquela chuva sufocante e seca. E então vi no chão a mão de uma pessoa. O sangue tinha uma cor estranha. Cheguei até a pensar isso."

Ela começou a respirar com mais dificuldade. "Tive de passar por cima dela. Estávamos correndo. Achei que íamos morrer. Mas é isso o que acontece comigo, sobretudo de noite. É aquela sensação de correr às cegas. Estou lá outra vez. Acordo com um choque, como uma explosão, o meu coração bate com força. Não consigo respirar. Não é um sonho." Sua boca se contorceu. "É a verdade." Fechou os olhos e começou a chorar.

Naquele dia, esperamos os feridos nos setores de emergência em toda a cidade, mas eles nunca chegavam. Só vieram mais tarde, com suas feridas de memória indelével, as imagens que estavam queimadas dentro deles e depois eram liberadas, vezes seguidas, num surto hormonal, a inundação cerebral que acompanha um retorno à realidade insuportável. *Oh, dia cheio de graça.*

O coral canta. Um jovem veterano sentado em seu banco de igreja ouve a voz coletiva que dá graças a um Deus benfeitor. Talvez ele recorde um hino que cantava na igreja quando criança, com o pai ao seu lado. É uma recordação calorosa. Ele recorda o baixo murmúrio das preces na igreja luterana de Urland, enquanto a congregação implora o perdão à divindade, e depois vem outra visão que se impõe com uma precipitação brutal: um homem de joelhos na grama, com as mãos juntas e apertadas. Está rezando pela sua vida.

"Às vezes", disse Magda, "um analista pode sofrer demais com um paciente, ou ficar com medo de que isso estrangule o tratamento."

Olhei para o seu rosto pequeno, velho, para o seu cabelo branco, aparado com esmero na altura da linha do queixo, olhei para o seu casaco elegante e bordado. Com a idade, Magda tinha ficado mais magra, mas seus olhos brandos e sua boca pequena eram exatamente como sempre tinham sido. "Há razões óbvias para temer os pacientes, pacientes que espreitam a gente, ameaçam a gente e coisas desse tipo, todos muito francos. Certa vez tive um paciente que me contava as suas fantasias sádicas com todos os detalhes. Eu ficava estarrecida, mas não assustada, até que comecei a sentir a excitação dele. Achei aquilo insuportável. Levei certo tempo para identificar em mim mesma um material que eu havia mantido enterrado e em segurança."

"Tentei fazer isso", falei. "Tenho consciência de que ela tocou em elementos sádicos dentro de mim, mas há algo escondido, algo que não consigo alcançar." As palavras de Inga voltaram para mim: *Eu tinha esquecido que podia existir o arrebatamento.*

"Faz alguns anos, tratei de uma garota que foi internada na clínica depois que tentou atear fogo a si mesma. Tinha dezessete anos. Foi criada na República Dominicana. Morou com a mãe por alguns anos e depois foi jogada de um parente para outro, nenhum deles ficou com ela por muito tempo. Quando tinha nove anos, um amigo do pai bateu nela e a molestou sexualmente. O homem foi para a cadeia e ela foi despachada para uma tia, aqui na cidade. No início, tudo correu bem e depois começaram as cenas, as acusações e as brigas, brigas corporais. Ela terminou ficando sob os cuidados do conselho tutelar. Entrevistei a mãe substituta. No início, disse ela, Rosa tinha sido um sonho. Esta foi a palavra que a mulher usou, *sonho* — solícita, meiga, afetuosa. Queria que a mulher a adotasse."

"E depois virou ao contrário."

Magda fez que sim com a cabeça. "Brigava, gritava, ficava fora de controle. Acusava o pai substituto de abuso sexual. No início, acreditei na sua história, mas depois, cada vez que contava o caso, mudava alguma coisa. Ela não parecia ter consciência de que me havia contado antes outras versões bem diferentes."

"Ela estava mentindo."

"Sim, ela estava mentindo, *e* era delirante, a legítima paranoica. Depois de um tempo, começou a referir-se a si mesma quase exclusivamente na terceira pessoa. Rosa quer isso. Rosa acredita naquilo. Ele fez isso e aquilo com a Rosa. Rosa não tem nada a dizer."

"Como você entendia isso? Um sintoma dissociativo?"

"Bem, a garota tinha enormes problemas de identidade, mas compreendi que, comigo, ela também havia regredido a uma criança que se identifica na terceira pessoa."

"E a senhorita L.?"

Magda balançou a cabeça. "Depende do que você consegue tolerar. Você disse que o seu pai tinha morrido fazia cinco meses."

Fiz que sim com a cabeça.

"Sei como você se identifica fortemente com seu pai."

Senti-me defensivo. "Você acha que o que está acontecendo com a senhorita L. tem alguma coisa a ver com o meu pai. Como é possível?" Falei alto demais.

Os olhos penetrantes de Magda de repente me lembraram os da minha mãe, e eu quis recuar. Admiti o fato para ela. Magda sorriu. "Erik, todos nós, de vez em quando, entramos em parafuso por causa de algum paciente. Todos nós, de vez em quando, entramos em parafuso mesmo sem a ajuda de nenhum paciente. A sua tristeza deixa você mais frágil. Você sabe que eu sempre achei que a totalidade e a integração são mitos necessários. Somos seres fragmentados que mantêm cimentadas as suas partes, mas sempre ocorrem fissuras. Viver com as fissuras é parte de uma existência, digamos assim, razoavelmente saudável."

"Você conseguiu ajudar a Rosa?", perguntei.

"No curto prazo. Depois que ela foi dispensada do tratamento, ficou na escola, morou com outra família, mas quando fez dezoito anos não ficou mais sob os cuidados do conselho tutelar, não ficou mais em contato com a sua família e ninguém foi capaz de me dizer o que aconteceu com ela."

Pensei em todos os pacientes cujo paradeiro eu não consegui mais acompanhar, nos pacientes que simplesmente sumiram. Em seguida olhei para a bengala de Magda encostada na sua escrivaninha e pensei: Não quero que ela morra.

"E o paciente que estava atrapalhando o seu sono?"

"Ah, o senhor W.", falei. "Houve algumas mudanças no caso — boas mudanças."

Magda disse: "Hummm". A interjeição da empatia, pensei comigo mesmo.

Quando fui embora do consultório dela e saí para o ar quente de maio, senti-me refeito, apesar de só entender um pouco mais sobre meu caso desnorteante do que quando havia chegado. O Central Park parecia verdejante e, por algum motivo, pensei em Laura Capelli. Eu me perguntei se ainda teria o número do seu telefone.

Miranda estava trancando a porta quando Eglantine me viu. "Doutor Erik", disse ela, numa voz de acusação, as mãos apoiadas nos quadris, imitando um adulto. "Por onde o senhor andou?" Eu já esperava que aquilo acontecesse, o inesperado encontro por acaso na porta de casa ou numa rua vizinha. Na verdade, fiquei surpreso que tenha demorado tanto tempo para acontecer. Enquanto olhava para o rosto da menina virado para cima, o seu cabelo castanho parecia macio e senti um impulso repentino de pôr meus dedos sobre aqueles cachos e dar palmadinhas na sua cabeça, mas resisti ao impulso.

Miranda caminhou na nossa direção, trazendo uma bolsa grande.

"Eu estava aqui mesmo", respondi para Eggy, evitando o rosto de Miranda. A menina também não havia subido para me visitar. Imaginei se Miranda não teria proibido as visitas.

"A gente está indo ao parque para desenhar", disse Eggy, ficando na ponta dos pés, e levantou uma perna para a frente, enquanto se equilibrava com os dois braços, antes de deixar o pé baixar. "Não quer ir junto com a gente? Pode usar os nossos papéis, os lápis de cera, o carvão e tudo."

"É uma pena, mas não tenho tempo", respondi, sentindo a dureza na minha voz.

Miranda avançou na minha direção e me voltei para ela. Se o constrangimento se estampou em meu rosto, eu não sei. Os olhos dela estavam serenos, firmes. "Tem certeza de que não quer ir?", perguntou, e depois acrescentou: "O domingo está bonito".

Aquela tarde ficou gravada na minha memória como uma série de fragmentos. Deitado de costas sobre a manta xadrez, observando os galhos, as folhas e as partes visíveis do céu azul, no alto, um ângulo de visão de que me lembro desde a infância. As pernas marrons e nuas de Miranda sobre a manta e seus pés descalços com unhas vermelhas. Eggy estava no meu colo e observava as minhas orelhas, com o rosto bem junto do meu: "São grandes. Sabia disso? Muito grandes". O desenho improvisado de Miranda da sua filha, com um imaginário chapéu de abas largas e um vestido rendado. "Não, mamãe, eu quero um vestido comprido que vá até as canelas! Mude!" O barulho da borracha de apagar. Eggy cantarolando de lábios fechados. Miranda de óculos escuros. O calor do sol nas minhas costas, e me veio a sensação de que eu podia dormir. Uma embalagem vermelha cheia de passas no meio da grama, a poucos centímetros do meu nariz. O trevo. Eggy em cima da minha barriga, um graveto fininho em cada mão, um deles ligeiramente mais comprido do que o outro. "Não vou fazer o que você manda só porque é adulta, sua ameixa seca!" O gravetinho mais curto pula no ar. "Você não manda em mim!"

"Você tem de me obedecer", retruca o graveto mais comprido, com voz grave.

"Não tenho não", proclama o graveto menor. "Eu sou a Garota Poder!" A Garota Poder voa por cima da minha cabeça. "Quero que o doutor Erik venha me ver na minha aula de teatro. É no sábado. Está bem, mãe? Na próxima aula. A *luva*." Eggy exclamou com voz cantante. "Eu sou a luva!"

Eu me senti esperançoso. Embora Miranda não mostrasse sinais de flerte, não me desse nenhum indício de que seus sentimentos em relação a mim haviam mudado, passei duas horas com o seu corpo a apenas alguns centímetros do meu. Sonhei de olhos abertos em estender o braço e colocar a mão sobre a sua coxa, rolar o corpo sobre aquela toalha xadrez e tomá-la em meus braços. Naquela noite, depois de conversar com Inga e com minha mãe pelo telefone, li durante algumas horas no meu escritório. Porém, antes de me deitar, eu me vi caminhando na direção da janela. Desde então, tenho me perguntado se ouvi suas vozes baixas de algum modo subliminar ou se tive um impulso de olhar para fora, como acontece tantas vezes, e a visão que tive foi por puro acaso, mas o fato é que, da janela do primeiro andar, vi Miranda e Lane juntos na calçada sob a luz do poste da rua. Eu o vi estender o braço e puxá-la para si. Por um ou dois segundos ela resistiu, depois seu corpo cedeu e ela o abraçou também. Vi os dois se beijarem. Vi os dois caminharem na direção da casa e desaparecerem atrás da entrada. Por um tempo, fiquei aguardando, na esperança de ver Lane voltar, mas ele não apareceu.

Deitado na cama, recordei o último dístico de um poema de John Clare.

> Mesmo as pessoas mais queridas a quem eu mais amo
> São estranhas — ou melhor, mais estranhas do que o resto.

Repeti os versos para mim mesmo duas vezes e depois tomei a pequena pílula branca.

* * *

Assim que vi Burton na mesa, tive a impressão de que alguma coisa nele havia mudado. Depois que sentei, tentei decifrar o que exatamente havia criado aquela sensação de novidade. Seria a sua postura? Estaria menos úmido? Estaria mais bem-vestido? O meu velho amigo estava afundado na cadeira e a sua cara larga brilhava de suor. Percebi que ele devia ter abandonado sua volumosa roupa de baixo, porque a camisa estava alguns tons mais escura debaixo dos braços. Ele havia amarrado um lenço de cor ocre em torno do pescoço, mas aquele adereço desgastado servia como mero aceno na direção do dandismo; a camisa e a calça surradas eram puro Exército de Salvação. Quando Burton me chamou, aceitei alegremente o convite para jantar, sabendo que aquilo me distrairia dos pensamentos sobre *A luva*. Eu ainda não tinha decidido se devia ou não ir assistir à peça, que havia ganhado vulto até assumir proporções tremendas na minha mente e passara a representar o retorno de Lane, o pai dúbio e o amante desconfiado, um homem que eu tinha visto exatamente duas vezes, e sempre no escuro.

"Conforme mencionei no telefone, nós gostaríamos de recrutar você", disse Burton, por cima da sua lasanha. "Bem, *recrutar* é uma palavra excessivamente militar. Hoje em dia, evito todas as alusões ao que é marcial, digamos solicitar, incentivar seu comparecimento, ou seja, nas nossas reuniões mensais. Essa refeição, o motivo oficial de nos reunirmos, tem o benefício adicional de tornar a conta dedutível, digamos assim. Eu emprego o plural, veja bem, porque somos membros do Instituto de Neuropsicanálise, o arauto de um novo tempo, a reaproximação entre as disciplinas: cérebro e mente, o antigo dilema revisto. O primeiro sábado de todo mês. As sessões começam às dez em ponto. Palestra de neurociência, seguida por uma discussão. Alguns luminares já deram palestras, Damasio, LeDoux, Kandel, Pankseep, Solms. Somos cerca de vinte, às vezes trinta, eu diria, um conluio litigioso de neurocientistas, analistas, psiquiatras, farmacologistas, neurologistas e, de quebra, mais alguns especialistas em inteligência artificial e robótica. Sou o único historiador. Conheci lá um sujeito, David Pincus, que faz pesquisa cerebral sobre empatia. Interessantíssimo, interessantíssimo. Neurônios especulares, sabe?" Burton respirou bem fundo e enxugou a testa com o lenço, um gesto que, de algum modo, conseguiu transferir molho de tomate para os pelos muito compridos da sua sobrancelha direita e me deixou na incômoda posição de pensar se devia ou não dizer isso a ele. O constrangimento de Burton seria enorme, de um jeito ou de outro. Enquanto meu olhar continuava fixo no molho, Burton me fez uma explanação não muito sucinta de um exemplo dos nexos em questão. A ideia de Freud em 1895, da *Nachträglichkeit*, disse ele, era notavelmente semelhante ao conceito bem mais recente de *reconsolidação*, na neurociência. Nossas lembranças estão sendo sempre alteradas pelo presente — a memória não é estável, mas sim mutável. Quando ele fez uma pausa, eu lhe disse da maneira mais gentil que pude que ele havia conseguido colocar uma pequena parte do seu jantar em cima da sobrancelha. Muito ruborizado, Burton começou a esfregar às cegas, mas com vigor, os pelos manchados, até eu confirmar que a área estava sem comida. Em seguida, ficou em silêncio e olhou para o prato. Passaram alguns segundos antes de Burton levantar o queixo, abrir a boca como se fosse falar, mas dela não saiu nenhuma palavra. Depois que repetiu essa pantomima, falei: "Burton, o que você tem em mente?".

"Estou meio ansioso para revelar isso", respondeu. "Diz respeito a Inga."

"O que é?" Quando olhei para Burton do outro lado da mesa, ele de repente me fez lembrar uma morsa. Podem ter sido as bolsas que tem embaixo dos olhos, que acentuavam sua expressão já em si desoladora, mas a imagem me levou a pensar gratuitamente na Morsa e no Carpinteiro de Lewis Carroll, enquanto eu esperava que ele tomasse coragem para prosseguir. "'Chegou a hora de falar muitas coisas', disse a Morsa." Aqui estamos, pensei, a atarracada e molhada Morsa e o alto e seco Carpinteiro, um par absurdo: repolhos e reis.

"Acho que devo prevenir você, bem, alertar para o fato de que pode haver certos aspectos repulsivos, sim, impalatáveis, e até infamantes no que pretendo informar." Burton soltou um suspiro, esfregou o rosto inteiro do qual escorria suor e foi em frente com vigor. "Tem a ver com, gira em torno de, sim, assim fica melhor, em torno, em torno", o queixo de Burton balançou, "Henry Morris."

"Henry Morris, o amigo de Inga?"

Fez que sim com a cabeça e depois olhou fixamente para a mesa. "Eu, eh, andei seguindo a Inga."

"O quê?", exclamei.

Burton acenou com a palma das mãos para mim, um sinal para eu manter a voz baixa. Depois sussurrou: "Eu a mantive sob certa vigilância, para o bem dela".

"Inga pediu a você que vigiasse alguma coisa?"

"Não", respondeu ele. "Não, eu não diria dessa forma."

"De que forma você diria?"

"Depois do... incidente no parque e do jantar na casa dela, muito agradável, não foi mesmo? Bem, eu assumi a responsabilidade de, bem, ficar de olho na situação."

Inclinei-me para a frente. "*Situação*. Meu Deus, Burton, não vai me dizer que você andou seguindo Inga e Morris. O que é que deu em você?"

Eu sabia perfeitamente o que tinha dado no Burton. Amor. Ele confessou isso, usando todas as palavras possíveis, exceto essa, para me explicar que a sua espionagem era, de certo modo, legítima em razão da força dos seus sentimentos pela minha irmã. Inebriado, Burton havia largado todos os seus afazeres durante dias para seguir Inga e depois Morris, "para a proteção dela".

"Acredito", disse Burton, "que Morris esteja fazendo tráfico com histórias particulares."

"O que significa isso?"

"Eu o vi com a mulher no parque", disse Burton em tom sombrio. "A mesma pessoa que eu tinha visto com Inga. Escutei os dois conversando a respeito de *cartas*."

Burton pegou seu guardanapo em vez do lenço e começou a enxugar o rosto com movimentos enérgicos. "O nome dela é Edie Bly. Trabalhou no filme de Max Blaustein. Perdoe a expressão, mas acho que os dois estão mancomunados."

"Morris não reconheceu você? Ele estava no jantar, afinal. Como é que você conseguiu ficar tão perto para ouvir a conversa deles?"

A testa de Burton estava gotejando de novo. Usou o guardanapo e também o lenço para se enxugar e depois, num sussurro rouco, grasnou uma só palavra enfática: "*Disfarce*".

Fiquei sabendo que, mesmo disfarçado, Burton não havia ficado tão perto assim dos dois, que se haviam encontrado num restaurante no Village e conversaram em voz baixa, mas Burton achava que tinha ouvido nitidamente a palavra "cartas", dita por Morris algumas vezes. A certa altura da conversa, Edie Bly começou a chorar alto e depois, em algum momento posterior, mencionou suas reuniões nos Alcoólicos Anônimos e citou o nome Joel. Ela havia bebido três cafés-expressos durante a conversa e acendeu um cigarro na rua assim que saíram pela porta do restaurante.

Dei ao Burton o discurso que ele já estava esperando: intromissões como aquela podiam criar infelicidade para a maior parte das pessoas envolvidas na questão; uma investigação amadora podia levá-lo a lugares aonde ele na verdade não queria ir; e talvez também ele estivesse "traficando histórias particulares" ao seguir pessoas sem o seu conhecimento. Embora me compreendesse perfeitamente e admitisse isso, Burton passara a encarar as suas atividades furtivas através das lentes da honra cavalheiresca. Estava numa missão em defesa da sua Dama. Segundo as regras desse código, pouco importava se a Dama o queria ou não. Ele estava agindo em defesa dela.

Como era óbvio que Burton não havia falado com Inga, perguntei o que ele esperava que eu fizesse com aquela informação, que na melhor das hipóteses era incompleta.

"Ora", respondeu, com uma objetividade surpreendente, "o que você quiser. Confio em você."

Quando o nosso café chegou, Burton me perguntou como estava Miranda e disse que a achou "adorável, interessante" e, depois de mais alguns adjetivos, chegou à palavra "fascinante".

"Eu também acho", respondi. "Mas infelizmente não tem nenhum interesse romântico por mim."

Burton fitou-me nos olhos, estendeu a mão sobre a mesa pequena e bateu de leve com a palma sobre a minha mão, antes de retirá-la depressa.

"É uma questão de censura", comentou a srta. W., com sua voz frágil. "Maisie fala qualquer coisa que lhe passe pela cabeça, às vezes coisas bobas, idiotas, mas vejo que as pessoas dão atenção a ela. Maisie sorri, balança a cabeça e ri o tempo todo. Eu paro antes de falar e reflito, mas percebo muito bem que as pessoas me acham enjoada, mesmo quando o que estou dizendo é muito mais inteligente."

"Uma conversa não é feita só de palavras. Muitas vezes é

uma maneira de jogar livremente com a outra pessoa", falei. "Você se refreia antes de poder jogar."

As mãos da srta. W. muitas vezes ficavam cruzadas no seu colo. Ela não falou nada durante alguns segundos. "Uma barreira", disse com voz branda. "Uma cerca na frente da área de recreação." Cruzou as pernas e senti um ímpeto de sentimento sexual que até então nunca havia sentido por ela. A srta. W. tinha os seus cinquenta e poucos anos de idade, um tanto corpulenta, e nunca havia me atraído. O que tinha acontecido?

"É algo de que você se lembra?", perguntei.

"Não sei. Já lhe disse que esqueci muita coisa... mal consigo lembrar alguma coisa daquele tempo, da infância, quero dizer, que seja especial." De repente, pareceu cansada.

"Acho que talvez você estivesse jogando comigo agora há pouco, quando mencionou a cerca, eu me senti reanimado junto com você, interessado, pessoalmente envolvido."

A srta. W. piscou os olhos. Um ligeiro sorriso ergueu sua boca nos cantos por um instante, em seguida desapareceu e pensei que ela ia pegar no sono. Fechou os olhos. Observei-a respirar devagar. Por algum motivo, pensei no meu pai no jardim, serrando tábuas. Depois me veio à mente a imagem de uma cerca de arame farpado.

Quando ela reabriu os olhos, falou: "Estou exausta".

"Dormir mantém você afastada de mim, na área de recreação, que é assustadora. Eu sou perigoso agora, neste instante."

"Estou curiosa com o que você está dizendo; parece haver alguma coisa aí, no entanto me sinto confusa e sonolenta."

"Lembra que me contou que não gostava de que seu pai a ajudasse a fazer o dever de casa quando você estava no ensino médio?"

"Ele ficava envolvido demais."

"Está usando a palavra que usei antes, *envolvido*. Talvez hoje eu esteja representando o papel do seu pai."

Ela me fitou com os olhos semicerrados. "Acontece que a minha mãe também não gostava disso. Ela vivia entrando no quarto."

"Ela ficava apreensiva?"

Observei a srta. W. apertar os dedos contra a boca.

"Você e a sua mãe se sentiam incomodadas com o envolvimento do seu pai?"

"Ele parou de me abraçar", disse ela de olhos fechados, com a voz fria. "Nunca mais me abraçou depois da sétima série. Parou."

"Acho", falei, "que seu pai estava protegendo você." Fiz uma pausa, depois acrescentei: "Dos sentimentos dele. Você estava crescendo. Existia uma atração e ele ergueu uma cerca".

Quando ela olhou para mim, senti uma incalculável tristeza por todos nós. Embora sua expressão tivesse permanecido a mesma, vi que seus olhos estavam molhados. Em seguida as lágrimas desceram pelas bochechas, em dois riscos finos. Ela não se curvou nem ergueu a mão para enxugar as lágrimas. Continuou completamente parada, imóvel como uma estátua da Virgem Maria que de repente começa a chorar na praça da cidade.

Em voz baixa ao telefone, Inga disse: "Burton tem certeza, certeza de que era mesmo a Edie?".

"Tem certeza. Você compreende o que está acontecendo?", perguntei.

"Não", respondeu devagar. "Henry não me falou que esteve com ela por causa do seu livro."

"Como ele poderia saber a respeito das cartas?"

"Eu contei", disse Inga, com a voz mais alta. "Eu *contei* para ele. A questão é por que ele não me contou que tinha ido falar com ela."

"Talvez tenha procurado a Edie com a intenção de proteger você", falei, "para argumentar com ela."

"Henry me disse que o mais sensato era deixar o barco correr, que era possível que nem existissem cartas, pois eu nunca vi nenhuma carta. E quanto ao filho dela, Henry disse que, exceto pelo teste de DNA, era impossível provar a paternidade, e eles precisariam de Sonia para fazer o teste. Os escândalos literários vêm e vão embora. Há um breve momento de alvoroço e depois se esquece tudo. O que importa é a obra, a não ser em casos de suicídio de um jovem, aí o suicídio deixa a marca em tudo..."

"Para mim, isso parece bastante insensível", falei. "Afinal, ele está falando sobre a sua vida."

"É sim", disse Inga. "Mas o distanciamento pode ser consolador." Inga ficou em silêncio.

"Você está bem?", perguntei.

"Não."

"Não acho que você deva tirar conclusões apressadas, Inga."

"Erik?"

"O quê?"

"Eu estava feliz. Eu me sentia jovem outra vez, depois de anos me sentindo velha. Sabe o entusiasmo em que a gente fica, em que é difícil até comer. A gente não para de pensar na pessoa, tem desejo de um homem, quer muito que ele goste da gente de verdade..."

"Sei", falei.

"Receio que seja tudo por causa do Max."

"O que você quer dizer?"

"Bem, Henry adora de verdade a obra dele. É importantíssimo para ele. Temos isso em comum e tem sido um prazer conversar com Henry sobre o assunto."

"E daí?"

"E se estar junto de mim tem mais a ver com o Max do que comigo mesma? Dormir com a viúva, entende o que estou dizendo?"

Eu estava entendendo e a ideia me deixou angustiado. "Você vai ter de conversar com ele."

"Sim", disse ela, e ouvi um pequeno soluço de angústia na sua voz.

Antes de desligar o telefone, ela disse: "É estranho, não é, que Burton tenha visto os dois por acaso naquele restaurante, mas eu acho que essas coisas acontecem".

"Toda hora", falei. "Acontecem toda hora."

Durante alguns anos após a guerra, os veteranos inundaram o campus da Universidade Martin Luther. Endurecidos pela guerra, dados a beber, muitas vezes com cicatrizes, e anos mais velhos do que os rapazes e as moças que tinham vindo direto das fazendas e das cidades do Meio-Oeste para iniciar sua formação superior, os ex-soldados tomaram de assalto a universidade. Lembro-me nitidamente do meu pai rindo quando contava a história de uma noite com os outros rapazes. Um companheiro veterano, que mais tarde se tornou professor universitário de física, montou um sistema de roldanas nas vigas de um sótão que tinha se convertido em dormitório para a nova leva de estudantes. Com uma garrafa de uísque na mão, o futuro autor de *Debates contemporâneos sobre ciência e religião* planava acima da cabeça de seus camaradas, urrando que nem Tarzan. O campus era seco. Ainda é seco, mas meu palpite é que a administração do local fazia vista grossa para as escapadas alcoólicas dos seus heróis retornados da guerra. Partidas de pôquer proliferavam, e sem dúvida não eram poucas as garotas caipiras levadas às escondidas para encontros clandestinos à meia-noite.

Ao longo de todas as suas memórias, meu pai se refere a si mesmo como "um batalhador". *Para mim, a clareza a respeito das coisas só veio depois de muito esforço e mesmo então tive pou-*

*ca sensação de alguma realização. Tornei-me um repositório de fatos, detalhes e ninharias. Gosto de acreditar que quem aprende mais devagar, como eu, pode se tornar um professor competente. Compreendemos as agruras do aprendizado. Meus próprios esforços, os momentos difíceis por que passei e gostaria de não ter passado, se tornaram úteis para mim mais tarde, como professor e orientador de estudantes.* Além disso, meu pai entrou para um seminário informal constituído por cinco ou seis veteranos, que liam de tudo, desde *Confissões*, de santo Agostinho, a *Os nus e os mortos*, de Mailer. Ganhou fama de pessoa espirituosa, era um aluno excelente, recebeu prêmios, foi admitido na galeria de honra e ganhou uma bolsa Fullbright de pós-graduação. Batalhador evoca a imagem de um soldado que avança a duras penas, com botas pesadas. Com os pés no chão. Há em nós pesos que as outras pessoas nunca veem.

*Eu via Marit com uma constância cada vez maior*, escreveu meu pai. O ano era 1950 e a sua bolsa Fullbright o havia levado até a Noruega. *Um incidente sobressai. Num de nossos encontros, Marit vestia um suéter felpudo e rosado que soltava pelos que nem um cão pastor na primavera. Devo ter apertado Marit bem junto a mim quando nos despedimos à noite, porque na manhã seguinte descobri que o meu paletó estava quase cor-de-rosa com os pelinhos que tinham ficado grudados. Durante a meia hora que levei aproximadamente para remover aqueles fiapos, um por um, jorrou dentro de mim uma avassaladora sensação de ternura, do tipo que engole a gente inteiro e nos transforma em mingau. Se me dissessem que eu só poderia guardar uma lembrança da vida e teria de abrir mão de todas as outras, eu escolheria essa, não tanto por uma nostalgia romântica, mas porque o fato marcou um momento crucial na minha vida. Prenunciava o nosso casamento, os dois filhos que tivemos, o lar que construímos e os prazeres e as dores que depois partilhamos.*

Imagino meu pai num quartinho, sentado numa cadeira ou na beirada de uma cama, com o paletó no colo. Enquanto vai removendo os fiapos daquilo que na certa era angorá, entre o polegar e o indicador, e os joga numa lixeira, ou junta todos num bolinho para jogar fora mais tarde, ele compreende que está apaixonado. Isso não acontece na hora em que está olhando para a jovem ou lhe dando um beijo, nem mesmo quando está deitado naquela mesma cama pensando nela depois que a noite terminou. Acontece na manhã seguinte, quando descobre que o suéter dela se misturou com o seu paletó. Juntas, as roupas se tornam o veículo numa metáfora que meu pai, eu desconfio, sentia apenas de forma subliminar. Oculta por trás do paletó "quase cor-de-rosa" está a promessa de dois corpos apaixonados, um dentro do outro. Quando velho, ele vai recordar a intensidade do seu sentimento e compreender que naquele momento tinha sido atravessada uma linha divisória importante. Acho que havia muitas coisas que meu pai lamentava, com ou sem razão, mas não aquela meia hora que passara sozinho no seu quarto em Oslo com um paletó cheio de fiapos grudados.

Na hora em que cheguei para ver a peça de Eggy, as cadeiras dobráveis estavam todas ocupadas e fiquei de pé no fundo do salão perto da porta. Antes de *A luva*, assisti à peça *A folha de bordo*, produção que incluía seis folhas de árvore femininas feitas de cartolina que desfilavam pelo salão "sacudindo" e "caindo", e uma folha masculina muito embaraçada que não parava de cochichar para o que seriam os bastidores, caso estivessem representando num palco: "É agora que eu faço? É agora?". Quando por fim veio o sinal, dado por uma mulher sentada mais no canto (cabelo grisalho comprido, óculos de aro de metal, testa enrugada numa permanente expressão de preocupação), a folha desafortunada tombou no chão com um baque, o rosto tomado pelo alívio por ter completado sua missão teatral. A peça de Eggy, segundo a lógica da mudança das estações, veio logo em seguida. Uma garotinha loura com uma indumentária pesada demais para o início do mês de junho, pois usava uma roupa própria para a neve, saltitou através do palco abanando duas luvas vermelhas nas mãos. Em seguida deixou uma delas cair no chão acidentalmente. Entendi que o gesto estudadíssimo tinha a intenção de ser um gesto inadvertido, porque logo depois Eggy, numa roupa grande e vermelha, de malha, que a cobria completamente — exceto os tornozelos, os pés e o seu rostinho vivo que ressaltava por um furo —, entrou bamboleante, colocou seu tênis bem em cima da luvinha para escondê-la e começou a pronunciar o seu solilóquio. Com um braço estendido e reto para destacar a necessária protuberância de um polegar muito grande, ela encarou a plateia e começou seu discurso: "Coitada da luva que perdeu o seu par". Fez uma pausa e gemeu: "Coitada! Coitada!". Os olhos voltados para o teto, o braço e o polegar batendo no peito, Eglantine lamentou seu triste destino. Sua fisionomia torturada mudou para uma expressão de alegria inefável quando a Loura Encasacada reapareceu, brandindo uma versão pequenina da própria Eggy. Uma chuva de aplausos, muitos risos e alguns assovios foram ouvidos na plateia de parentes e amigos muito receptivos.

Depois do drama do inverno, assisti às peças *A tulipa* e *O regador*, localizei Miranda na plateia, na parte da frente. Quando identifiquei sua nuca, senti um arroubo de excitação, logo seguido por uma agitação. Por que eu tinha ido? Quando as folhas, as gotas de água, as tulipas, a dona das luvas e as luvas terminaram de se curvar para agradecer às palmas e os aplausos amainaram, o salão explodiu num ruidoso caos de congratulações. Astros liliputianos guinchavam, gritavam e corriam. Vi Miranda abraçar

Eggy e consegui avistar os avós da menina, um homem corpulento de pele empalidecida, com manchas espalhadas pelo rosto, e a avó, tão alta quanto o marido, só que mais magra, de pele mais escura e vestida numa espécie de túnica elegante. Alguns dos outros que abraçaram Eggy deviam ser irmãs de Miranda e seus maridos. Um garotinho bem pequeno de cabelo desgrenhado, que deduzi pertencer à família, fazia de conta que umas cadeiras juntas eram um barco que ele remava. Nem sinal de Lane, porém, e sua ausência me deixou momentaneamente feliz. Então Eggy me viu. "Eu falei para a mamãe que você ia vir!", gritou, e a boca se esticou num sorriso largo. Fui apresentado. Notei que o pai de Miranda apertava a mão com força e que a voz baixa da sua mãe era atraente. As três irmãs não eram tão bonitas quanto Miranda aos meus olhos, mas todas pareciam afáveis. Embora já tivéssemos trocado beijos cordiais e tranquilos de outras vezes, naquela tarde apertei a mão de Miranda ao me despedir. A presença da sua família agiu como uma misteriosa força coercitiva. "Quem sabe você está criando uma atriz", disse para ela. Com Miranda, eu caía inevitavelmente em banalidades. Quanto mais queria ser charmoso, mais me faltavam as tiradas de espírito, e mais eu lamentava a minha estupidez. No entanto ela sorriu de modo educado e, num sussurro, perto de mim, disse: "Uma *canastrona* seria mais exato".

Na calçada, Eggy acenou para mim com naturalidade, Miranda sorriu, meneou a cabeça e me deu as costas. No calor, sua saia, feita de algum tecido fino, aderiu às nádegas e ficou agarrada entre as coxas. Um segundo depois, vi Miranda repuxar a saia com as duas mãos e minha visão de relance de um paraíso velado se desfez. Observei enquanto ela caminhava com o resto do clã Casaubon rumo a diversos veículos estacionados nos arredores. Estavam indo para um jantar de família. Tinham falado em percas chilenas e numa partida de críquete na televisão a cabo. Enquanto eu os observava irem embora, sofria com uma sensação de exílio e, quando me virei, me dei conta de que não queria ir para casa, por isso fui andando para o parque. Enquanto caminhava, recordei as vezes que fiquei no banco de reservas, partida após partida, até que finalmente tive uma chance, entrei no campo cheio de disposição, mas me enrolei de tal modo que acabei desistindo para sempre de jogar beisebol. Recordei o rosto solidário dos meus pais, as frias gozações dos companheiros de equipe, o calor da humilhação. Pensei no ataque do cretino do Kornblum ao texto da minha palestra para o Congresso sobre o Cérebro e a Mente, a sua recusa em me escalar, o seu tom paciente, condescendente, ao apontar os meus "erros". Recordei Genie me dizendo que não conseguia mais suportar a visão do meu corpo. "Estou trepando com o Allan. Está na hora de você saber. Todo mundo já sabe." Eu caminhava depressa e com esforço, primeiro pela rua e depois pelas trilhas na mata, e a minha fúria e a minha amargura aumentavam a cada passo. Só depois de andar por uma hora pensei no meu pai e nas suas fugas. *Sei como você se identifica fortemente com seu pai.* Então os meus passos reduziram a velocidade. Mudei de direção. Minha raiva virou uma aflição banal. Quando voltei para a praça Garfield, abri o meu caderninho de anotações e comecei a escrever. Escrevi por quase uma hora, passando de um assunto para outro. A última coisa que registrei foi uma recordação sobre a qual eu não pensava já fazia bastante tempo.

Estou de volta à fazenda e é verão. Inga e eu estamos no apertado sótão acima da garagem. Acho que nunca estivemos lá antes, nem fomos lá de novo. Só essa vez. A luz entra de algum lado. Uma janelinha, o vidro opaco de mofo. Encontramos um baú velho coberto por uma grossa camada de poeira da cor de carvão. Levanto e abro as correias de couro, depois levanto a tampa. Dentro, está um paletó marrom feito de um pano duro, pesado. Parece áspero nos meus dedos. Levanto o paletó e primeiro vejo as listras na manga, depois as medalhas espetadas na frente. Sei que é o uniforme de guerra do meu pai e sinto um frêmito de orgulho. Descemos levando o tesouro, corremos por baixo do caramanchão de parreiras e das macieiras com o paletó entre nós, cada um segura a ponta de uma manga vazia como se fosse um companheiro sem cabeça. Gritamos chamando o nosso pai. "Olhe só o que a gente achou! Olhe só, papai!" E aí o nosso pai está parado na nossa frente. Ergo os olhos para o seu rosto e fico espantado ao ver que está zangado.

"Ponham de volta no lugar", berra para nós. "Agora!"

"Mas as medalhas", consegui falar. "E as medalhas?"

Mas não há nenhum abrandamento em suas feições, nenhum sorriso afetuoso. Esse é um outro pai. Ele repete a ordem e nós dois voltamos para a garagem. *Oh, dia cheio de graça.*

Naquela quarta-feira, quando saí do consultório, minha cabeça estava cheia de pacientes. A srta. L. tinha se mostrado mais eloquente. "Tem dias que é como se eu não tivesse pele. Estou toda em carne viva e sangrando." Esse comentário me ajudou. Eu tinha conversado com ela sobre seguir a trilha de uma metáfora. Sem pele, sem barreira, sem proteção. As fronteiras são importantes. Mencionei também a boneca de pano como uma boa metáfora da negligência de sua mãe. "Ela não conseguia reconhecer você como pessoa integralmente separada, com necessidades e desejos próprios, alguém com um mundo interior real." A srta. L. quis me dar um abraço no final da sessão, mas eu disse que não era uma boa ideia e, depois de ter disparado algumas farpas sobre as regras idiotas da terapia, ela concordou. Eu também estava pensando no menino de oito anos que havia entrevistado naquele dia. Durante dois anos ele não falou com nenhum adulto, exceto a mãe e o pai. Embora fizesse os deveres de casa, nunca respondia aos professores nem a adulto algum amigo da família. Também não falava comigo. Balançava a cabeça, fazia que sim, sorria, olhava de cara feia, a boca cerrada e tensa. Quando lhe pedi que desenhasse um autorretrato, rabiscou um pequeno boneco no canto da folha de papel com uma linha reta no lugar da boca, atravessada por traços curtos e tremidos do lápis, que me fizeram lembrar arame farpado. Eu estava pensando naquela boca quando ouvi uma voz atrás de mim. "Ei, doutor Davidsen."

Virei-me e fiquei espantado ao ver Jeffrey Lane parado atrás de mim na calçada. Uma mistura de surpresa e alarme me fez gelar por um instante, em silêncio. Depois, com voz fria, falei: "Nos encontramos".

Ele sorriu e percebi que era bonito. Seu cabelo preto tinha sido cortado bem curto de modo que espetava para fora em pontinhas, um índice da simulada indiferença que os elegantes têm, e provavelmente sempre tiveram, de uma forma ou de outra. Seu rosto era estreito e a pele, clara e bronzeada. Quando sorriu para mim, os dentes tinham um brilho e uma brancura que me fizeram pensar nas pessoas que aparecem na televisão. Seus braços à mostra por causa da camiseta cinzenta tinham passado muitas horas na academia de ginástica. Olhar para ele me deu a sensação de ser enorme e insignificante, ao mesmo tempo. "Desculpe por aquilo", disse ele. "Você deixou uma fresta aberta, digamos assim. A tentação foi forte demais."

"Você quer me dizer alguma coisa?", perguntei.

"Quero." Ele fez que sim com a cabeça. "Quero sim. Quero convidar você para a minha exposição. Fotografias *de família*. O tema é esse. Pode ser um material interessante para um psiquiatra. TID. É uma sigla que a gente usa toda hora, não é? Transtorno de identidade dissociativa, antes era a personalidade múltipla.

Minhas fotos são TID. Ainda vai demorar um tempo para a exposição começar, mas eu queria que você já pusesse na sua agenda para não perder. Oito de novembro na Minot Gallery, na rua Vinte e Cinco, Oeste."

Não falei nada por um segundo e depois. "Estamos em junho."

"Eu sei, mas caras feito você são muito ocupados, não é?"

Fiquei olhando para ele.

Lane inclinou a cabeça para o lado. "Não estou brincando. Quero mesmo que você vá. Desculpe pelo susto que dei naquela noite. É verdade, sinceramente, eu não tinha a intenção. Achei que eu ia conseguir entrar e ver a menina." Fez uma pausa. "Ela é minha filha." Depois de mais um segundo, reiterou. "Ela é *minha* filha."

"Há outras maneiras de ver uma filha além de invadir a casa dos outros no meio da noite", falei. Cada palavra que eu pronunciava parecia alheia, como se outra pessoa estivesse falando.

"Naquela hora não havia." Lane agora pareceu falar mais a sério. Deixou de vez seu tom de galhofa e isso me fez baixar a guarda. Antes que eu me desse conta, ele agarrou meu braço. "Quero que você fale com Miranda", disse ele, agarrando a manga da minha camisa. "Ela admira você. Vai escutar você."

"Falar com ela sobre o quê?", perguntei, enquanto sacudia meu braço para soltá-lo.

"Sobre mim, os meus direitos. Minha vida depende disso."

"Posso recomendar um terapeuta de família. Um mediador."

Lane soltou um gemido. "Ora, deixe disso", falou. "Não precisa fazer o papel do senhor Especialista, aqui. Já vi você com ela. Já fotografei você, cara. Você é um livro aberto." Parou por um momento a fim de reunir seus pensamentos. "Como você acha que eu me sinto quando vejo um outro homem andando por aí com a minha filha?" Percebi que Lane ficou na ponta dos pés e depois voltou a se apoiar nos calcanhares umas duas vezes, antes de falar.

Senti meu punho cerrar com mais força na alça da maleta. "É uma coisa que você tem de acertar com ela." Uma imagem dos dois na calçada latejou dentro na minha cabeça.

"Você gosta de garotas negras? Muito exótico, eh, para um cara de classe média branca feito você, hein? Só que você não faz o tipo dela, na verdade, lamento dizer isso, um pouco domesticado demais." Arrastou a voz ao pronunciar a palavra *domesticado* e ficou na ponta dos pés outra vez. "Na cama, ela é um verdadeiro demônio." Sorriu. "E digo isso na condição de homem com oito avos de sangue nativo."

Meu sentimento de repulsa durante as suas duas primeiras frases foi seguido por um acesso de raiva na terceira e, antes que eu me desse conta, tinha erguido a mão direita, com a maleta e tudo, num gesto de ameaça.

Lane riu. Baixei o braço, meu rosto estava quente. Virei-me e comecei a andar a passos largos na direção do metrô, pensando: Como eu gostaria de ter quebrado a cara dele. Como eu gostaria de ter quebrado a cara dele.

A terra estava congelada e dura quando meu pai morreu, por isso, para enterrar suas cinzas, esperamos as minhas férias de junho, ocasião em que eu poderia ficar por um tempo junto com a minha mãe, Inga e Sonia. Todos os meus pacientes foram avisados com bastante antecedência. Para alguns, as minhas ausências eram angustiantes. Quando seguimos de carro do aeroporto de Minneapolis para o sul, pela estrada 35 Oeste, eu olhei para os campos verdes dos dois lados e pensei: em agosto, vão ficar amarelos. O sol vai causticar essa paisagem de campos de milho e de alfafa. Acontece todos os anos, e depois imaginei a neve — o mundo branco dos invernos da minha infância. Sonia dormia no banco de trás. Eu podia ver seu rosto no espelho retrovisor, brando e infantil em seu cochilo. Inga inclinada para trás no banco do carona ao meu lado, de olhos fechados. Ela havia aprendido a dirigir aos trinta e seis anos de idade, mas raramente ficava ao volante. Nervosa demais no trânsito, explicou-me ela, e portanto lenta demais. Eu gosto de dirigir. A vibração dos pneus rodando embaixo de mim trazia recordações da liberdade de outros tempos, época em que, com uma carteira de motorista nova no bolso, eu tomava as estradas pequenas que não iam para lugar nenhum e rodava sem destino, até que comecei a me preocupar com a gasolina que estava gastando. Uma certa tristeza acompanhou essa vaga reminiscência. Eu não estava recordando um passeio específico, mas dúzias de passeios da minha adolescência, e suponho que as expectativas e o *pathos* daquele tempo se misturavam com a descontração e o prazer que eu havia descoberto no meu Chevy estropiado, comprado por duzentos dólares que eu tinha ganhado no Red Owl carregando gêneros alimentícios durante um verão longo e escaldante. Lugares antigos acendem a chama do clima interno do nosso passado. Ventos suaves, bonanças saudosas, tempestades violentas ou emoções esquecidas retornam para nós quando retornamos aos locais onde se passaram.

Enquanto dirigia, me dei conta de que a zona rural do lado de fora do para-brisa pertencia mais ao meu pai do que a mim. Na verdade, ele nunca deixou a zona rural, não podia deixá-la. Não era a paisagem da minha mãe. Ela adotou uma pequena parte do que estava ali, o riacho atrás da casa, o bosque com suas pedras, o seu musgo e a vegetação rasteira, e a erva-impigem, as campainhas e as violetas que cresciam na terra molhada toda primavera. Tudo isso se tornou íntimo, mas os campos com suas intermináveis fileiras que se fundiam ao horizonte sob um enorme céu não tinham nenhum sentido real para ela. Como pode alguém amar tamanha desolação?

Não sei ao certo por que recordei a história naquele momento. Pode ter sido uma consciência do estranhamento de minha mãe quando desembarcou do navio e por alguns momentos fitou uma pessoa que ela não reconheceu, mas o meu velho veio à mente. Eu estava sentado no chão, não distante da estufa à lenha, ergui os olhos para observar a sua cara marrom, franzida, com a sua barba branca e eriçada que ia das bochechas até o queixo. Ele estava contando uma história devagar, num estilo telegráfico, não para mim, mas para os adultos sentados na sala. Não tenho uma ideia clara de quem estava ali. "Não conseguiu aguentar mais, foi o que disseram. Ela ficou fora de si durante dois dias após o enterro. Não acreditava que o Hans era o Hans."

"No que você está pensando, Erik?" A voz de minha irmã cortou aqueles devaneios.

"Uma história sobre uma mulher que morava na zona rural, a avó ou tia-avó de um dos vizinhos. Acho que foi Hiram Flekkestad que contou naquele dia. Eu não podia ter mais de dez anos de idade, mas penso nisso há muitos anos. Quando perguntei para a vovó, ela explicou que a mulher perdeu o controle depois que enterrou o terceiro filho bebê. Achava que o marido não era o marido, que ele era exatamente igual ao marido, mas não era ele, que estava morando com um impostor. Na faculdade de medicina, descobri que isso tinha um nome — síndrome de Capgras."

Inga balançou a cabeça. "Eu nunca soube que existia uma coisa dessas." Respirou fundo. "Era de imaginar que me lembrasse dessa história, mas não me lembro."

"Provavelmente se trata de uma desconexão entre os circuitos neurais para o reconhecimento de rostos e os da emoção, assim as pessoas reconhecem os familiares mas não têm por eles os sentimentos que tinham. Não conseguem entender o que está faltando e explicam isso dizendo que as pessoas são fraudes."

Minha irmã estreitou as pálpebras enquanto olhava para a frente. "Se eu não sentisse o que sinto quando vejo você, você iria se tornar uma outra pessoa. Seria horrível. Isso ia significar que perdi a memória de amar você."

"É exatamente isso", falei, e depois, quando saímos da autoestrada e pegamos uma estrada que ia dar na cidade, Inga olhou para a direita através da janela e disse: "É tudo muito familiar, é estranho".

O Andrews House tinha sido, em outros tempos, um hotel só para homens. Seus residentes permaneciam invisíveis na maior parte do tempo para a população em geral, mas quando apareciam de fato na rua Division durante a minha infância, pareciam estranhamente permutáveis: com a barba por fazer, uns velhotes que arrastavam os pés, com calças manchadas e chapéus de roceiros que ocultavam seus olhos vazios. De lá para cá, o prédio fora reformado num estilo que Inga chamava de "Quinquilharia do Meio-Oeste", uma decoração que incluía flores de seda em vasos de barro, travesseiros com bordados, uso abundante de descansos de copos e pratos, e pinturas de crianças de olhos grandes em trajes do século XIX abraçando cãezinhos. Enquanto eu estava no meu quarto sentado na beira da cama com dossel e observava a colcha estampada de flores, senti uma repentina onda de tonteira. Baixei a cabeça e esperei que passasse.

"Ah, meu Deus, tio Erik!" Sonia estava na porta. Inclinou a cabeça para trás e riu, os olhos radiantes de alegria. "Você acha que vai caber nessa cama?"

Inga apareceu ao seu lado, olhou para a cama e franziu as sobrancelhas. "Pobre Erik, os seus pés vão ficar para fora."

Revigorada pelo descanso, Sonia dançou pelo quarto. Balançava os quadris e meneava as mãos acima da cabeça, gestos que me fizeram lembrar uma dançarina numa daquelas antigas versões falsificadas de Hollywood de um ambiente exótico. Enquanto eu a observava, ainda me recuperando da minha tonteira, Sonia riu outra vez, parou na frente da janelinha e, com o nariz junto ao vidro, observou a rua Division lá embaixo. "Sabem, nem consigo acreditar que vocês foram criados aqui", disse ela com voz de espanto. Em seguida, virou-se para nos encarar. "Quer dizer, afinal o que é que vocês *faziam*?"

Foi assim que começaram as nossas duas semanas em Minnesota, mas meus pensamentos estavam de volta para Nova York. Eu tinha contado para Miranda sobre a aparição de Lane em frente ao hospital e que ele queria que eu interviesse em favor de Eggy. Com certo constrangimento, também dei um jeito de revelar que eu tinha achado as suas maneiras "impróprias". Impróprias? Foram desprezíveis. Mas eu sabia que por baixo da minha inibição havia uma relutância até em parafrasear seus comentários raciais. Lane parecia acreditar que, ao citar sua fração de sangue não branco, ganhava certo direito de falar que eu não tinha. Ele também tomou emprestada uma ideia racista para me humilhar, a saber, a de que "pessoas de cor" eram sexualmente mais potentes do que brancos de classe média feito eu, e eu mordi a isca. Lembrei uma história que Magda contou certa vez sobre Horace Cayton, um sociólogo negro que fez análise com Helen V. McLean em Chicago. Ele havia escolhido McLean porque ela era uma mulher e porque tinha um braço atrofiado, características que a ajudariam a compreender a "desvantagem" dele. Depois de cinco anos de análise, Cayton, que lutara com a ideia de raça como racionalização ou desculpa para uma insuficiência pessoal, passou, ao contrário, a achar que aquilo havia penetrado em seu âmago mais profundo. Ideias perniciosas podem se tornar nós mesmos. Quando pensei melhor sobre tudo aquilo, comecei a achar que eu devia ter contado para Miranda tudo o que Lane dissera, que a minha reticência não estava apenas protegendo Miranda, mas tinha também a ver com minha própria covardia, um traço que ironicamente dava respaldo à acusação de Lane de que eu era "domesticado" demais para ela.

Alguns dias depois de *A luva*, mas antes de eu falar com Miranda, Eggy foi levada à presença do pai. Miranda disse que a filha de início sussurrou: "Esse daí não é ele", e ficou em silêncio. Depois que ele saiu, porém, ficou pulando pela sala toda, batendo no ar com a corda de pular como uma Fúria vingadora e se recusou a ir para a cama dormir. Eggy sem dúvida havia esperado outra pessoa, a criatura paternal voadora do seu desenho ou a pessoa enfiada dentro de uma caixa, mas não o homem que veio ao apartamento delas. Miranda me contou que Eggy tinha pesadelos, e na maioria das noites se esgueirava para a cama da mãe. "Talvez você pudesse conversar com ela", disse Miranda, "como médico." Um sentimento seco me veio naquele momento — uma sensação de afastamento e de melancolia renovada. "Não posso fazer isso, mas posso recomendar uma pessoa que conheço." A vida interior de Miranda era muito mais tumultuada do que eu havia imaginado, e o pantanoso emaranhado de emoções que ela obviamente sentia por Lane havia se infiltrado em Eggy, que tinha de se haver com a tardia aparição de um pai real, e não imaginário. E no entanto eu não queria ser, para elas, o psiquiatra residente. A mil e novecentos quilômetros de Nova York, eu continuava a sonhar com Miranda. Imaginava sua boca se abrindo para a minha, via o seu corpo nu deitado na minha cama, e eu fazia amor furiosamente com o seu fantasma todas as noites. A Miranda autêntica era outra pessoa. Antes de nos despedirmos, anotei para ela o nome de dois colegas; ambos trabalhavam com terapia familiar. Quando lhe entreguei o papel, percebi que era como se eu estivesse vestindo um jaleco branco. Ela pegou o cartão entre os dedos compridos e, sem dizer nada, olhou para os meus olhos. Vi mais dor em seu rosto do que jamais vira antes.

"Eu sabia", disse minha mãe, "porque ouvi as enfermeiras conversando no corredor na frente do meu quarto. Ouvi as enfermeiras dizerem: 'O bebê da garota estrangeira está mal'."

"Chamaram você de garota *estrangeira*?", disse Sonia. "Pensei que esta cidade estivesse cheia de noruegueses."

"Não noruegueses de verdade", falei. "Não falam mais a língua norueguesa. Não são estrangeiros."

"Mesmo assim", insistiu Sonia. "É de imaginar que a chamassem de garota norueguesa. Pode imaginar alguém em Nova York dizendo uma coisa dessas?"

"Na cidade de Nova York", falei, "quase metade da população nasceu em outro país. A gente teria de chamar metade das pessoas de estrangeiros."

"Pensei que eu ia perder você", disse minha mãe para Inga. Depois de um momento de silêncio, ela continuou. "Lars simplesmente desligou, enquanto a gente esperava para saber se você ia viver ou morrer."

A fala da minha mãe às vezes tinha oscilações. Dizíamos *desligou* em inglês?

"Na verdade, ele não podia mesmo fazer grande coisa por mim, nem mesmo falar sobre o assunto. Era como se ele tivesse sumido." Vi o pescoço da minha mãe se mexer de leve enquanto ela engolia.

A história do nascimento de Inga e seu quase falecimento entrou na conversa às dez horas naquela primeira noite, quando estávamos sentados no apartamento de minha mãe e conversávamos. Não muito antes de sairmos para o hotel, Inga falou de Lisa e do bilhete. Fez isso com naturalidade, como se não tivesse guardado aquele segredo durante meses. Contou para minha mãe que, por intermédio de Rosalie, ela descobriu que Walter Oland tinha se mudado para um asilo de idosos e que estávamos planejando ir até lá para conversar com ele. Rosalie Geister era uma das mais antigas amigas de Inga. Sua família era dona da agência funerária da cidade havia três gerações e agora ela era a diretora da empresa. Sua mãe veio de Blue Wing e ela havia prometido ajudar a esclarecer a história de Lisa.

Minha mãe balançou a cabeça. "Não sei nada sobre isso. Havia muitos suicídios naquele tempo. Talvez fosse isso o que essa garota queria esconder. A verdade é que falavam um bocado sobre essa ou aquela pessoa, como se eu fosse capaz de identificar os nossos vizinhos, mas em geral eu não sabia identificá-los. Às vezes, para mim, as palavras deles entravam por um ouvido e saíam pelo outro. Eram muito bons para mim, o seu avô e a sua avó, mas era um círculo fechado. Lars ficava diferente quando estava com a família. Era como se ele voltasse no tempo, o modo como falava. Até as suas maneiras mudavam."

"Quando vocês se encontraram, mamãe", disse Inga, "papai contou sobre a família dele e a fazenda perdida, sobre a Depressão, a pobreza deles?"

Antes mesmo de minha mãe falar, eu já sabia a resposta, só de olhar para o rosto dela. O jovem americano bonito e articulado que Marit Nodeland conheceu na Universidade de Oslo depois da guerra não tinha contado para ela muita coisa a respeito da fazenda em Goodhue County, Minnesota, nem muita coisa sobre a sua infância, e o que ele lhe contou não enfatizou seus infortúnios.

Depois que demos boa-noite para minha mãe, descemos pelo corredor silencioso do asilo de idosos. Uma mulher solitária com um andador se movia resoluta em nossa direção. Quando passamos, ela sorriu e nos cumprimentou. "Filhos de Davidsen, não são?" Respondemos que sim e então me lembrei de repente do meu pai sentado na beira da minha cama, os dedos encostados com delicadeza na minha testa e um tom cantado na sua voz, ligeiramente marcada pelo sotaque: "Manhã, meu garoto. É de manhã".

Enquanto um vento morno soprava através da janela do quarto meio atulhado mas confortável de Inga no Andrews House, ela me contou a história de Edie Bly. Depois de *Mergulho radical*, os papéis cinematográficos que Edie esperava representar não se concretizaram, mas ela ainda era jovem e promissora, rodava sem parar pelas casas noturnas da cidade em meio a uma névoa tóxica de drogas legais e ilegais, de malabarismos de amantes, de amigos perdidos e de novos conhecidos, que ela fazia às centenas. Edie contou para Inga que ela havia sido "um pouco tola", mas na época adorava o poder que tinha, adorava os olhos dos homens voltados para ela, adorava a energia de tudo aquilo. Foi quando ela "se comportou mal" com o Max, o encontrava às pressas para fazer sexo em corredores, elevadores, telhados, mas o caso deles não havia se passado sem problemas. Max aguentou muita coisa, disse Edie. Ela se livrava dele no último minuto, ligava pedindo dinheiro quando ele estava no estúdio, contava-lhe intermináveis histórias tristes para justificar o fato de ela beber e tomar drogas. Meu cunhado repreendia Edie por causa dos seus hábitos, o que mostra que há graus em todas as coisas. Depois de um ano, farta e entediada com o amante envelhecido, Edie cortou o vínculo entre eles e mudou-se para a casa de um guitarrista de jazz com menos de trinta anos de idade. A revolução pessoal de Edie começou no dia em que ela acordou no chão, do lado de fora do seu apartamento, deitada sobre o próprio vômito e, dias depois, naquela mesma semana, descobriu que estava grávida de dois meses. Com a ajuda do "sr. Jazz" e dos pais dela, em Cleveland, Edie foi para High Watch Farm a fim de cumprir o programa de recuperação de dependentes químicos, onde descobriu não Deus propriamente, mas uma versão da mesma coisa, um miasmático "propósito superior". Imbuída de sua nova coragem espiritual, Edie permitiu que o bebê crescesse dentro dela, até nascer, sete meses depois, como uma pessoa chamada Joel.

Quando perguntei para Inga como Edie podia ter certeza de que Max era o pai da criança, ela disse: "Edie insiste em dizer que as datas coincidem, que no mês em que aconteceu só havia um homem na vida dela, o Max". Quando falei: "E o tal senhor Jazz?", Inga replicou: "Edie diz que eles só se tornaram amantes tempos depois". Falei que aquilo parecia improvável. A srta. Bly na certa tinha achado uma história para enrolar os outros, quem sabe para enrolar a si mesma, uma história que além do mais trazia vantagens financeiras bem precisas.

"O engraçado é que", disse Inga, "eu até que gosto dela, apesar de ser instável. Me dá a sensação de que sou uma tremenda rocha, o que é uma novidade para mim. Ela apregoa esse tipo de misticismo americano ingênuo, imaturo, surrado, sabe, Extremo Oriente via Califórnia e Hallmark. Max detestava esse negócio. Ela me contou que tentou ler *um* dos livros do Max, mas ficou confusa. Não acha isso esquisito? Ela tem um caso com um homem que diz ser o pai do seu filho e nem mesmo lê os livros dele. Edie ainda está muito bonita, mas tem um ar meio esgotado. No entanto, tem alguma coisa nela, alguma luz, algum charme. Trabalha no escritório de uma imobiliária e vai todo dia à reunião dos Alcoólicos Anônimos. Percebi que eu tinha de descobrir mais a respeito dela, que eu tinha de continuar a vê-la pelo meu próprio bem, para tentar entender e, de certo modo, isso funcionou. No mês passado, a minha raiva sumiu.

Há nela *pathos* demais e, para ser franca, ela é comum demais. Não consigo imaginar o Max desejando isso por muito tempo. Por outro lado, é pior agora, também, sentir compaixão por ela e por Max. Recordo o tempo todo aqueles meses em que ele toda hora tinha de sair para um *compromisso*. É claro que era Edie. As vezes em que chegava tarde em casa, rolava para cima da cama e dormia direto, ou então ficava sentado com um uísque na mão e com os olhos velados. Às vezes eu lhe perguntava qual era o problema e ele não respondia. Pensei muito numa noite em que ouvi o Max chegar em casa e depois o vi no sofá com uma bebida. Eu apenas pus a mão no seu ombro e disse: 'Me conte, querido, me conte'. Ele agarrou minha mão e apertou, depois balançou a cabeça e, por um segundo, vi seus olhos cheios de lágrimas." Inga pôs as costas da mão sobre a boca e apertou-a contra os lábios. "De todo modo", continuou ela, "sentada no pequeno apartamento de Edie no Queens, tive a sensação de irrealidade mais estranha do mundo. Não parava de pensar que a história era muito curiosa, muito imaterial. Uma parte de mim não acredita de fato que Max a amava. A outra parte sabe que ele amou e fica aflita — uma sórdida mistura de vergonha e mágoa. E além disso tem o Joel."

"Ele..."

"Ele podia ser filho de Max, mas não há nenhuma semelhança evidente. Cheguei a examinar o pobre garoto em busca de algum traço. Mas se ele for mesmo filho de Max..."

"Como ele é?"

"Um pouco tímido e reservado."

"Que idade?"

"Nove."

"E as cartas?"

"Propus comprá-las."

"Então elas existem."

“Edie me mostrou... ou melhor, mostrou os envelopes. É a caligrafia de Max. Há sete cartas e, embora ela tenha sido franca comigo e severa consigo mesma quando falou a respeito do caso, há alguma coisa que não está me contando. Posso sentir isso.”

“Como?”

“Ela está sempre se desviando de alguma coisa, mas não sei o que é.”

“Acha que isso está nas cartas?”

“Não sei.”

“O que você faria com as cartas se as tivesse na mão?”

“Quando eu estava furiosa de verdade, eu ia queimar todas, mas se Edie deixar que eu fique com as cartas, vou esperar até que todos nós estejamos mortos e aí elas poderão ir para junto dos papéis de Max. Tenho medo de ler as cartas.”

“Seria difícil não ter medo”, falei. “E o Henry?”, acrescentei delicadamente.

“Ele queria saber se havia nas cartas alguma coisa que pudesse contribuir para o seu livro e resolveu perguntar para ela diretamente. Na verdade, ele não esperava que Edie lhe contasse nada, mas achou que valia a pena tentar. Não me contou nada sobre isso para não me magoar. Ele sabia que era um assunto delicado. Enquanto estava me explicando os seus motivos para encontrar-se com a Edie, eu acreditei nele. Depois, no entanto, comecei a ter as minhas dúvidas.” Inga fechou os olhos. “A explicação faz sentido. Só que eu acho que pode ser mais complicado...” Abrindo os olhos, disse: “Sabe, ele nunca se refere à ex-esposa pelo nome”.

“Como ele a chama?”

“A Ogra, a Harpia, o Súcubo.”

“Bastante hostil.”

Inga fez que sim com a cabeça e ajeitou-se melhor na cama. Senti-me de novo um pouco tonto e inclinei-me para trás na cadeira. De fora, ouvimos o apito de um trem e o rumor de rodas. *Ferrovia do Norte*. Recordei as palavras inscritas nos vagões de carga que passavam com estrondo pela cidade. A julgar pela expressão de Inga, pude ver que ela também estava escutando. "Sinto saudades do papai", disse Inga. "Sinto saudades do papai."

"Amanhã", falei, "vamos enterrá-lo. Vamos enterrar as suas cinzas."

Naquela noite, acordei com febre e com a vaga sensação de que estava fazendo força para abrir com as unhas uma enorme caixa de metal, um perturbador resíduo de sonho que contaminava o quarto escuro e nada familiar. Passaram alguns segundos antes que eu compreendesse onde estava. Em seguida arrastei meu corpo dolorido para o banheiro, engoli uns dois comprimidos de Tylenol e sorvi água morna da torneira. Por um breve tempo, fiquei tremendo na cama curta demais e depois, em algum ponto entre o sono e a vigília plena, ouvi minha voz interior como se não mais me pertencesse de fato e observei a metamorfose de cores e de formas naquele estranho teatro atrás das minhas pálpebras fechadas. O conteúdo alucinatório da hora seguinte provavelmente foi causado por uma combinação do vírus ou da infecção dentro de mim com o fato de eu ter estado relendo partes das memórias do meu pai antes de ir para a cama. Cochilei, depois acordei, depois quase dormi outra vez, vi um mutilado claudicando em seus cotos por um corredor comprido. A imagem me obrigou a acordar e sentei-me na cama, o coração batia com força, a figura atrofiada queimava em minha mente. Quando meu medo amainou, compreendi que tinha visto uma versão semiconsciente do irmão do meu avô, David, o filho mais velho da família, nascido depois de Ingeborg, a menina morta ainda bebê que meu avô disse que foi enterrada numa caixa de charuto.

Depois de ir embora da fazenda em 1917, David viajou para o Oeste e acabou chegando ao estado de Washington, onde de algum modo conseguiu cair embaixo de um vagão de trem e perdeu as pernas. Ninguém soube como aconteceu o acidente. Ele escreveu pedindo dinheiro e minha avó lhe mandou a herança dela, ou uma parte da herança. Mil e duzentos dólares? Sim, foi pelo menos isso, um empréstimo para comprar próteses para as pernas. O empréstimo nunca foi pago. O resto do dinheiro desapareceu na década de 1930, quando os bancos afundaram. Fechei os olhos e senti meus pensamentos se deslocarem em outra direção. Uma recordação de anos antes: meu paciente, o sr. J., arregaçando a perna da calça para me mostrar a prótese. "Que mulher vai aguentar uma coisa dessas?" Pensei na perna de Dum sendo levada para a pia, nas pernas e braços que são jogados fora nos hospitais, pensei nos hospitais de campanha. Agora no Iraque, pensei. O nome Jó me veio à mente. "No final, ele era um Jó", tinha dito minha mãe, "de tantas coisas que tinham dado errado com ele." A imagem do meu pai na sua festa de oitenta anos, o homem na cadeira de rodas, preso a um tanque de oxigênio ambulante, sua perna ruim esticada e dura à sua frente, aparelhos de surdez em posição, o seu nariz reconstruído encarquilhado embaixo dos óculos quando ele sorria, passando em revista a sua plateia antes de começar a falar. "Não faz muito tempo li um pequeno anúncio no jornal", disse ele, "que dizia o seguinte: 'Gato perdido. Castanho e branco, pelo ralo, orelha esquerda cortada, cego de um olho, sem rabo, manco da pata dianteira direita'", pausa, "'informações para o nome de Lucky'." Riram na sala grande, a luz de abril radiante nas janelas. Meu pai continuou seu discurso.

David voltou para a fazenda em 1922 com pernas postiças, uma bengala, dez centímetros a menos do seu ser anterior. Eu vi a casa, os campos. *Abandonados*. A palavra chegou como que por vontade própria. Depois, *tuberculose*. Vi o barraco de um só cômodo que David construiu para seu irmão que estava morrendo, Olaf, a fim de evitar o contágio. Mais tarde, a pequena estrutura seria integrada à casa como uma cozinha de verão. Quando fechei os olhos, vi sangue numa toalha, não marrom e seco, mas vermelho e brilhante. Eu me mexi embaixo do cobertor, virei o travesseiro quente e pensei se poderia arranjar um pano frio para pôr na minha cabeça, mas a luz que brilhava através da porta do banheiro, a alguns passos apenas, agora me parecia distante. Longe demais. David passou o ano de 1926 no Sanatório de Fontes Minerais. Será que eu já tinha visto aquilo? Um prédio me veio à mente. Não, eu estava inventando. Em seguida, David desapareceu, partiu por razões desconhecidas. Estou tão cansado, pensei, e comecei a perder o fio da meada da história. Lembrei o som dos passos do meu pai, diferente do som dos passos de qualquer pessoa; é estranho que a gente reconheça o ritmo dos passos de alguém. O barulho da porta quando fecha. "Não se pode tomar um caminho antes que a gente mesmo se torne o caminho." Meu pai tinha copiado essa citação de Buda num caderno. De manhã, notaram que Lars não havia voltado. Vi minha mãe entrando no carro para procurar o marido. "Querido Lars, *Kjaere Lars*." *Estou ferido*, o narrador interno estava dizendo e eu girei o meu volante de volta para David. Havia um primo, Andrew Bakkethun, que topou com David em 1934, em Minneapolis, e os dois passaram a noite juntos. No dia seguinte, Andrew se ofereceu para levar David de carro "para casa", a fim de fazer uma visita, mas ele não quis. Depois Andrew levou as notícias para o meu avô. Meu pai estava com doze anos de idade e não tinha a mínima lembrança do irmão do seu pai. Eu os imagino no verão, na cozinha pequena, sentados diante da mesa recoberta com um encerado. Papéis mata-moscas pendem do teto com minúsculos cadáveres grudados na cola amarela. Aquilo me fascinava, aquele papel ondulado. Meu avô escuta as palavras de Andrew, uma figura vaga na minha fantasia, com um chapéu de aba larga. O menino Lars também está presente, escutando tudo, e observa o pai pedir desculpas, levantar-se, sair da sala, ir para o pequeno anexo e abrir com um empurrão a frágil porta de tela que bate com força atrás dele. *Achou algumas tarefas que precisavam ser feitas no celeiro*, escreveu meu pai, *onde eu desconfio que ele dava vazão, em particular, à dor que sentia.* Não choramos onde os outros possam nos ver.

Em janeiro de 1936, foi publicada uma matéria num jornal de Minneapolis sobre a morte de uma pessoa conhecida como "Dave, o Homem do Lápis". A família não estava certa de que o Homem do Lápis fosse o seu David, mas meu avô pegou dinheiro emprestado para fazer a viagem até Minneapolis. *28 de janeiro de 1937. Hoje faz um ano desde que o papai foi para a cidade para identificar o tio David depois que ouviu falar que ele tinha morrido.* Quando recordei essa anotação no diário do meu pai, comecei a suar e os lençóis ficaram pegajosos. Fiquei deitado e quieto por um tempo e depois, me sentindo mais desperto, acendi o pequeno abajur de porcelana na mesinha ao lado da cama, onde estavam as folhas das suas memórias. *Ele não tinha mais as suas pernas postiças. Em vez disso, usava uma espécie de sapato mais alto. Eram feitos sob medida, volumosos e desajeitados, mas sólidos o bastante para durar a vida toda. Ao enfiar seus cotos nos sapatos, ele na verdade andava sobre os joelhos, talvez com razoável conforto, porque tinham um forro que aquecia e eram bem acolchoados. Ele ganhava a vida vendendo lápis no bairro comercial de Minneapolis, na rua e no saguão dos prédios de escritório. Tinha um quarto num hotel de trabalhadores.*

Dave, o Homem do Lápis, morre de gripe

Durante anos ele foi conhecido apenas como "Dave, o Homem

do Lápis", a figura atrofiada, mas alegre, que todo dia batalhava pelas calçadas da avenida Washington. As pernas de Dave foram cortadas na altura do joelho. Soube-se qual era a idade de Dave quando, um dia, ele falou bem alto para um grupo de amigos: "Sou só oito anos mais velho do que o novo rei Eduardo da Inglaterra". Isso significava que ele tinha quarenta e nove anos. Era praticamente essa a única informação que o funcionário do necrotério John Anderson tinha na sexta-feira, quando tomou providências para localizar os parentes de Dave. Na tarde de quinta-feira, Dave entrou se arrastando pela porta do Park Hotel 24, avenida Washington Sul, atordoado pela gripe. Ali ele morreu. Funcionários do hotel o conheciam pelo nome de David Olafsen. Havia uma moeda de um centavo no seu bolso, a soma total dos seus bens terrenos, além de alguns lápis que não tinha conseguido vender.

Li a pequena matéria duas ou três vezes, como se eu pudesse descobrir alguma coisa. O repórter tinha conseguido recobrir o meu tio com uma aura dickensiana, o grotesco mas simpático aleijado que capenga pelas ruas e repete o seu pregão característico. E, embora a confusão do escritor sobre a causa da morte tenha sido provavelmente um engano sincero, sua escolha pela morte causada pelo frio deve ter recordado em seus leitores o desfecho de partir o coração que está no conto de Andersen intitulado "A garotinha que vendia fósforos". David morreu de insuficiência cardíaca. Depois de lavar o rosto e vestir uma camiseta seca, redigi às pressas mais algumas anotações; em seguida me veio ao pensamento uma outra anotação que meu pai fez aos quinze anos de idade no seu diário, em 1937: *3 de junho. Hoje lavrei e arei a terra. O rei Eduardo e a sra. Wallis Simpson.* Todos os mundos interiores têm os seus códigos próprios. O meu pai não havia adquirido um repentino interesse pela vida da realeza inglesa. O monarca distante, que tinha renunciado ao seu trono, estava ligado, na mente de um menino, a uma outra figura igualmente invisível, mas muito mais importante, uma figura que por acaso compartilhava o aniversário com o rei: seu tio desaparecido, amputado na altura dos joelhos, o homem que se arrastava pela avenida Washington em Minneapolis nos seus sapatos feitos sob encomenda, especialmente para ele, enquanto mascateava seus lápis para os negociantes, que se curvavam para lhe entregar as moedas, o homem que havia feito o seu adorado pai sofrer sozinho dentro do celeiro naquele dia.

Éramos as únicas pessoas no pequeno cemitério ao lado da igreja luterana de Urland. O tempo estava mais frio que no dia anterior e um vento franzia a saia preta de minha irmã, que, de pé, olhava na direção da fazenda. Minha mãe tinha comprado gerânios para plantar depois que a cova ficasse cheia, e ela se agachou ao lado deles para remover algumas folhas marrons. Sonia vagava entre os túmulos, lendo os nomes, e o tio Fredrik se mantinha parado com o seu terno escuro e as mãos nos bolsos da calça, parecendo naquele momento um homem numa fotografia. Tia Lotte estava na sua cadeira de rodas ao lado dele, curvada para a frente. Seu rosto estreito, flácido, rodeado por tufos de cabelo branco, tinha o aspecto confuso que se tornara familiar para mim. O pastor e Rosalie, as duas autoridades do nosso grupo, ainda não haviam chegado. Por trás dos pequenos vultos da nossa família em seus trajes sóbrios, havia a vasta paisagem de campos de milho e de soja, a faixa nua da estrada que seguia rumo ao horizonte e os bosques à minha direita. Nenhuma água visível. Foi o vazio que me impressionou naquele momento, e a compreensão de que nada tinha mudado fisicamente desde que eu era menino. Não havia nenhuma nova construção ou empreendimento; o trânsito era escasso como sempre. Dois ou três carros passaram enquanto estávamos esperando. A igreja branca, com o seu campanário clássico, tinha ganhado uma entrada frontal bem peculiar, mas era só isso. No inverno, quando não houvesse nenhuma folhagem para encobrir a paisagem, eu veria a minha herança: uma casa branca de fazenda sobre trinta acres de terra.

Depois que o pastor Lund chegou com Rosalie e com a pequena caixa que continha as cinzas do meu pai, nos reunimos perto do profundo buraco quadrado que já tinha sido cavado. Lund era um homem rechonchudo, com uma calva e um jeito vagamente desconfiado. Enquanto lia, olhou algumas vezes para mim e para Inga por cima do seu hinário, como se esperasse que fôssemos fazer alguma objeção. O pastor tinha querido conquistar a alma do meu pai. Eu sabia disso. Ele havia se aproximado do seu leito de enfermo com histórias compartilhadas de imigrantes, de dogmas luteranos, da Santa Comunhão, sem dúvida ciente de que, por mais que meu pai se interessasse por questões de teologia, suas crenças se voltavam sobretudo para a direção secular. Não havia em Lund nem fanatismo nem intolerância. A exemplo de uma longa linhagem de pastores luteranos que eu havia conhecido antes dele, Lund era bem-intencionado, ainda que um pouco estreito em seus pontos de vista, e em paz com sua fé, sem ser presunçoso. Ao mesmo tempo, sempre me impressionou que, nas mãos de homens como Lund, a estranha, sangrenta e assombrosa história cristã inevitavelmente se tornava bastante insípida.

Quando chegou a hora de baixar a caixa para a terra, nos demos conta de que não tínhamos um modo de fazer aquilo, nenhuma corda, roldana nem qualquer instrumento. Começamos a discutir as possibilidades. A interrupção na cerimônia perturbou tia Lotte. Muda desde a sua chegada, começou a perguntar em voz alta, grasnando com aflição: "Vocês falaram em cinzas?

Mas quem afinal é isso aí dentro?". Quando lhe responderam, ela berrou: "Tolice! O meu irmão Lars? Ele está do outro lado do oceano. Recebemos uma carta na semana passada". Em seguida seu rosto se franziu, como se ela estivesse procurando uma palavra perdida; sua cabeça tombou para a frente e ela começou a remexer nos botões da parte da frente do seu vestido de algodão. Ficou resolvido que eu, como o membro mais alto da família, teria de fazer aquele serviço. Deitei na grama, segurei a caixa nas mãos com firmeza, enquanto Inga e Sonia seguravam as minhas pernas, e me debrucei dentro do buraco. A extensão completa dos meus braços e boa parte do meu tronco entraram na cova. Recordo a imagem das minhas mãos segurando a lisa caixa de mogno, o cheiro da terra e as raízes pálidas que despontavam nas paredes de terra dos dois lados. Deixei o objeto cair os centímetros finais. Isso era o meu pai, disse para mim mesmo, assombrado, o meu pai. E depois, ainda dentro do buraco, senti medo.

A não ser pelos ramos que farfalhavam nas árvores à nossa esquerda, não havia barulho nenhum. Em seguida veio um som surdo de terra batendo em cima da caixa.

"Uma vez que foi da vontade do Deus Todo-Poderoso em sua grande misericórdia levar para junto de si a alma do nosso irmão; entregamos portanto à terra o seu corpo; terra para a terra, cinzas para as cinzas, pó para o pó."

Retive mais algumas imagens daquele dia, fragmentos visuais da família, que torrava sob o sol: os pequenos torrões de terra no meu paletó, os olhos azuis de Inga cheios de água quando ela se ajoelhou junto ao túmulo, o nó em seus cabelos desfeitos pelo vento. Os punhos cerrados de Sonia quando caminhava na direção do carro. O silencioso Fredrik empurrando a irmã na cadeira de rodas sobre o solo desigual, enquanto a cabeça dela sacudia. Minha mãe magra com o seu chapéu de abas largas se ajoelhando junto ao túmulo aberto, as mãos tateando entre as raízes dos gerânios. A vasta indiferença de um céu sem nuvens.

* * *

"Foi duro para ele ver você crescer", disse minha mãe. "Quando você saiu de casa, foi mais difícil para ele do que para mim."

Estávamos folheando os álbuns da família quando ela falou, examinando as fotografias dos meus jovens pai e mãe. Sonia, entediada com nossas histórias antigas, reanimou-se com as fotos dela mesma quando bebê e dos seus pais. Observei Sonia contornar com o dedo indicador uma imagem do seu pai, enquanto estava sentada com o livro aberto sobre o colo. Havia fotos de Genie também, sorridente e bonita, o membro perdido da família. A imagem dela agora parecia irreal. Fui casado com ela, pensei. Nós fomos *casados*. E, enquanto nós quatro escavávamos histórias antigas, prosaicas e míticas, me vi pensando no que Miranda tinha dito, que em nossos sonhos vivemos uma "existência paralela". Não houve nada de especialmente incomum nesse comentário e mesmo assim, durante a minha viagem para Minnesota, eu fui perseguido pela ideia de que estava dentro de um sonho, avançando com esforço pelo ar pesado numa paisagem distorcida. Eu tinha uma maleta cheia de artigos sobre a emoção e o cérebro, mas me sentia incapaz de ler aqueles textos. Minha vida tinha desacelerado repentinamente. Sem pacientes e as pressões constantes da rotina diária, me dei conta de que minha percepção do tempo havia sido deformada. A despeito dos novos "empreendimentos" nos arredores da cidade, repletos de casas altas, assentadas em lotes pequenos e quase desnudos, e apesar da chegada dos trabalhadores mexicanos, que ampliaram significativamente o leque de opções nos supermercados locais, Blooming Field não parecia muito diferente e continuava a ser um catalisador de recordações, algumas explícitas, outras difusas, mas elas também pareciam vir de um sonho e não serem dignas de confiança. A febre que tinha vindo e ido embora numa só noite parecia ter deixado um resíduo na minha cabeça, uma vaga palpitação que me mantinha sonolento, e eu me via muitas vezes cochilando. Nesse estado curioso, achei providencial o passeio para visitar Walter Odland em Blue Wing, mesmo sem ter a menor ideia do que poderia sair disso.

A indiferença de minha mãe a respeito de Lisa e da sua carta misteriosa não me surpreendeu. O passado do meu pai era algo que o oprimia. Ao tornar-se historiador do próprio passado de imigrante, ele havia descoberto um meio de retornar várias vezes para sua terra natal. A exemplo de inúmeros neurologistas, psiquiatras e analistas que conheço que sofrem das mesmas enfermidades que esperam curar nos outros, meu pai reabrira a ferida em carne viva dentro de si por meio do trabalho que tinha escolhido. Havia arquivado inúmeros diários, cartas, jornais, artigos, livros, recibos, desenhos, cadernos e fotos de um mundo agonizante. Tinha analisado a organização de paróquias, escolas rurais e instituições de ensino superior, romances de imigrantes, contos e peças, e os permanentes debates sobre a linguagem que permeavam aquelas comunidades. Sua doença era do tipo que afeta os intelectuais: o infatigável desejo de alcançar o domínio total do assunto. Crônica e incurável, ela atinge aqueles que almejam alcançar um mundo que faça sentido. Minha mãe foi uma paladina do trabalho do meu pai, mas a ferida que o gerou trouxe sofrimento para ela também, não porque tenha tido permissão para vê-la ou para pôr um curativo na ferida, mas porque ele a manteve cuidadosamente oculta. Eu sabia que minha mãe ouviria a história de Lisa, se conseguíssemos descobri-la, mas ela não *tinha* de procurá-la. “Há tantas coisas”, disse ela, “que nós nunca vamos saber.”

Rosalie dirigia o carro. O terninho azul-marinho e os sapatos resistentes que havia usado no enterro foram substituídos por aquilo que as pessoas no Meio-Oeste chamam de *slacks*, calças largas que não precisam ser passadas, feitas de algum tecido sintético, e uma camiseta enfeitada com um grande mosquito, embaixo do qual vinha escrito: "O pássaro típico do estado de Minnesota". Apesar de não ser feia — baixa, cabelo castanho cacheado, rosto redondo e simpático, que combinava com o corpo redondo e agradável —, Rosalie não tinha muito que fazer com os paramentos da vaidade. Sem perfume, sem maquiagem, mulher completamente sem adornos, cuja visão do mundo era auxiliada por um grande par de óculos marrons que aumentavam o tamanho dos seus olhos. Era como se eu sempre tivesse conhecido Rosalie e, apesar de estar ficando mais velha, ela continuava espantosamente pouco mudada ao longo dos anos. Os Geister, da Agência Funerária Geister, eram uma família de destaque, com sete filhos, inclusive um par de gêmeos, e às vezes eu me perguntava se a fecundidade dos Geister não seria uma reação lógica à natureza lúgubre do ramo de trabalho da família. Rosalie e Inga foram amigas inseparáveis no ensino médio e continuaram a ser amigas íntimas.

Enquanto ela dirigia o carro (muito depressa, eu notei), segurava o volante com uma mão e brandia a outra para enfatizar o que dizia. "Não sei se o velho está mentalmente sadio. A senhora do asilo de idosos só foi capaz de dizer que ele *recebe bem* as visitas. 'Com algumas exceções, todos os nossos residentes recebem bem as visitas.'" Rosalie imitou o tom de voz enjoativo da mulher. "Trabalhou durante anos numa loja de ferragens, segundo mamãe, que tem acesso a um borbulhante riacho de fofocas de Blue Wing, que só tem rival nas torrentes caudalosas de Blooming Field. Que Deus a abençoe. Basta alguns dias com o nariz no chão para a boa e velha mamãe farejar o rastro de um escândalo a dois quilômetros de distância."

Rosalie não hesitou, eu notei, em transferir abruptamente suas metáforas dos cursos de água para a terra firme.

Sonia tirou os fones de ouvido. "Você está brincando."

"A Rosalie está sempre brincando", disse Inga.

"Nem tanto assim", disse ela para Inga. "A sua Lisa Odland, depois de alguns anos fora da cidade, sem ninguém saber por onde andava, tornou-se a senhora Kavacek. Mamãe é sete anos mais jovem, assim as duas não foram amigas na escola. O *senhor* Kavacek morreu jovem. Eles tiveram uma filha, uma garota de má reputação, segundo mamãe, mas isso podia significar qualquer coisa, como todos nós sabíamos." Rosalie piscou os olhos para Inga de forma teatral. "Desde uma queda para usar minissaias ou nádegas que balançavam um pouco demais até uma delinquência descarada. De todo modo, a Filha Duvidosa meteu o pé na estrada há muitos anos e, depois disso, a senhora Kavacek, também conhecida pelo nome de Lisa Odland, virou uma doente reclusa, que vive trancada em casa e nunca põe o nariz para fora. Não vai nem à *missa*. Não recebe o pastor em casa. Não existe nenhum adubo melhor do que esse para o jardim de fofocas. Sabe como é, 'O que é que a velhota fica fazendo lá dentro?'", entoou Rosalie numa voz sinistra.

"Ela ainda está viva", disse Inga.

"Sim, parece, mas acho melhor a gente fazer uma visita ao vovô Walt primeiro. Ela não quer saber de falar com *ninguém*."

Os olhos de Sonia estavam arregalados. "Na certa ela está com agorafobia ou alguma coisa desse tipo, mas como é que ela faz para comer?"

"Bem, ela achou uma companhia, uma sobrinha do lado da família do marido, Lorelei, um pássaro estranho, ao que parece, com uma perna defeituosa, que vem de vez em quando, faz as compras e resolve as coisas, e ainda ganha dinheiro costurando para fora."

"Acho que a palavra *escândalo* pode ser meio exagerada", falei para Rosalie.

Ela sorriu para mim pelo espelho retrovisor. "Não seja severo comigo. E não é só isso. As duas senhoras, pelo visto, estão fabricando algum produto dentro da casa. Os embrulhos entram e saem. Os entregadores largam o emprego. Outros tomam o seu lugar, mas ninguém sabe o que tem dentro daquelas caixas."

Inga virou-se para Rosalie, abriu a boca, mas nada disse.

"Houve muito problema com a garotada na propriedade. Aquele papo clássico: 'Eu desafio você a olhar pela janela da casa da velha senhora Kavacek'. Um garoto até caiu da árvore quando tentava dar uma espiada lá dentro."

"Nada muda", disse Inga.

"Nadinha", disse Rosalie com alegria. "Lembra da gente espiando o Alvin Schadow enquanto ele aprendia a dançar valsa com aquelas fitas de aula de dança, com aquele pobre travesseiro agarrado com firmeza contra o peito? Ah, meu Deus, era hilário."

"Eu nem olhava", disse Inga. "Achava aquilo horrível."

"Ah, mamãe", resmungou Sonia.

"Ela *olhava* sim", disse Rosalie. "Mas não ria. Aquele seu coraçãozinho meigo ficou tão encolhido que mudou até de formato."

"Bem, coitado do senhor Schadow", disse Inga. "Pode ser que daqui a um tempo eu também tenha de apelar para os travesseiros, por isso acho que a gente não devia ficar muito cheia de si."

Sonia dirigiu para a mãe um olhar inquieto, recolocou o fone nos ouvidos, recostou-se de novo no assento do carro e fechou os olhos.

Quando entramos, Walter Odland estava sentado numa cadeira no quarto estreito, metade do qual pertencia a outro homem, uma pessoa mirrada, com nariz comprido e pijama listrado, deitado de costas num sono profundo, de boca aberta, uma bandeja com uma refeição consumida só em parte sobre uma mesinha móvel ao seu lado. Odland tinha a postura curvada das pessoas muito velhas. Seus olhos molhados haviam recuado para o fundo e os lábios estreitos estavam flanqueados por duas bochechas flácidas, cheias de pintinhas, acima das quais ficava um nariz redondo e carnudo. Apesar de terem dito para nós que ele sofria de uma espécie de demência, parecia alerta. Quando lhe explicamos que tínhamos algumas perguntas sobre o nosso pai, ele fez que sim com a cabeça, mas o nome Davidsen não lhe dizia grande coisa. Quando mencionamos Bakkethun, porém, isso causou um tremor de reconhecimento e o nome da sua irmã, associado com algumas perguntas a respeito do casamento dos seus pais, produziu uma efusão.

"Ah, sim", disse Odland, "foi um erro, eu sei, não, aquilo foi uma grande mentira, você não sabe? Foi para a proteção dela, eu acho, mas ela ficou com uma cicatriz bem aqui no nariz. Dizia que era por causa de uma vela ou alguma besteira assim. Eu mesmo não sabia de nada, até muitos anos depois, entende? Fui falar com ela. Me culpava também. Nunca fomos muito ligados."

Inga inclinou-se para perto dele e tocou seu braço com delicadeza. "O que o senhor lhe contou?"

Odland virou-se para Inga como se a visse pela primeira vez. "Puxa, você é bonita, hein?", disse. "Mulher atraente."

"Obrigada", disse Inga. "O que foi que o senhor contou para ela?"

"Sobre o incêndio."

"Que incêndio?", perguntou Rosalie.

"Em Zumbrota."

Eu estava de pé no quartinho e me inclinei para a frente a

fim de falar diretamente com o homem. "O senhor e Lisa não tinham a mesma mãe, não é?", perguntei.

Seu rosto mudou e o homem evitou me olhar de frente. "Não foram corretos com nenhum de nós dois." Seu queixo começou a tremer para cima e para baixo, enquanto ele observava o quarto, e então balançou a cabeça. "Onde é que eu estou?"

"Asilo de idosos Blue Wing", disse Rosalie.

"Eu esqueço", disse ele, apenas, e percebi então que seus olhos eram verde-oliva com pintinhas.

"Senhor Odland", continuei, "o que aconteceu no incêndio?"

"Eles morreram."

Inga estendeu o braço outra vez e pôs a mão delicadamente sobre o braço dele. "Quem morreu?", perguntou.

Odland ficou agitado, agora, e um sentimento de culpa me inundou. Havíamos despertado antigos problemas da família e ele estava sacudindo a cabeça energicamente. "Não foi direito eles não contarem." Virei-me para Inga, balancei a cabeça para ela e, só com os lábios, disse para ela "Chega". Inga assentiu.

Rosalie, que havia percebido a minha mensagem sem som, prontamente tomou as duas mãos de Odland nas suas e, mantendo-as seguras, fitou-o bem nos olhos e disse devagar: "Senhor Odland, o senhor nos prestou um bom serviço e queremos agradecer. Muito obrigada".

"Você é a outra", disse ele.

"Sim, eu sou a outra. Estou dizendo muito obrigada para o senhor."

"Claro", disse ele, se animando. "Tudo bem. Obrigado."

Ouviu-se um chiado alto e agudo, que veio do homem miúdo que dormia, e uma enfermeira entrou no quarto. Deu uma olhada no homem inconsciente e depois se virou para nós. "Que bom ver que o senhor tem companhia", disse para Odland.

O homem sorriu e apontou para Sonia. "Venha cá, minha jovem", disse.

Obediente, Sonia se aproximou e Odland estendeu as mãos na direção dela, enquanto o rosto se franzia num sorriso. Em seguida, deu umas palmadinhas na própria bochecha flácida. "Uma beijoca", disse ele. "Bem aqui."

"Deixe disso, senhor Odland", disse a enfermeira.

Sonia ficou vermelha e vi um conflito no seu rosto, mas inclinou-se na hora em que a enfermeira já se aproximava dele e deu no velho uma rápida beijoca.

Odland deu um riso satisfeito e depois, com um vigor surpreendente, deu um assobio do tipo que se dirige a uma mulher bonita na rua.

Antes de irmos embora, a mulher se virou para nós e disse: "Espero que voltem. Ele não recebe muitas visitas e isso lhe faz bem".

Sonia bateu na minha porta mais ou menos à meia-noite. Minha sobrinha tinha um ar grave quando entrou no quarto descalça, vestida numa enorme camiseta azul, que batia nas coxas, e calças de pijama andrajosas. "Que bom que você está acordado", disse ela. Depois que sentou na poltrona balofa perto da janela, olhou direto nos meus olhos. "Eu sei a respeito do papai e Edie Bly."

"Sua mãe lhe contou?"

"Eu tive a sensação de que ela sabia quando ficou vendo o filme sem parar, mas se ela não soubesse, *eu* ia acabar contando para ela."

"Como você soube?"

Sonia me olhou por um segundo como se fosse chorar, mas fez uma pausa e respirou fundo. "Vi os dois juntos. Eu estava na terceira série. Na rua Varick."

"Isso faz muito tempo."

Fez que sim com a cabeça. "Tinha nove anos. Mamãe às vezes me deixava ir até o outro quarteirão para visitar o papai no seu estúdio. Ela ficava sempre muito nervosa, mas eu pedia e implorava e a gente acabou arranjando um plano. Ele telefonava para a mamãe assim que eu chegava. Ficava só a dois quarteirões de distância. Naquele dia, a gente não telefonou para ele primeiro para avisar. Mamãe disse que eu podia fazer uma surpresa para ele. Fui até lá rapidinho e, no final do quarteirão, vi o papai saindo para a porta. Com *ela*. Papai estava com as mãos nela."

"O que você fez?"

Sonia olhou fixo para a frente, mas seus olhos não encontraram os meus. "Corri para casa. Contei para a mamãe que ele devia ter saído. Tive a sensação de que todo o ar tinha saído de dentro de mim."

"E você nunca contou nada para ninguém?"

Balançou a cabeça, os olhos reluzentes. "A questão é que fiquei brava demais com o papai, e depois eu vivia pensando que eles iam se divorciar, como os pais de todas as outras meninas. Eu escutava os dois brigando. Eu cantava quando ouvia as brigas deles. Cantava com toda a força da voz; aí eles ficavam encabulados e se acalmavam." O rosto de Sonia ficou severo. "Mas não aconteceu, o divórcio, quero dizer, e comecei a ter a sensação de que o que eu tinha visto não era real — que talvez ela não estivesse lá de verdade. Comecei a ter a sensação de que era um filme ou alguma coisa assim, e papai era a mesma pessoa de antes. Aí ele ficou doente." Sonia cruzou os braços e deixou a cabeça cair, enquanto falava para os seus pés. "Eu via a mamãe ao lado dele no hospital, falando com ele, lendo contos para ele e beijando as suas mãos..."

"Você ainda estava zangada com o seu pai?"

Sonia ergueu a cabeça. "Não. Talvez. Não sei. Era alguma outra coisa, como se eu não pudesse *fazer* nada, e agora não posso trazer isso de volta. Eu não fui boa para ele. Fui estúpida. Eu nem sequer *falava*. O cheiro do hospital, as enfermeiras, aqueles urinóis azuis de plástico, os tubos, eu não sei, eu, eu..." Ela parou, depois disse: "Quando ele piorou de verdade, já nem se parecia mais com o meu pai".

"Antes de morrer, ele me disse que você e a sua mãe eram a alma dele. Foram as palavras dele: *Elas são a minha alma. Cuide delas.*"

"Então eu queria saber o que era a Edie Bly", falou Sonia.

Balancei a cabeça. "Não sei, Sonia."

"Acham que todo mundo tem sempre de encarar esse assunto com tranquilidade. Sally Reiser tem uma madrasta cinco anos mais velha do que ela. O pai de Ari está no seu quarto casamento e a mãe dele está no seu terceiro marido. Mas nós somos diferentes. Não éramos assim", disse ela, balançando a cabeça. "Eu sempre achei que éramos diferentes."

Nós dois ficamos calados por um tempo. Imaginei várias frases para dizer a respeito de adultos e de suas fraquezas, sobre os ataques de paixão de homens mais velhos que podiam minguar muito rapidamente, sobre diferentes tipos de amor e assim por diante, mas acabei não falando nenhuma dessas frases.

"Você devia conversar com sua mãe."

"Você não pode contar para ela que eu sei", disse com energia.

"Não vou dizer. Você devia contar para ela. Vai ser um alívio para vocês duas."

Sonia olhou para baixo, na direção dos joelhos. Vi seu queixo oscilar e sua boca se contorcer enquanto tentava controlar seus movimentos.

Levantei-me da cama, andei na direção dela e pus a mão no seu ombro. Ela estendeu o braço para a minha mão e a segurou. "Minha pobre menina", falei.

Ela ergueu a cabeça e, embora tivesse os olhos molhados, não chorou. "Você ficou igualzinho ao papai falando, quando disse isso, *igualzinho* a ele."

Enquanto eu estava na cadeira pequena do Andrews House no dia seguinte e fazia anotações das minhas conversas telefônicas com a srta. L., pensei no que chamávamos de "lacunas" dela, as horas que a srta. L. passava no limbo das suas fantasias. "Pensei em você se debruçando em cima de mim e me tocando lá embaixo e depois fiquei com medo de que você fizesse xixi, por isso comecei a dar tapas em você com força." Anotei a palavra "recipiente", o analista com um vaso, um local para despejar a nossa sujeira. Eu, o urinol. Eu estava sentindo falta do trabalho. O trabalho era o meu esqueleto, a minha musculatura. Sem ele, eu me sentia feito uma medusa. A forma das coisas — os contornos. Não podemos viver sem elas. "Não toque no meu nariz, seu merda!", gritou um paciente para mim um dia quando cocei rapidamente meu próprio nariz durante a entrevista. Na ocasião, eu era um jovem psiquiatra residente e as palavras dele me atravessaram como um choque. Depois disso, entendi como tudo isso é precário — onde começamos e terminamos, nossos corpos, nossas palavras, o interior e o exterior. Pacientes psicóticos são muitas vezes cosmólogos, obcecados pelas estruturas misteriosas do invisível, com Deus e Satã, as estrelas, uma quarta dimensão, o que existe por baixo ou além. Eles estão em busca dos ossos do mundo. Às vezes o hospital pode erguer um abrigo temporário feito de rotina enfadonha — remédios, almoço, aulas de arte e artesanato, fisioterapia e visitas do assistente social e do médico —, mas depois o mundo acena e chama. O paciente caminha para o ar livre e os frágeis se fazem em pedaços outra vez.

Meu pai trabalhou duro para pôr ordem no seu mundo:

acordar cedo, encher as horas com trabalho, revisão de provas minuciosa, anotações meticulosas, mapas detalhados, fileiras retas de milho, de batata, de feijão, de alface e de rabanete. Mas quando acontecia um acidente — um problema com o carro, um tombo ou ferimento de criança, uma guinada malfeita, o tempo ruim —, ele sofria de modo desordenado. Lembrei seu rosto ficando tenso, o toque de angústia na sua voz, os punhos cerrados enquanto ele balançava a cabeça. O sentimento viaja. A voz de minha mãe: "Não fique aborrecido, Lars". O rosto chocado de minha irmã no banco de trás. Eu me afundava em mim mesmo. Sonia cantava. Eu contava. Nunca era o fato, tão sem importância, na verdade, ou o que o meu pai fazia ou mesmo dizia. Suas erupções eram controladas. Era a emoção vulcânica que sentíamos haver dentro dele.

Naquela noite sonhei que estava de volta às equipes do hospital e tinha acabado de trancar a porta de vidro para a ala norte quando um paciente internado me deu uma palmadinha no ombro e me entregou uma radiografia do tórax. Olhei para a imagem. O coração era tão imenso que enchia toda a cavidade torácica. De repente apareceu um radiologista ao meu lado e eu percebi que seu jaleco estava sujo, gotejava um líquido amarelo e nojento. Inclinou-se na minha direção e recuei de modo brusco, tentando evitar a imundície do seu jaleco. Ele cochichou no meu ouvido: "Deficiência atriosseptal". Perguntei o que ele andava fazendo em psiquiatria. Então, por algum motivo, entendi que a radiografia era do *meu* coração, que a lesão congênita pertencia a mim. Tirei o estetoscópio do bolso e comecei a auscultar meu próprio tórax. Ouvi o ruído sibilante do murmúrio do coração e depois, através do vidro, vi meu pai deitado numa cama de hospital no meio do amplo corredor no sul. Ele não devia estar ali. *Ele está no setor errado*. Peguei minha chave a fim de destrancar a porta, mas no chaveiro achei cinquenta chaves de diversos tamanhos, em vez de uma só. Comecei a experimentar uma chave de cada vez, mas não giravam na fechadura. De súbito, eu não conseguia mais respirar e então, em pânico, comecei a gritar por socorro. Meu pai continuou deitado e imóvel, de boca aberta. O radiologista continuava junto a mim, mas tinha uma outra cara. Ele me cochichou: "Distúrbio psicótico em seguida a hipertensão pulmonar". Com esse disparate em meus ouvidos, acordei. Enquanto estava escrevendo a respeito do sonho no dia seguinte, minha primeira anotação foi: "Médico, cura a ti mesmo". Mas depois entendi que o "furo" no meu coração também tinha sido uma referência ao furo no peito do meu pai, quando o médico da emergência reinflou seu pulmão paralisado, e que eu havia tentado desesperadamente abrir a porta para ele com "chaves desconhecidas".

Inga e Rosalie descobriram uma reportagem sobre o incêndio no *Zumbrota Reporter*. No dia 14 de maio de 1920, um "trágico" incêndio tirou a vida de Sylvia Odland e do seu bebê, James. Lisa Odland, de dois anos de idade, sofreu queimaduras, mas foi salva por um bombeiro que a puxou de dentro da casa pela porta da frente. Os pais de Lisa eram divorciados e a reportagem mencionava que a criança ia morar com o pai dela e a segunda esposa. Nunca contaram a ela sobre as mortes. Walter Odland tinha dito a verdade. "Não foi direito." A lembrança implícita do incêndio, que ela jamais recuperou de forma consciente, todavia deve ter marcado a fundo suas reações emocionais. A perda da mãe nunca foi reconhecida, nunca houve um luto declarado. Ofereceram para ela uma substituta. Anos depois, seu irmão lhe trouxe a notícia. Agora, ela era uma reclusa doente. Porém, como apontou Inga, a história do incêndio não tem nada a ver com o mistério do bilhete ou com o nosso pai.

* * *

"Estou sentindo o Lars", disse minha mãe. "E a minha mãe. Os dois estão comigo aqui neste lugar. Eu nunca sinto os dois em Nova York."

Sonia olhou para minha mãe com uma expressão intrigada. "Como fantasmas?"

"Não. Presenças. Não dá medo."

"Eu ouço o Max", disse Inga, simplesmente.

"É mesmo?", disse Sonia.

Inga fez que sim com a cabeça. "Eu o escuto dizendo o meu nome, não muitas vezes, mas de vez em quando. Uma vez o papai me contou que ouvia a voz do pai dele. Ouvia o pai chamando por ele."

Minha mãe estava sentada no sofá, abraçando os joelhos contra o peito. Do lugar onde eu estava, sentado na cadeira de frente para ela, observei-a virar a cabeça para a janela e, nesse instante, eu a vi como se ela fosse uma pessoa que eu não conhecia. Sua cabeça pequena e as feições delicadas do seu perfil ficaram, por um momento, iluminadas num raio de sol que entrava pela janela. Vi suas rugas profundas em volta da boca e ao longo da testa, além da íris muito azul no seu olho visível. O cabelo branco estava escovado para trás. "Uma vez a Lotte me contou a história do dia em que sua avó perdeu o dinheiro que tinha poupado no banco. Ivar veio para casa, deu as más notícias sobre o banco e depois citou o texto de um salmo: 'A pedido deles mandou vir codornizes, e os saciou com pão do céu'. Hildy agarrou um prato que estava na mesa e espatifou-o no chão."

"Papai nunca contou nada para você?", perguntou Inga.

"Não. Eu bem que gostaria que ele pudesse ter me contado mais, só que não contou. Uma vez eu disse para ele: 'Deve ter sido difícil crescer com tanta animosidade entre os seus pais'."

"E o que foi que ele disse?", perguntei.

"Ele fez que não ouviu." O sol deve ter sido encoberto por uma nuvem, porque o quarto escureceu de repente.

Tentei voltar no tempo, lembrar alguma coisa, alguma pista da minha infância. Eu adorava a minha avó, adorava os braços dela com sua carne pendente e adorava seu cabelo branco e comprido que ela sempre prendia e levantava com a ajuda de grampos que guardava num potezinho em cima da cômoda. Eu adorava ouvi-la rir, adorava as suas histórias sobre o seu tempo de menina, e eu adorava quando ela punha o seu chapéu de palha com flores em cima, antes de nos levar para dar um passeio. Ela jamais conseguiu pronunciar o "th" do inglês. Saía apenas um "t". Pensei no meu avô paterno usando uma corda e uma roldana para descer pela montanha, em Voss, a mala de viagem que ia levar para os Estados Unidos, e pensei no abrigo subterrâneo onde ele morou, primeiro, um buraco aberto na terra e coberto de capim, e em seguida pensei na casa de troncos de madeira que pegou fogo depois que sua esposa morreu. *No outono de 1924, uma estufa ou chaminé defeituosa causou o incêndio que destruiu essa casa. Os detalhes não estão claros. Dois vizinhos, Hiram Pedersen e Knut Hougo, felizmente estavam passando e viram o incêndio. Acharam Olaf encurralado atrás de uma mesa que ele tentava empurrar para fora da casa através da porta. Nessa altura, já estava com queimaduras graves, sobretudo nas mãos e em partes do rosto. Ele estava na cama na última vez em que o vi, incapaz de falar. Colocou a mão cheia de cicatrizes sobre a minha cabeça como se fosse me abençoar. Fez a mesma coisa com a minha irmã, Lotte.*

"Eu entendo que ela tenha jogado o prato no chão", disse Sonia. "Deus não os alimentava, não é mesmo? Tinham perdido tudo."

Minha mãe balançou a cabeça. "Eles eram muito diferentes, aqueles dois. Hildy podia se mostrar irracional, mas tinha personalidade. Quando Ivar estava morrendo, quando ele estava em coma, parecia voltar à consciência de vez em quando e nos ver ali. Não conseguia falar e o aspecto dos seus olhos era terrível, tão magoado que parecia mesmo querer chegar logo ao fim."

Nenhum de nós falou durante um minuto pelo menos, e depois minha mãe se virou para Sonia e continuou: "Meu pai adoeceu durante a guerra. Era o coração. Tinha sido um homem atlético, entende? Corria que nem um cabrito quando subia a montanha. Nunca perdia o equilíbrio, mas aí...". Minha mãe pôs a mão no peito. "Ele começou a ficar sem fôlego e eu ouvia sua respiração muito acelerada, e me lembro de ter pensado que ele não podia morrer. O papai não podia mesmo morrer."

"Como o papai", sussurrou Sonia. "É o que eu vivia dizendo sobre o papai."

Minha mãe puxou Sonia para perto de si e afagou-a outra vez. Inga observou as duas, o rosto contraído de emoção.

Minha mãe não parou. Sua voz firme tinha a cadência e a melodia da língua subjacente às do idioma que estava usando e acho que, enquanto falava conosco, falava para si mesma também. "Naquele tempo, quando alguém morria, o corpo era vestido, arrumado e ficava exposto à observação de todos. As pessoas vinham se despedir. Era um ritual, é claro. Recordo de olhar para o meu pai deitado, sem ele mesmo. O meu pai morto era um estranho." Fez uma pausa. "Não havia embalsamamento nenhum, nem nenhuma dessas coisas macabras dos americanos, entendem? Depois que a pessoa morria, era enrolada em um manto branco, colocada num caixão de madeira simples e depois era enterrada." Minha mãe respirou fundo. "Enquanto eu olhava para o corpo, meu irmão disse *Kyss Pappa*. Beije o papai", minha mãe traduziu para Sonia.

"Sei *disso*, vó", disse Sonia.

"Eu não queria beijar", disse mamãe. Seu rosto enrijeceu.

Sonia, que vinha escutando com a cabeça encostada no peito da avó, levantou os olhos.

"Mamãe falou de novo *Kyss Pappa*." Minha mãe virou os olhos para o outro lado e fitou o castiçal sobre a mesa na sua frente. "Eu não queria, mas beijei." Baixou os olhos para Sonia e disse: "Minha mãe era maravilhosa. Eu a amava muito, sabe, mas ela não devia ter dito aquilo".

A luminosidade prolongada do dia de junho havia desaparecido enquanto conversávamos, e de repente me dei conta de que estávamos sentados numa sala escura. Porém nenhum de nós se mexeu a fim de acender uma luz. Sonia se afastou do abraço da avó e percebi como a postura da minha mãe se mantinha ereta quando ficava sentada perfeitamente imóvel no sofá, seu rosto ensombrecido e tenso de recordações.

*Marit, Marit, Marit, Marit.* Quando fechei os olhos naquela noite, as palavras mágicas do meu pai vieram à minha mente de forma espontânea, a estranha e involuntária repetição de um nome de mulher. Tábua de salvação. *Marit, Marit, Marit.*

*Tanya Bluestone vagueia por aqui.*
*Musa de ninguém, ela brada*
*Muda — sonhos despertam no medo.*
*Garganta trancada e intestinos fluidos,*
*Uma gêmea flameja dentro de mim.*
*A queimadura se refunde na memória.*

Sonia Blaustein
P. S. Contei para a mamãe.

Achei o poema de Sonia e o pós-escrito embaixo da minha porta quando saí da cama. Li diversas vezes, depois dobrei o papel cuidadosamente e coloquei dentro do meu diário. Por um tempo, fiquei diante da janela e olhei para baixo, para a rua Division, ainda vazia às sete horas da manhã. Recordei a fumaça que subia no céu, a seca e sufocante chuva de papel, uma neblina no céu do Brooklyn e a quietude que caía sobre o bairro. Na Sétima Avenida, os pedestres naquele dia me fizeram recordar os zumbis, seres mecânicos, andarilhos ausentes, o rosto coberto com lenços e máscaras cirúrgicas.

Foi Rosalie, com alguma ajuda da mãe destemida, que organizou a reunião no Café Ideal em Blooming Field. Lorelei Kavacek tinha negócios para resolver na cidade e marcara uma reunião conosco. Apesar de a mulher ser para mim um zero à esquerda, invoquei para ela uma persona vaga com base na escassa informação que havíamos coletado. Lorelei morava com uma mulher reclusa, ligada ao meu pai e à comunidade onde ele foi criado. Era manca e, pelo menos por associação de ideias, reticente. Esses fragmentos devem ter me levado de volta para as velhas que conheci na infância e para as histórias que ouvi a respeito delas. Lembrei de ter visto as velhas irmãs Bondestad quando caminhavam de braços dados pela estrada poeirenta, de vestido preto e comprido. Quando o pai delas morreu, em 1920, envergaram trajes de luto e nunca mais tiraram. Haviam cozinhado, arado a terra e trabalhado na colheita sempre vestidas de preto. Acho que misturei essas irmãs com Norbert Engel, o eremita local, de quem guardo apenas uma lembrança: um homem pequeno, magro e musculoso está sentado num toco embaixo das árvores — rosto moreno enrugado, alguns dentes marrons, vestindo roupas se não marrons, pelo menos pardas. Enrola um cigarro entre os dedos amarelos e seus movimentos insanos me deixam espantado. O nome Lorelei sem dúvida acrescentava uma aura de lenda à imagem gótica que pairava de modo vago na minha consciência: uma mulher idosa, queimada de sol, magra feito uma vara, arrastando uma perna morta atrás de si, vestida em roupas que pareciam as roupas de luto das irmãs Bondestad. No entanto, eu não estava consciente dessa fantasia até que Lorelei Kavacek a dissipou de todo ao entrar pela porta.

Ela mancava, mas havia nitidamente adquirido um controle do seu modo de andar a fim de minimizar o aspecto de pessoa deficiente. O resto dela nada tinha de parecido com uma respeitável mulher de Minnesota do estilo antigo. Tinha o corpo cheio, mas não era gorda. Vestia uma blusa de algodão de manga curta feita de um pano xadrez em cores pastel, saia azul-marinho bem abaixo dos joelhos, meias e sapatos resistentes. Calculei que sua idade ficava em torno dos sessenta, mas podia ser mais jovem ou mais velha. Depois que sentou à mesa, Lorelei alisou a saia e colocou sua bolsa no colo, uma peça retangular e dura, com uma fivela grande. Quando nos apresentamos, ela olhou para cada um de nós por um momento, com olhos grandes e ligeiramente saltados. Deduzi que nunca tinha sido bonita, mas apesar de suas faces e do seu pescoço pendentes, a pele era tão lisa que parecia nunca ter sido tocada pelo sol. Pedimos café e ela disse, numa voz repleta das vogais compridas do Minnesota: "Minha tia se lembra do seu pai, mas disse que nunca mais o viu desde antes da guerra, mas leu algumas matérias de jornal sobre ele".

Enquanto Inga falava da carta e do seu conteúdo, continuei a olhar para Lorelei e, apesar de ela não se parecer em nada com a imagem semiconsciente que eu tinha visto em pensamento, sua presença evocou um sentimento da minha infância. A princípio, não consegui entender o que era, mas depois de alguns segundos me dei conta de que ela cheirava a uma água-de-colônia que eu não era capaz de identificar, mas que havia pairado no ar do porão da igreja luterana de são João em "muitos domingos". A expressão me veio na hora, sem dúvida um efeito da recordação, que no mesmo instante trouxe consigo um sentimento vizinho à afeição. "Sabe, ela não vê mais ninguém", me disse Lorelei Kavacek. "Nunca."

Inga inclinou-se para a frente. "Sabemos do incêndio e da mãe da senhora Kavacek. Falamos com o senhor Odland alguns dias atrás." Minha irmã pronunciou o nome com sotaque norueguês, com um "O" longo. Deve ter sido difícil para ela achar aquele sotaque depois de tantos anos.

"Por aqui a gente diz '*Odd*-land'."

Inga corou. "É claro", disse.

O rosto da mulher se alterou e seus grandes olhos sem cor de repente pareceram remelentos. "Quanto à outra — um mau negócio. É como ser a pessoa errada a vida inteira. Contudo ela diz que sempre teve uma sensação disso, como se estivesse sentindo a falta do fígado ou de algum órgão assim dentro dela." Depois de uma pausa, suspirou e olhou para Rosalie. "Deixe-me ver, eu moro com a minha tia Lisa já faz uns trinta anos agora. Pouco antes de eu ir morar com ela, Walter achou os documentos do divórcio e logo tirou suas conclusões."

"Por que ela não vê ninguém?", perguntou Inga.

Lorelei balançou a cabeça, mas esquivou-se dos olhos de Inga e notei que segurava a bolsa com as duas mãos, como que para firmar-se melhor. "Simplesmente um dia ela parou de sair de casa. Não vai dizer isso, mas tem medo. Tentei levá-la para conversar com o pastor Wee, mas ela não quis nem falar sobre o assunto." A mulher olhou para a caneca branca de café. "Ficou perturbada com aquilo, o negócio do pai de vocês. Era uma época difícil. Ela é uma mulher velha e tem o direito de viver do jeito que preferir. Agora a situação está mais bem-arrumada e o nosso pequeno negócio tem feito bem para ela."

"Que ramo de negócio é esse?", perguntei.

"Brinquedos", respondeu, como se fosse a coisa mais natural do mundo. "Não qualquer brinquedo. Mandamos alguns para a cidade de Nova York." Lançou um olhar desconfiado para Inga. "É de lá que *vocês* são, não é?", perguntou bruscamente.

"Erik e eu moramos lá agora", respondeu Inga. "Nós *somos* daqui mesmo."

Lorelei levantou as sobrancelhas numa expressão que podia significar desaprovação, descrença ou irritação. Olhou com dureza para Inga, torceu o nariz, mas não disse nada. "A tia Lisa sempre fez brinquedos, mas foi ideia minha vender. Eu tive uma oficina de costura por vinte anos, junto com Doris Goodly, e não consegui tocar o negócio depois que Doris morreu, mas eu tinha uma queda para aquilo e também energia para trabalhar. A atividade trouxe um certo orgulho para a minha tia." A mulher se aprumou, como se o negócio também tivesse acrescentado algo a ela mesma.

"Vocês fabricam brinquedos na casa de vocês?", perguntei.

"Todos feitos à mão. Não estamos ficando ricas com isso, Deus é testemunha, mas dá para nos alimentar e nos vestir. Mandei um par de bonecos para Berlim na Alemanha, bem, deixe-me ver, faz duas semanas."

"Um par?", perguntou Inga. Minha irmã inclinou-se para a frente, pôs os cotovelos sobre a mesa e apoiou o queixo nas mãos em concha.

"Uma mãe e um menino", respondeu Lorelei.

"Bonecos." Inga soprou a palavra com alegria. "Vocês fazem bonecos."

"Bonecos de todo tipo", respondeu a mulher.

"A gente pode ver?", perguntou Inga.

"Não vai fazer mal, eu acho. Vou falar com a tia Lisa. Alguns deles são proibidos — peças da herança. Ninguém vê, só nós duas."

"Peças da herança", repetiu Inga, de olhos arregalados. "O que isso quer dizer?"

Em resposta, Lorelei deu uma palmadinha na sua bolsa. "Coleção particular."

Inga estendeu o braço e, muito delicadamente, com três dedos da mão, tocou no braço branco e rechonchudo de Lorelei. Eu tinha visto Inga fazer aquele gesto centenas de vezes. De vez em quando eu me perguntava se ela sabia que estava fazendo aquilo; creio que o gesto confirmava para Inga que ela estava de fato travando um diálogo, que estava de fato em contato com alguém. Achei que sua interlocutora fosse se retrair, mas não fez isso. "Você sabe, não é?", disse Inga. "Você sabe o que aconteceu com Lisa e o nosso pai."

O rosto de Lorelei Kavacek virou uma máscara e ela apertou a bolsa com mais força. "Não tenho liberdade para dizer", respondeu, "não teria essa liberdade mesmo, de um jeito ou de outro."

Depois disso, não aconteceu nada de relevante. Ficou combinado que íamos telefonar para Lorelei para saber se era possível ver os brinquedos. Observamos Lorelei caminhar até o seu carro. Abriu a porta da frente, que corria para o lado, e recuou um pouco antes de manobrar a perna defeituosa e colocá-la na posição adequada para dirigir. Depois que o carro partiu, vi que o tempo havia mudado. O céu adquirira uma coloração de crepúsculo e a árvore comprida em frente à janela se curvava com um vento novo e forte. Vai chover, pensei, uma autêntica tempestade de junho. Minutos depois, quando saímos do Ideal Café, o céu abriu e a chuva desceu em rajadas grossas e caudalosas. Minha última recordação daquele encontro com Lorelei Kavacek num café não é dela, mas da minha irmã e de Rosalie correndo pela rua juntas, de mãos dadas, as duas com o rosto virado para cima, enquanto gritavam e riam como duas meninas do tempo de escola.

"Viu o olhar que Lorelei deu para mim?", perguntou Inga naquela noite, enquanto a chuva caía do lado de fora da janela da minha mãe. Aquele simples olhar parecia ter aberto uma porta para todo um mundo de crueldade provinciana. Inga se lembrou da sua inimiga na sexta série, Carla Screttleberg, e das outras garotas maldosas que a chamavam de "esquisita", "falsa" e "esnobe". Lembrou-se do professor que, no ensino médio, a chamava de "metida" por escrever uma redação sobre Merleau-Ponty, e dos olhares frios dos colegas estudantes na faculdade Martin Luther. A ironia era que, na verdade, Inga sofria de uma falta de artifícios defensivos e de um excesso de sinceridade e de paixão, um talento para a exuberância que intimidava os outros e tornava as pessoas hostis. Por baixo do olhar de Lorelei, que eu havia interpretado como insegurança e Inga, como desprezo, havia um emaranhado de relações de classe, igualitarismo da roça, além de pura e simples natureza humana. Quando olhei para minha irmã do outro lado da mesa, percebi que ela vestia uma blusa branca e sem mangas e uma calça estreita e azul-escura que, apesar da simplicidade inócua, tinham um brilho de coisa cara, um traço das roupas que sempre me deixou desconcertado, mas que todavia se torna aparente na mesma hora. Lorelei na certa era apenas dez anos mais velha do que minha irmã, mas na aparência o abismo entre ambas era enorme, e compreendi que, apenas por ser ela mesma, Inga podia ser tomada como um insulto. Por outro lado, Inga, que sentia de modo contundente a sua idade e a sua solidão, não poderia mesmo apoiar os preconceitos que houvesse contra ela.

"Até o nosso pai falava dos esnobes da cidade", falei, sorrindo para minha irmã. "Mas toda diferença perceptível, por mais leve que seja, pode se converter num argumento a favor da Alteridade — dinheiro, educação, cor da pele, religião, partido político, penteado, qualquer coisa. Inimigos são revitalizadores. Malfeitores, jihadistas, bárbaros. O ódio é estimulante, contagiante e, de forma conveniente, elimina toda ambiguidade. A gente apenas vomita o nosso lixo em cima de outra pessoa."

"Depois da guerra", disse minha mãe, "puseram no ostracismo os filhos dos soldados alemães com mulheres norueguesas. *Tyskeunger*. Moleques alemães. Como se aquelas crianças tivessem culpa de alguma coisa."

"A injustiça devora a alma da gente", disse Inga. "Tenho pensado no fato de o papai não ter escrito sobre a calamidade da febre aftosa nas suas memórias. Deixou isso de fora."

"O que foi que aconteceu?", perguntou Sonia.

"Um inspetor do governo foi à fazenda. Não sei em que ano isso aconteceu. Ele disse que os animais estavam com febre aftosa e tinham de ser sacrificados", falei. "Eles não podiam fazer nada. O inspetor tinha a autoridade e os animais foram mortos. No final se viu que o homem estava enganado. Os animais foram sacrificados por nada."

Sonia falou devagar: "Então o vovô deve ter *visto* os animais mortos".

Imaginei as enormes carcaças, as vacas e os cavalos, depois o estábulo vazio, a visão triste.

"Algumas recordações fazem sofrer demais", disse Inga.

"Quando ele foi embora de casa, foi para onde?", perguntei para minha mãe. "Onde você o encontrou na vez em que ele ficou a noite inteira fora de casa?"

Minha mãe me olhou de modo severo. "Eu não sabia que vocês sabiam disso. Eu não queria preocupar vocês, e o seu pai sempre saía de casa tão cedo para trabalhar. Pensei que vocês não soubessem."

"Na vez em que estou pensando agora, eu o ouvi sair de casa", disse Inga. "Fiquei acordada esperando ele voltar."

"De manhã", disse minha mãe, "comecei a procurar por ele, primeiro no seu escritório, depois na biblioteca. Ele não tinha de dar aula naquele dia. Eu estava diante das estantes de livros tentando imaginar aonde ele podia ter ido, e então me veio a ideia. Foi alguns meses depois da morte do avô de vocês e a sua avó tinha começado a ficar fora da fazenda nos meses frios, de modo que não tinha ninguém morando lá. Era o final de outubro, eu acho."

"E o vovô estava lá?", disse Sonia. "Na fazenda?"

"Eu o achei dormindo no primeiro andar, na cama do pai dele."

"Vinte e sete quilômetros", disse Inga. "Ele deve ter caminhado a noite inteira."

"O que foi que ele disse?", perguntei.

"Nada", respondeu minha mãe. "Parecia desorientado quando o acordei, mas quando comecei a explicar como eu tinha ficado preocupada e aflita, ele não respondeu, ou melhor, agiu como se não tivesse acontecido nada de extraordinário."

Ele foi para a sua antiga casa. Não tinha ninguém lá, mas ele foi para a sua casa. Não é que ele amasse o lugar, mas algo naquele local o atraía para lá.

"Quando Hildy estava muito doente", continuou minha mãe, "anos depois de Ivar ter morrido e não muito antes de ela mesma morrer, eu estava sentada perto da cama e estávamos conversando. Sem mais nem menos, ela começou a falar em voz bem alta: 'Eu devia ter tratado melhor o Ivar. Eu devia ter tratado melhor o Ivar'."

O rosto de Sonia se desfez. Vi sua boca e seu queixo tremerem. No mesmo instante, minha mãe virou a cabeça para olhar para a neta. Inga, com os olhos em Sonia, hesitou, depois pôs os dedos sobre o prato da filha, não na sua mão ou no seu braço. "Tenho de ir ao banheiro", disse Sonia, que em seguida se levantou e deixou a mesa.

A língua muitas vezes é frágil, pensei, um palavrório ralo, feito de conhecimentos destituídos de qualquer sentido real, porém, quando estamos carregados de emoção, falar pode ser torturante. Não queremos deixar que as palavras saiam, porque aí elas também vão pertencer a outras pessoas, e isso é um perigo que não queremos correr.

Para grande frustração de Inga, não tivemos permissão de visitar a casa de Kavacek nem de ver a "tia Lisa", mas Lorelei aceitou trazer alguns bonecos para a casa de Rosalie, onde todos teríamos permissão de vê-los. No entanto, só quando chegamos ficamos sabendo que Rosalie havia seduzido a fabricante de bonecos dizendo para ela que éramos "abonados" e que ela poderia fazer uma boa venda. Na última tarde da nossa visita, Sonia, Inga, minha mãe e eu fomos de carro até a grande casa branca na zona leste da cidade, onde Rosalie, seu marido veterinário, chamado Larry, e seus três filhos, Derek, Peter e Michael, apelidado de Ferrugem, moravam havia anos.

Nós nos instalamos na sala de estar espaçosa, que parecia a réplica de um depósito de equipamento esportivo, vários suéteres de ginástica, diversos pares de tênis grandes, o suprimento de um mês inteiro de jornais e de um ano de revistas, bem como diversos objetos usualmente encontrados numa cozinha: uma frigideira, xícaras para medir os ingredientes, e três ou quatro vidros de tempero, um dos quais tinha derramado suas folhas verdes e mortas em cima da mesinha de café, perto de um pote que continha um líquido marrom, de aspecto repugnante.

Depois de lançar um olhar para a mesa, Rosalie levantou as palmas das mãos para cima e exclamou num horror zombeteiro: "Meu Deus do céu, o trabalho de ciências do Ferrugem parece que está se reproduzindo". Depois, numa voz grave, berrou: "Ferrugem!".

Quando ficou claro que o Ferrugem não ia aparecer, ela berrou de novo. Enquanto Inga e Sonia demonstravam achar muita graça, minha mãe, fiel à sua criação, removeu cuidadosamente três meias esportivas sujas da cadeira que Rosalie lhe havia oferecido, colocou-as sobre a mesa, sentou-se na sua cadeira e cruzou as mãos sobre as pernas.

Quando o jovem cientista entrou na sala, usava calção curto e camiseta com uma caveira estampada. O símbolo da morte não combinava nem um pouco com o seu rosto suave, encabulado, benfeito, e com seu corpo atlético. O garoto, que parecia ter seus treze ou catorze anos, olhou algumas vezes para a graciosa Sonia, enquanto limpava os restos da sua experiência, resmungando: "Eu não sabia que ia ter visitas".

Quando a campainha da porta tocou, Rosalie agarrou algumas peças de roupa que estavam jogadas na única cadeira ainda desocupada, correu para um armário, jogou-as lá dentro e, com um piscar de olho para nós, correu saltitante para abrir a porta.

Lorelei apareceu, muito semelhante à maneira como a tínhamos visto da outra vez, mas agora estava um pouco mais bem-vestida, usava uma elegante blusa engomada, cor de mel, e uma saia verde. Colocou sobre a mesa três caixas do tamanho de uma caixa de sapato e as abriu uma depois da outra.

O primeiro boneco a surgir tinha uns quinze centímetros de altura, uma figura de menina com tranças compridas feitas de fios castanhos e compridos, usava um vestido azul com saia comprida. Até onde eu podia ver, era toda feita de pano, mas devia ter algum arame por dentro para permitir que a boneca mantivesse o formato. Nunca dei muita atenção a bonecas, mas ao ver aquela tomei consciência de que a maioria exagera um traço ou outro — cabeça e olhos grandes, por exemplo, ou corpos compridos ou curtos demais. As proporções daquela boneca pareciam precisas. Os detalhes, não só nas roupas, mas no pequeno rosto bordado, eram tão delicados que minha mãe soltou um suspiro quando ela foi posta na nossa frente. A boneca tinha uma perna engessada, e logo depois Lorelei pegou duas muletas na caixa e as colocou embaixo dos braços da boneca.

"Ruth. Ela caiu da escada *em casa.*" Murmurou esse comentário num tom misterioso, como se falasse para si mesma.

Ninguém respondeu. Quanto mais eu olhava para a boneca, mas eu via. Ela parecia ter uma casquinha de ferida no joelho esquerdo que, quando observada com mais atenção, se percebia ser um bordado, mas também havia alguns detalhes pintados — o tom corado das faces, as pequenas sardas, uma contusão azulada no cotovelo e unhas minúsculas. Não que a boneca parecesse uma miniatura de gente, mas os múltiplos gestos no sentido do realismo produziam um efeito misterioso. Era como se o brinquedo pertencesse a um universo com leis e lógica similares às nossas. Era um brinquedo mortal que vinha de um mundo onde as crianças caíam, quebravam os ossos, punham gesso e precisavam de muletas.

Depois disso, Lorelei pegou a boneca de uma velha, vestida num camisolão de flanela comprido, e colocou-a sobre uma cama estreita. O tecido do rosto tinha sido dobrado e costurado a fim de imitar uma rede de rugas, e seu cabelo de linhas era curto, branco e esfiapado. Notei também a forma do corpo da boneca por baixo das suas roupas de dormir — os seios caídos, a barriga flácida e as pernas finas e compridas. Lorelei cobriu a boneca com uma colcha e virou sua cabeça para o lado.

"Olhem só as veias nas mãos e nos pulsos", disse Sonia. Ela

havia deixado a cadeira e estava ajoelhada no chão junto à mesinha de café. Ferrugem estava perto dela, seu rosto era uma mistura de pasmo e repulsa. "É triste", disse Sonia. "Coitadinha."

"Milly", disse Lorelei, "no dia em que morreu."

Comecei a sentir que eu tinha me enganado a respeito de Lorelei Kavacek. A matrona firme e pragmática, com seus sapatos marrons e suas meias elásticas para a circulação, tinha uma história para cada boneco. Toda aquela iniciativa estava, no mínimo, impregnada de excentricidade, e fiquei imaginando o que as duas mulheres estariam vivendo por intermédio daqueles bonecos. Recordei um paciente que me contou que, quando assistia a filmes, "entrava nos filmes, entrava mesmo. Eu estava lá dentro. Eu era eles".

O terceiro boneco era um homem de meia-idade, de macacão e botas de trabalho. Lorelei o colocou em uma cadeira estofada, onde ele ficou sentado, recurvado, com a testa apoiada na mão e a outra mão sobre o colo, segurando um minúsculo pedaço de papel. Era, de longe, o mais perturbador dos três bonecos, tinha os olhos fechados e a boca torcida numa expressão de dor. Minha mãe, postada junto à mesa, inclinou-se para baixo e perguntou para Lorelei se podia tocar no boneco.

Lorelei fez que sim com a cabeça e minha mãe tocou, por um breve momento, o dedo indicador na camisa de flanela do boneco, em seguida recuou a mão. "Quem é ele?", perguntou.

Rosalie estava a poucos centímetros da pequena carta. "Lamentamos informar-lhe", disse ela. "É um caso de guerra."

"Arlen", disse Lorelei. "Logo depois de receber a notícia sobre o filho, Frank."

"O que vem primeiro", perguntei, "a história ou o boneco?"

"Ora, a história, é claro. Não dá para fazer um boneco sem saber quem é e o que aconteceu com ele."

"Devem custar muito caro", disse Inga. Achei que seu rosto

pareceu um pouco abatido e sua voz tinha um tom arquejante. "Quanto tempo vocês demoram para fazer um boneco?"

"Meses. Temos o Buster, que faz a mobília para nós — de encomenda. Ele mora em Blooming Field."

"E o preço?", disse Inga.

"Depende. Começa por volta de quinhentos."

"Posso imaginar", disse Inga. Baixou os olhos para a boneca da velha e, num gesto acintosamente similar ao de minha mãe alguns segundos antes, tocou na manga da camisa da velha. "Muito obrigada", disse ela. "Vou ter de pensar melhor."

"Tenho mais", disse Lorelei. "Posso mandar fotos."

"Sim", disse Inga, com aspecto um tanto aturdido. "Sim, vou lhe dar o meu endereço."

Depois que Lorelei anotou a informação de Inga, guardou com cuidado os bonecos dentro das caixas. Em seguida, sem a menor cerimônia, cumprimentou a todos com a cabeça e disse, como tinha dito antes: "É melhor ir embora". Nós a observamos sair pela porta. Mancava, mas com um resoluto ar de triunfo em seus passos.

Quando ouvimos o motor do seu carro ligar, Sonia disse: "Eram mesmo tão estranhos quanto eu achei que eram?".

"Sim", respondeu minha mãe. "Eram, sim."

"Você não está pensando de fato em comprar um daqueles bonecos, está?", perguntou Rosalie, dirigindo-se a Inga.

Minha irmã não lhe deu ouvidos. Estava num de seus "estados de morta", como eu os chamava quando éramos crianças. Os olhos de Inga estavam fixos, mas não fitavam nada de específico na sala. Estava profundamente concentrada em algum pensamento interior. Quando a pergunta foi repetida em tom mais alto, Inga olhou para a amiga e disse: "Sim, acho que sim. Acho que quero para mim uma daquelas pessoazinhas feridas".

"Acabamos encontrando a história errada", disse Inga para mim no avião de volta para Nova York. "Estávamos procurando uma história e topamos com outra."

"O incêndio, as mortes, o esconderijo e as mentiras."

"Tenho certeza de que elas achavam que eles a estavam protegendo."

"Sem dúvida", falei, "mas esse tipo de proteção nunca dá certo. Lisa sempre sentiu que havia alguma coisa errada."

"Lorelei sabe", disse Inga. "Tenho certeza disso, mas duvido que um dia vá nos contar. Você viu o rosto dela na hora em que embrulhava aquelas pessoas minúsculas? Era como se estivesse dizendo: 'Deixei no chinelo essa gente metida a besta lá de Nova York'."

"Os bonecos eram um tipo de testemunho."

Inga fez que sim com a cabeça. "Revelar, mas sem revelar. Se nós soubéssemos o que foi que aconteceu entre o papai e Lisa, se soubéssemos quem morreu e como, talvez o compreendêssemos melhor. Os segredos podem definir uma pessoa." Lançou um olhar para Sonia, que estava dormindo a sono solto na poltrona da janela transversal a nós. "Todo dia penso no fato de que ela sabia a respeito *deles* e não dizia nada. É como uma faca dentro de mim. No entanto, quando conversamos, eu não fui capaz de mencionar o Joel para ela." Baixou a voz até um sussurro. "E se ela tiver mesmo um irmão? Tenho pensado nisso. Não seria uma coisa muito errada manter irmãos separados? E, no entanto, o que são eles um para o outro, na verdade? Quer dizer, o que a biologia significa num caso como esse?"

"A biologia tem um grande poder sobre as pessoas", respondi. "Pense em todas as crianças adotadas que continuam a procurar os pais 'verdadeiros'."

"O DNA revela com segurança se existe um laço genético?"

"Sim."

"Isso também parece um pouco brutal. Vamos ser bons com você se os seus genes mostrarem que você é nosso parente, mas se não for, vamos ignorar você." Inga apalpou o livro no seu colo. Notei que era sobre Hegel e baixei os olhos para ver um desenho da cara do filósofo na capa.

"Ele teve um filho ilegítimo." Bateu de leve no livro. Ludwig. Hegel e sua esposa ficaram com ele por um tempo, mas não deu certo." Inga pareceu cansada. Virou-se para a janela como que para me dizer que não queria mais conversar.

"Você tem de contar para ela", falei.

"Eu sei", respondeu. "Vou contar."

Tantas coisas para esconder, pensei, e depois me lembrei de estar sentado diante de P. na Ala Norte, ouvindo sua voz miúda e séria. *Eu não me recordo quando comecei a machucar a mim mesma: queria poder recordar.*

"Em que está pensando?"

"Em uma garota que tratei em Payne Whitney."

"Deve ter sido um alívio não ter de trabalhar mais lá. Deixava você esgotado."

"Sinto saudades."

"É mesmo?"

"Sinto saudades dos pacientes. É difícil definir, mas quando as pessoas estão em dificuldades desesperadoras, alguma coisa se desfaz. A pose que é parte do mundo comum desaparece, aquela falsidade do tipo 'Como vai? Vou bem, obrigado'." Fiz uma pausa. "Os pacientes podem estar furiosos, emudecidos ou até violentos, mas existe neles uma premência existencial que é revigorante. A gente se sente próximo da verdade nua e crua daquilo que são os seres humanos."

"Sem hipocrisia, como diria o papai."

"É isso mesmo, sem hipocrisia. Mas tenho de admitir que não sinto saudades da burocracia nem das ordens que vinham de cima. Faz um mês que encontrei uma antiga colega de lá, Nancy Lomax. Ela ainda está trabalhando nos plantões. Contou-me que os pacientes agora são oficialmente chamados de *clientes*."

"Isso é revoltante."

"Isso são os Estados Unidos."

Quando cheguei, a casa parecia vazia. Não ouvi vozes no térreo e imaginei que minhas duas inquilinas também tinham tirado férias. *Coitada da luva!*, pensei, e retornei a minha existência solitária. Embora eu tenha ouvido as duas voltarem no domingo, já tarde, só vi Miranda e Eggy no sábado seguinte. Dobrei a esquina da rua Garfield com a Oitava Avenida e avistei as duas com Lane, perto do parque. Ele estava agachado com sua câmera a postos, enquanto Miranda fazia um gesto defensivo com as mãos e Eggy escondia o rosto no vestido da mãe. Segundos depois, Lane baixou a câmera e os três tomaram posições diferentes e mais relaxadas, mas a imagem que guardei na mente foi a primeira — Miranda com as palmas das mãos viradas para a frente, diante do rosto, a forma encolhida de Eggy e a energia intensa, quase explosiva, do corpo de Lane enquanto tirava suas fotos. Talvez eu tenha querido me concentrar naqueles segundos de discordância porque eles me tranquilizaram. Qualquer que fosse o motivo, aquela imagem dos três sob a luz do sol se fixou na minha memória e se consolidou com o tempo, até virar agora uma fotografia em cores, estática e isolada, num álbum de família.

* * *

No domingo, no final da tarde, eu estava lendo um artigo que Burton havia mandado para mim alguns dias antes quando a campainha da porta tocou. Através do vidro da porta, vi Eggy parada na escadinha, com uma mochila muito cheia pousada no chão. Ela estava com um boné de beisebol, saia cor-de-rosa felpuda que parecia grande demais para ela e botas pretas de borracha. Quando abri a porta, Eggy olhou de baixo para mim, com os olhos trágicos. Não respondeu ao meu cumprimento, mas quando a convidei para entrar percebi que virou a cabeça a fim de olhar para trás. Eu não disse nada, mas desconfiei que Miranda sabia que a filha tinha vindo bater à minha porta.

Eggy arrastou a mochila muito cheia e esfarrapada, tirou o boné e andou devagar para dentro da sala de estar, com a mão no coração. Respirou fundo e ruidosamente várias vezes antes de sentar e recostar a cabeça nas almofadas, com as pálpebras trêmulas e frouxas.

"Estou vendo que você não está se sentindo bem", falei.

Eggy pôs as costas da mão sobre a testa e soltou uma longa corrente de ar pela boca. Pensei em *A luva*. Também recordei de repente que, na terceira série, eu fingi que estava mancando depois de levar um tombo. Continuei fingindo durante horas.

"Meu peito dói por dentro e meus olhos também não estão funcionando muito bem."

"Que pena ouvir isso."

"Pois é", disse Eggy, olhando para o corredor, antes de continuar: "Talvez eu tenha de tomar pílulas que nem o vovô. Ele tem pressão alta, sabe?".

"É muito raro isso acontecer com crianças."

Ela pareceu pensativa por alguns segundos e então falou em voz baixa: "Minha outra avó e meu outro avô morreram num acidente de carro". Com essa afirmação, sua fisionomia se alterou e o seu sofrimento pareceu autêntico. Eglantine se inclinou para a frente, com os olhos fixos nos meus. "Morreram na mesma hora." Devia ser uma citação. Será que o pai havia contado aquilo, ou a mãe?

"Deve ser assustador pensar nisso."

"E é mesmo." Parecia procurar mais alguma coisa para falar. "Eu podia ir morar com o meu pai."

"Vai deixar sua mãe?"

Os pés de Eggy calçados em botas balançavam a alguns centímetros do chão, e ela começou a sacudi-los nervosamente para a frente e para trás. "Ele me deixa fazer uma porção de coisas. Vai me levar ao parque de diversões Six Flags." Apesar do otimismo da sua frase, Eggy tinha um aspecto desalentado.

"Parece bem legal", falei. "Mas você não está com uma cara muito contente. Parece triste."

Eggy virou-se para a janela. Seu rosto se iluminou e, um segundo depois, ouvi a campainha da porta. Atendi, fiz Miranda entrar na sala e nós dois olhamos para Eggy, que agora estava estirada no sofá, a mão no peito outra vez, piscando os olhos furiosamente.

"Eglantine está sofrendo alguns sintomas físicos", falei para Miranda.

Miranda parou a alguns metros da filha e cruzou os braços. "Sim, ela tem passado um bocado de tempo com a enfermeira na colônia de férias, não é mesmo, Eggy? O coração, os olhos, o estômago, a cabeça, os braços, as pernas, tudo está ruim."

Miranda sorriu para mim por um instante e depois se virou para Eggy, que respirava arquejante e tinha começado a gemer. Miranda caminhou até o sofá e, depois de ajeitar as pernas de Eggy, acomodou-se ao lado dela. Pegou o braço da filha e começou a acariciá-lo. "Isso ajuda?", perguntou.

Eglantine fez que sim com a cabeça.

Miranda levou os lábios à testa da filha e começou a beijá-la. Em seguida, beijou o seu nariz, as bochechas e o queixo. "E que tal isso?"

Eggy fechou os olhos. A mãe continuou a beijar seus braços e mãos, bem como o ponto desnudo entre a camiseta e a saia.

"Isso é bom?", sussurrou Miranda.

Observei os braços de Eggy envolverem a mãe. "Não está de saco cheio de mim, mãe, está?" Pronunciou a expressão "de saco cheio" com muito cuidado, como se fosse numa língua estrangeira.

Miranda inclinou-se para trás alguns centímetros e olhou para Eglantine. "O quê?"

"De saco cheio, você disse que estava de saco cheio."

"Quando?"

"Quando estava desenhando. Eu ouvi."

"Não estou de saco cheio de você. Nunca vou deixar de querer bem a você, Eggy Weggy. Do que é que você está falando?"

Sentei numa cadeira e observei as duas. Os olhos de Eglantine estavam arregalados enquanto fitavam o rosto da mãe. "Achei que você estava de saco cheio de mim porque sou muito...", Eglantine respirou fundo e soltou a palavra, "difícil."

"Você, difícil?" O rosto de Miranda se abriu num sorriso e ela deu uma risada: "Mas que ideia".

A filha sorriu em resposta, depois enterrou a cabeça no pescoço da mãe e começou a beijar Miranda com paixão. "Mamãe", disse ela. "Ah, minha mãezinha."

"Agora a gente pode ir para casa?", perguntou Miranda. "Tenho certeza de que o Erik tem outras coisas para fazer."

"Me leve no colo", pediu Eggy. "Por favor, me leve no colo, quero que me leve no colo."

"Você já é grande, Eggy", disse Miranda.

E assim eu e ela carregamos juntos a pequena falsa doente. Miranda agarrou a menina por baixo dos braços e eu peguei pelas pernas. Transportamos a menina pela escada, balançamos seu corpo para um lado e para o outro no corredor e corremos com ela para dentro da sala do apartamento. Eggy ria durante todo o caminho. Deixei as duas enlaçadas sobre o sofá azul. Quando fechei a porta, ouvi Miranda cantando uma melodia doce que eu nunca tinha ouvido. Sua voz era fina, mais aguda do que eu esperava, e ela cantava afinada todas as notas.

Naquela mesma noite, liguei para Laura Capelli. A pequena cena ocorrida na minha sala entre Eggy e Miranda estava, sem dúvida, por trás da minha repentina decisão de procurar outra mulher. Durante a tarde, eu tinha visto uma Miranda diferente. Com a filha, tinha sido afetuosa, franca, terna e cheia de humor. Seus instintos com Eggy foram certeiros, e me dei conta de que aqueles mesmos instintos a tornavam cautelosa e distante em relação a mim. Laura morava a apenas sete quarteirões da minha casa e, quando perguntei se gostaria de jantar comigo no bairro, ela disse: "Claro, por que não?". Apesar da resposta ambígua, seu tom de voz era carinhoso e, na sexta-feira, dia do nosso encontro, me vi ansioso para encontrá-la.

Quando ela entrou no restaurante, eu já estava sentado à mesa, e a primeira coisa que percebi foi que vestia uma blusa decotada que deixava à mostra boa parte da linha entre os seios, o que significava que durante o jantar eu teria de evitar que os meus olhos descessem para os seus seios. Ocorreu-me também que, por ser uma psicoterapeuta, ela não descuidaria do significado das roupas, e no entanto muitas vezes me surpreendi com a obtusidade dos meus colegas de profissão quando se tratava das suas próprias ações, por isso disse a mim mesmo para não tirar conclusões apressadas.

Laura Capelli falou, riu e comeu com empenho. Tinha a pele azeitonada e o cabelo quase preto, que formava cachos ao redor do rosto. Os seios eram grandes, redondos e perturbadores. Sua atividade clínica era intensa, tinha um ex-marido e um filho de treze anos que andava obcecado pelo próprio cabelo. O garoto passava uma hora no banheiro toda manhã, com cremes e escovas, para deixar o cabelo bem-arrumado, mas quando a mãe comentou que o seu penteado era forçado, o garoto olhou bem para ela e disse: "O meu cabelo?". Depois que Laura raspou um prato de *crème brûlée* e comentou o que ela julgou um apetite frugal para um homem do meu tamanho, nós nos vimos na rua e eu disse que ia levá-la para casa.

Quando me curvei para beijá-la na calçada, ela me agarrou pela cintura com os dois braços num abraço apertado, e depois disso tudo fluiu sem transtornos. Ela me levou silenciosamente para dentro da sua casa, passou pela porta do quarto do filho com o dedo atravessado sobre os lábios, subimos um lance de escadas, entramos no seu quarto, onde nos jogamos sobre a cama e começamos a manipular botões e zíperes, os quais, depois de uma breve luta, se renderam. Encontramos a boca e a língua um do outro e rolamos por cima e por baixo e para dentro um do outro. A pele dela cheirava a talco e baunilha e tinha um gosto um pouco salgado, e durou tanto tempo que eu tive de me conter, e me contive até saber que ela estava gozando. Laura estava sentada em cima de mim e nessa altura o nosso ritmo tinha se tornado regular e lento, ela inclinou a cabeça para trás, fechou os olhos e arquejou, como se estivesse sufocando um grito. Segundos depois, tive de me soltar e ficamos deitados lado a lado sobre os lençóis azuis e brancos. E então Laura sentou e soltou uma gargalhada. Sentei-me ao seu lado na cama enquanto ela tentava abafar os risos que escapavam, que tinham um tom histérico evidente. "Meu Deus, Erik, meu Deus", sussurrou, enquanto cobria a mão. Ficamos deitados lado a lado durante uma hora depois disso, falando em voz baixa, mas eu senti que ela estava nervosa, com medo de que o filho acordasse, e tratei de ir embora passando na ponta dos pés pela porta do quarto de Alex, desci a escada e saí para a praça St. John.

Eu me vi na Sétima Avenida por volta das duas da madrugada. O ar da noite estava mais frio do que eu esperava e pequenos grupos de adolescentes ainda se encontravam na rua, inebriados, se empurrando de leve com os cotovelos e os braços, apoiando-se pesadamente um no outro, rindo de forma teatral para chamar a atenção. Os efeitos do vinho que eu havia bebido mais cedo tinham se desfeito fazia já algum tempo. Agitado com a minha aventura, achei que era impossível dormir, e assim, quando cheguei à rua Garfield, não virei, mas segui em frente ao longo das lojas fechadas, mantive os passos num ritmo firme enquanto passava por pedestres solitários acompanhados por cachorros e uns quantos namorados que andavam abraçados enquanto seguiam para uma cama em algum lugar, e só parei quando cheguei à rua Vinte, onde o cemitério Green Wood se estendeu à minha frente, seus túmulos e monumentos pálidos à luz mortiça dos postes de iluminação da rua. Os seios de Laura voltaram ao meu pensamento, brancos abaixo do peito queimado de sol. Lembrei suas nádegas pálidas no ar e seus gritos sufocados por um tremor erótico, mas a lembrança do seu corpo já parecia um tanto remota, visões recentes em fuga.

Quando dei meia-volta, segui para a Oitava Avenida e depois ao longo do parque, enquanto imagens surgiam uma a uma, algumas inventadas dos relatos de outras pessoas, algumas vagas compilações de momentos recorrentes, outras intensas e claras por um tempo, mas que chegavam e iam embora no intervalo em que meu pé batia no asfalto, um devaneio ritmado. Vi minha avó saindo pesadamente na escadinha da porta da cozinha com dois baldes, a bainha do seu vestido de algodão levantada pela brisa. Vi meu avô pegar um saco de balas nos seus dedos amputados e abri-lo com os dedos bons, e fazer cair uma fileira de balas brancas e verdes na minha mão que estava à espera. Vi o Max, magro como um palito, vi sua mão, incongruentemente grande e marrom, envolver os dedos brancos e alongados de minha irmã: "Quero que você encontre outra pessoa para se casar de novo. Você ainda é a minha jovem esposa e agora é a minha jovem viúva. Seja uma viúva alegre, uma viúva dançante. Não quero que fique sozinha". Imaginei minha mãe se curvando para beijar o rosto do seu pai defunto e depois a boneca que Lorelei mostrou, de uma velha deitada em seu leito de morte. Vi Edie Bly no papel de Lili Drake descer por um beco levando uma mala pesada numa cidade sem nome, vi o dono da hospedaria sair por uma porta e falar com ela em tom aflito numa linguagem de sinais. Ela respondeu na mesma moeda, os dedos se moviam rapidamente. Recordei a música de Chostakóvitch ao fundo, vi meu pai em sua cama no asilo de idosos e ouvi o som da sua tosse enquanto ele tentava soltar o muco espesso dos seus pulmões destroçados, sua fisionomia fechada, voltada para dentro, ao sussurrar: "Antes eu era capaz de levantar". Vi minha mãe abotoar o pijama dele e ajeitar o colarinho, vi minha mãe passar por mim para pegar a escova de dentes e a bacia de plástico para o meu pai e depois ajudá-lo a escovar os dentes. Dei boa-noite para o meu pai e abracei-o, em seguida ele sorriu para mim, uns olhos de dar pena. "Ultimamente", disse ele, "tenho penado um bocado para evitar a sentimentalidade." Fiquei parado no corredor e ouvi a voz de minha mãe: "Pode dormir agora, Lars? Precisa de alguma coisa?".

Quando dobrei a esquina da rua Garfield e tomei o rumo de casa, percebi que só uma luz estava acesa no apartamento do térreo. As persianas se mantinham abaixadas, mas as três janelas estavam abertas por trás da grade de ferro que as protegia. Olhei para o meu relógio de pulso. Eram três e dez e, quando virei para subir a escada, vi uma pilha de papéis no degrau do alto, no fim da escada. Antes mesmo de eu me abaixar para pegar os papéis, compreendi.

Devia haver uma centena de fotos, a maioria delas mal impressa em papel comum de escrever — uma abundância de fotos de Eggy e Miranda, além de autorretratos de Lane com a sua câmera. Havia outras pessoas que eu não reconheci e depois várias fotos minhas, entrando no meu consultório, almoçando na rua Quarenta e Três Leste, com um livro na mão, andando a passos largos para o metrô, pegando o *Times* no chão na porta de casa de manhã cedo, e uma foto tirada pela janela da frente da casa, na qual eu aparecia sentado, com uma xícara de café, olhando para fora. Folheei as fotografias, rapidamente ia pondo de lado, até que perto do final do bolo achei uma imagem de Miranda nua e dormindo, na cama, talvez na cama de Lane. Estava deitada de lado, o rosto parcialmente oculto pelo travesseiro. O papel estava amassado. Assim que eu me vi dentro de casa, coloquei a foto sobre a mesa e, não sem um sentimento de culpa, alisei-a com cuidado. Enquanto eu olhava para a curva do quadril estreito de Miranda, seu peito encoberto por um braço, senti um repentino acesso de angústia, fui até a janela e fechei as persianas.

Trinta segundos depois, o telefone tocou. "Pegou as fotos?" Era a voz de Lane, mas ele parecia estar fazendo uma tentativa de disfarçá-la. Soava mais aguda do que eu lembrava.

"O que é isso?", perguntei. "Francamente, não compreendo."

Lane ficou em silêncio. Desconfiei que ele não estava preparado para a minha franqueza. Em seguida ele disse a última coisa que eu esperava. "Preciso de um psiquiatra."

Ri.

Depois ele desligou.

Ouvi aquele riso muitas e muitas vezes em meus ouvidos. Eu o retinha para examiná-lo, eu o virava pelo avesso, e refleti sobre aquela gargalhada espontânea e singela até que ela se desfez em mil pedaços de uma análise provavelmente inútil. Um resumo do caminho tortuoso do meu pensamento seria mais ou menos este: talvez Lane estivesse em apuros e precisasse de fato de ajuda, e nesse caso a minha risada era uma violação crassa das normas profissionais; ou então ele já contava com a risada e tinha desligado o telefone na minha cara para criar exatamente o dilema angustiante que veio em seguida; ou então havia tomado uma posição intermediária e agido sem um motivo de todo consciente. Talvez ele tenha tido a impressão de que desligar o telefone naquele momento era mais agressivo do que falar e, na esperança de me desorientar, ele deu vazão àquele impulso — *ou então* o meu riso feriu o seu orgulho e, sem saber o que mais poderia fazer, e sentindo por um instante que eu tinha o domínio da situação, ele resolveu cortar a conversa. Antes de ir para a cama, pensei numa tirada da sabedoria popular russa contida numa história que um professor me contou certa vez: se um dia você topar com o Diabo, o único jeito de se livrar do Diabo é rir da cara dele.

Quarta-feira à noite, Burton fez seu relatório, por cima de um prato de culinária chinesa, enquanto dava batidinhas na mesa de vez em quando com os seus pauzinhos, a fim de pontuar seu comentário, o que tomei como sinal de agitação crescente na sua função extraoficial de detetive particular de Inga. A despeito de minhas sérias dúvidas sobre as atividades do meu amigo, percebi que minha afeição por Burton estava aumentando.

"Na verdade, eu não entrei no café, entende, mas permaneci a postos do lado de fora. Minha persona — aquela que eu encarno para cumprir minha missão — não admitiria tal coisa, por assim dizer. O lugar é chique demais. Um café-expresso sai por três dólares, fora do meu limite orçamentário."

"Burton", interrompi, "o que foi que aconteceu?"

"Sim, é claro. A senhorita Bly trabalha agora em Tribeca, não em Queens. Mudou de emprego, sabe — Tribeca Corretores de Imóveis, salário mais alto, imóveis sofisticados. Ela joga o cigarro fora e entra no Balthazar. Percebo que está ansiosa, decidida. Minha interpretação de corpos, se posso me exprimir assim, se tornou muito apurada. Você conhece a pesquisa de Libet, é claro, segundo a qual a intenção somática precede o pensamento consciente, não é? Um terço de segundo!" Depois que assenti, Burton fez outra investida no nosso assunto: "Fehlburger está sentada lá dentro à espera". Burton estalou seus pauzinhos, depois enxugou a testa. "Quando elas se acomodam no café, as duas felizmente bastante visíveis — bem, não de todo. Suas pernas ficam ocultas embaixo da mesa, mas todas as regiões faciais importantes, os locais de interação crucial, ficam integralmente expostos. Notei tensão entre as duas partes, não hostilidade, não, isso seria forte demais, uma pressão nos dois pescoços e junto aos olhos. Trocam algumas palavras." Burton fez uma pausa. "Só uma delas pude identificar com segurança." Os pauzinhos bateram na mesa. "Leitura labial se tornou uma habilidade essencial, Erik. Penso na possibilidade de fazer um treinamento a sério, estou melhorando a cada hora nesse meu trabalho."

"E as palavras?"

"*Cópias*", disse Burton em triunfo.

"Das cartas, eu suponho."

"É o que eu também supunha, mas nenhum pacote ou embrulho foi entregue." Burton começou a enxugar-se com vigor, usando o lenço já familiar, mas seus ombros tombaram para a frente. "É improvável que você tenha ideia da diversidade de informações que se pode obter na internet sobre a sua irmã. Confesso que me mantive em dia quanto aos artigos, entrevistas e notas ao longo dos anos. Imaginei que nesse caso específico o alvo era Max Blaustein, para enlamear sua reputação, mas chamou a minha atenção o fato de essa tal de Fehlburger, nome curioso, aliás, *Fehl* é *erro* em alemão, como você sabe, sem dúvida nenhuma. Lembro que você estudou alemão. De todo modo, essa tal de Fehlburger tem o firme propósito de causar algum mal, não à reputação do seu falecido cunhado, mas à da sua irmã, por quem ela tem um rancor especial, cuja causa eu não fui capaz de descobrir. No entanto existem na internet diversos ataques cruéis e gratuitos contra sua irmã e a obra dela, escritos sob diversos nomes, três dos quais eu pude relacionar a essa única mulher."

"Meu Deus", exclamei.

O rosto de Burton estava encharcado e sua expressão se tornou grave. "Ela é freelance, entende, não tem vínculo com nenhum jornal ou revista específico. Faz certo tempo desde a última vez que você eu conversamos, daí a fartura de novidades nesse front, boa parte delas acessível com alguns toques no teclado. Há uma entrada num site da Nebraska Univesity Press sobre o futuro livro de Henry Morris, que é descrito *como*" — Burton baixou a voz até um sussurro — "uma *biografia* crítica. Parece também, e pesquisei isso, fiz as apurações devidas, que a senhora Bly não é a única. Parece que ele tem, que o homem tem, bem, sistematicamente, e pode-se até dizer vorazmente, eu diria isso, sim, visitado as mulheres da vida de Blaustein, à procura das suas confidências e, em certos casos, dos seus favores. Uso a palavra em seu sentido ilícito e acrescento, com toda a delicadeza e respeito, que lamento muito por sua irmã quanto a isso. De fato, me compadeço muito dela." Burton baixou os olhos para a galinha do General Tso que jazia num prato à sua frente.

"Mas você pode ter certeza disso, Burton? Quero dizer, você não andou espiando dentro dos quartos de dormir, não é?"

O rosto de Burton tomou uma acentuada coloração vermelha. "Nada de tão inconveniente. Não, confesso que deduzi o comportamento, não o testemunhei de fato. Idas e vindas. Entradas e saídas. E minhas próprias leituras, interpretações, até mesmo adivinhações do caráter. O homem em questão tem predileções, apetites, se você preferir, que não pressagiam nada de bom. Vejo nuvens escuras de tempestade, um tempo turbulento no futuro."

Embora eu compartilhasse algumas das dúvidas de Burton, não podia ter certeza de que estava correto a respeito de Henry Morris, a quem encarava como um rival. O que eu compreendi foi que minha irmã, ou pelo menos a ideia de minha irmã, ficara enredada nos dramas pessoais de pelo menos três pessoas: as vingativas e narcisistas projeções de Fehlburger, as fantasias literárias de Morris e a mais benigna, mas igualmente apaixonada, obsessão do meu amigo Burton, que havia, eu percebia, começado a assumir proporções quixotescas.

A srta. L. começou a sessão daquela quarta-feira com uma rajada de queixas sobre a madrasta e a meia-irmã grávida. Eu sabia que a criança por nascer era importante, mas era difícil achar uma via de acesso para tocar no problema com a srta. L. Ela me chamou de "analista tapado incapaz de ajudar uma mosca", uma curiosa distorção da expressão "incapaz de fazer mal a uma mosca", sem dúvida uma manifestação da sua frustração com aquilo a que chamava de minha "impotência". Chamou-me de "filho da puta confuso e mentiroso, que não sabia nem reconhecer a verdade quando ouvia uma verdade". Ela havia sofrido maus-tratos, fora posta contra a parede. Ela *lembrava*.

Falei que ela parecia querer que eu ficasse furioso. Ela fez mais pressão e me pôs à prova o tempo todo. Mas havia regras que regiam a nossa troca, o seu comportamento e o meu, e ela estava violando essas regras. "Se você acha que não posso ajudá-la, por que vem aqui?" Eu sabia que minhas palavras tinham um teor de distância, sabia que eu estava me afastando dela, e no entanto desejava introduzir alguma ambiguidade nas suas percepções.

A srta. L. olhou para mim de baixo para cima. "Eu não sei."

"É possível que uma parte de você ainda acredite que podemos fazer algum progresso?"

Ela ficou em silêncio. Seus olhos estavam apagados e frios.

Tentei de novo. "Lembra quando conversamos sobre as suas lacunas? Você disse que detestava ficar tão passiva, tão improdutiva. Quando você me ataca sem parar, estimula a passividade em mim porque eu não sei para onde me voltar ou o que dizer. Você cria em mim a mesma coisa que detesta em si mesma."

A cabeça da srta. L. oscilou e ela fechou os olhos. "Não estou me sentindo bem", disse ela. Em seguida, levantou-se depressa, olhou em volta e com a mão na barriga, inclinou-se sobre a minha cesta de lixo e vomitou.

Trouxe um lenço de papel para ela limpar a boca, disse-lhe que voltaria num instante, levei a lixeira para o banheiro, esvaziei-a na privada, vi o vômito granuloso e de cor parda desaparecer com a descarga. Entornei um pouco de água e detergente na cesta de lixo, deixei-a no banheiro e voltei depressa para o consultório.

"Como está agora?", perguntei. "Como está se sentindo?"

"O que você fez com ele?", perguntou. Tinha o rosto pálido.

"Já cuidei disso. Está tudo bem."

"Você limpou?", perguntou em voz baixa.

"Enxaguei."

"Limpou o meu vômito? Por que não mandou outra pessoa fazer isso?"

"Não era necessário."

"Você é nojento", disse ela, em tom sério. "Olhe só para você." Não era a voz dela; eu sabia que estava ouvindo uma outra pessoa, e interrompi.

"Você é que está me dizendo isso?", perguntei. Pude ouvir a piedade na minha voz, quase um soluço. "Parece até um adulto repreendendo uma criança."

Uma expressão de confusão tomou o seu rosto. Ela balançou a cabeça com força. "Estou perdida", disse ela. "Estou fria. Estou completamente sozinha."

Naquela noite, bateu a angústia. Eu me vi respirando acelerado, a pressão nos meus pulmões era tremenda e eu estava dominado por uma inquietação tão forte que comecei a caminhar a passos lentos pela casa, de um andar para o outro. Peguei o número mais recente do *Journal of Consciousness Studies* e logo percebi que não conseguia ler. Pensei em minha mãe e em seus livros não lidos, tentei fazer exercícios de respiração numa cadeira, mas as sirenes dentro de mim continuaram a ressoar. Eu já tinha visto aquilo em alguns de meus pacientes deprimidos. Reconheci logo, pelo amor de Deus. Distúrbio de humor. Como o diagnóstico parece otimista quando visto de longe. "A fronteira é tênue", disse-me Magda, "entre a empatia e a distância. Próximas demais, e não podemos fazer nada para resolver. Sem compaixão, não existe aliança entre você e o paciente." Eu estava correndo. E então, *É por isso que ele andava*. A frase me deixou mais abalado ainda. Meu pai tentava diluir isso andando — o mecanismo de aceleração interior que nunca desliga.

Quando a campainha tocou, eu tinha servido uma dose de uísque, na esperança de que aquilo serenasse o tumulto dentro de mim. Podia ter usado um miligrama de lorazepam. Deixei minha bebida no aparador, caminhei até o corredor de entrada e, através do vidro, vi Jeffrey Lane. Sua chegada aumentou mais ainda o caos dentro de mim. Será que eu poderia dar as costas e deixá-lo do lado de fora, até que resolvesse ir embora? Abri a porta. Ele disse que só tomaria alguns minutos do meu tempo; não ia demorar muito. Deixei-o entrar no vestíbulo, mas não fechei a porta atrás dele. O homem parecia desmazelado, curvado para a frente e com a mão apertando a barriga. Percebi a pesada bolsa preta pendurada no ombro e deduzi que era o equipamento fotográfico.

"Preciso de ajuda", disse ele. "Não posso continuar."

"Está ferido?", perguntei, apontando com um gesto de cabeça para a sua barriga.

"Não fisicamente", respondeu.

"Posso recomendar uma pessoa com quem você poderia conversar." Meu tom de voz era robótico e minha respiração era em lufadas curtas. Eu sentia uma vontade encarniçada de me livrar dele.

"É a Miranda", disse ele.

"O que aconteceu com ela? Está bem?"

"Ela está bem." Deu um passo na minha direção. "Quem tem problema sou eu."

"De que tipo?"

"Estou fazendo planos para o meu enterro", disse ele. Em seguida, levantou os olhos para mim e sorriu.

O sorriso era incompreensível, mas minha irritação com ele pareceu canalizar minha inquietação, que até aquele momento não tinha um alvo, e isso foi extraordinariamente útil. Respirei com mais facilidade. "O que é que isso tem a ver com Miranda?", perguntei.

"Ela vai ficar preocupada." Fechou os olhos.

"Escute", falei, minha voz foi ficando mais alta. "Não sou seu médico. Não gosto de ser incomodado por você e também não gosto de ser fotografado sem a minha permissão, mas se você está precisando de ajuda, vá ao setor de emergência do Hospital Metodista e diga isso para eles."

Lane deu as costas para mim e encarou a si mesmo no espelho grande do corredor. "Meu aspecto está horrível", disse ele. "Meus pais já morreram. De resto, eles nunca me quiseram mesmo. Minha namorada está de saco cheio de mim. Minha filha é uma estranha." Lançou um olhar para o meu reflexo. "'O doutor Erik não tira fotos. Ele gosta de conversar.' Foi isso o que ela disse. Mas eu preciso das fotos, sabe, parece que não posso evitar. É documentação, cara, é toda a minha formidável bagunça registrada em imagem. Magia digital. A vida de Jeff. Triste, feiosa, mas está lá. *Moi*. Desistir disso seria impossível. Afinal, o mundo está se tornando virtual mesmo; não sobrou mais nenhuma realidade. Simulacros, meu garoto."

Olhei para o seu cabelo espetado. Por algum motivo, aqueles pequenos tufos de vaidade me eram intoleráveis e tive uma breve fantasia de arrancá-los pela raiz. "Acho que agora era melhor você ir embora", falei, com a voz trêmula.

"Você deve estar com a sua própria cota de problemas, cara", prosseguiu ele, como se eu não tivesse falado nada. "Você é divorciado, não é mesmo? Deve ter acabado com a vida dela." Continuou falando para si mesmo diante do espelho em tom baixo e pensativo. "Deve ser dureza lidar com gente maluca o tempo todo." Fez uma pausa e inclinou-se para a frente na direção do próprio rosto, depois disse com voz reticente: "Deve *perder* alguma coisa no correr do tempo".

Recuei e vi seus olhos se moverem na direção do meu reflexo. Meu coração bateu mais depressa. Eu odiava aquele homem. Agarrei-o por trás, pelos ombros, puxei-o para trás e depois empurrei contra o espelho. Seu pescoço inclinou-se para trás por um instante e depois sua cabeça bateu de encontro ao vidro. Fez um barulho surdo. Ainda com ele bem seguro, fui dominado por um sentimento de libertação jubilosa e estava prestes a repetir o gesto. Em vez disso, baixei as mãos. Ele agarrou a testa com a mão, virou-se, deu alguns passos trôpegos e desabou no chão. A ideia de que eu o havia matado me veio na mesma hora, e depois a palavra *não* escapou dos meus lábios, uma palavra que mal articulei, mais parecia um grito animal do que uma voz humana. Debrucei-me sobre ele. Mas Lane não estava morto. Estava estirado no chão com os olhos abertos e um sorriso horrível e molhado de saliva nos lábios. "Como é forte", disse ele.

"Você está bem?" Não sei o que deu em mim, pensei, mas rejeitei aquele feitiço idiota. Eu não brigava com ninguém desde os tempos do ensino médio.

Lane sentou-se. Pus minha mão na sua testa para examiná-la. Não havia nenhuma ferida visível. "Se você tiver dor de cabeça ou sentir alguma tontura nas próximas quarenta e oito horas, vá logo para um hospital."

"Você acabou de me dizer para ir ao hospital por causa da minha *ideação suicida*, não foi?"

Notei que ele estava usando outra vez o jargão da minha profissão, mas o ignorei. "Como está se sentindo?", perguntei.

"Estou legal", respondeu. "Caí só para assustar você."

Em vez de me deixarem com raiva, aquelas palavras despertaram um sentimento de alívio e de felicidade. Ajudei-o a levantar, trouxe-lhe uma cadeira e lhe ofereci um uísque, que ele aceitou. Depois que bebeu, Lane olhou para mim e disse: "Não é o que você está pensando. Sou um explorador que faz expedições por terras inóspitas, documenta o que encontra e, depois que a expedição termina, refaz a viagem em imagens". Acenou com a mão direita. "Toda biografia, toda autobiografia é um faz de conta, certo? Estou criando diversas biografias em tempo real, mas é tudo encenação, se entende o que quero dizer. *Eu* estou encenando. Você é um dos atores. Miranda também."

"E Eglantine?", perguntei.

Fez que sim com a cabeça, mas seu rosto ficou mais sério. “Eu não faria mal à menina por nada. Adoro a menina.”

*Não acho que ele vá nos fazer mal, se é isso o que você quer dizer.* Recordei as palavras de Miranda. Depois pensei, eu fiz mal a ele. “Para que as fotos? Por que me contar que você está planejando seu próprio enterro? Você me incita e insinua...” Não terminei a frase. Era Sarah, pensei, uma referência oculta a Sarah que tinha me levado a lhe dar um empurrão. Ele tinha conhecimento disso. De algum modo, ele sabia. “Por que está fazendo tudo isso?”

Ergueu os olhos para os meus e disse: “Estou experimentando minhas diversas personas para a obra. Não pode ser simples, e tem de ser perigoso. Tenho de ir o mais longe que puder”.

Lane foi embora pouco depois desse comentário. Apertamos as mãos, mas eu não tinha a menor ideia do que significava aquele gesto e, quando o soltei, me senti corrompido e com a vaga impressão de que fora manipulado mais uma vez. Eu havia tido pacientes que pulavam de aviões, mergulhavam em alto-mar, praticavam o *bungee jump* — esportes de alto risco que trazem consigo uma sensação de estar mais vivo. E também há aqueles que se cortam várias vezes a fim de sentir uma sobrecarga de realidade, mas o que Lane queria exatamente permanecia obscuro. Por um momento, a violência tinha me animado, mas em questão de segundos aquela energia desarvorada amainara em forma de culpa. Seria diferente se ele tivesse reagido. Mas atacar um homem pelas costas? Era vergonhoso, infantil, o gesto de um garoto num pátio de recreio que de repente empurra um colega que fica encarnando nele demais. Sentado na minha poltrona, recordei um trecho de uma das cartas de Rilke a um jovem poeta: “Se imaginarmos a existência do indivíduo como um quarto mais ou menos amplo, veremos que a maioria não conhece senão um canto do seu quarto, um vão de janela, uma lista por onde passeiam para assim poder possuir mais segurança".*

"Você o empurrou?", perguntou Miranda. "E ele está bem?"

*Não sei o que deu em mim*. "Perdi a cabeça", falei em voz alta. "As fotografias, o telefonema, o tom de voz dele. Tive de contar para você antes que ele o fizesse. Foi uma tolice e, sim, ele parecia estar bem quando foi embora."

Miranda balançou a cabeça. "Acho que ele queria que você o internasse no hospital para ele poder ver como é que é."

Eu estava sentado ao lado de Miranda no seu sofá azul. Ela se recostou numa almofada, suas pernas reluzentes e marrons esticadas em cima da mesinha de café na nossa frente. Ela estava de short e camiseta naquela escaldante noite de julho e eu tinha de fazer um esforço para desviar os olhos das suas panturrilhas e canelas. Um condicionador de ar trepidava ruidosamente no fundo do quarto e um ventilador acima de nós mantinha a temperatura suportável, mas o ar ainda estava úmido e meus braços e meu peito tinham uma sensação pegajosa.

"Ele tem um site na internet, sabe, muito elaborado, com imagens e textos, algumas sequências de filmes. Recebe muitas visitas, ao que parece, e anda anunciando sua exposição em novembro com a ideia de que vai conter uma revelação importante. Espalha mensagens em massa pelo computador a respeito de si mesmo, atualizações sobre 'As vidas de Jeff', mas com todo tipo de citações e comentários confusos sobre simulacros, supercondutividade e primor psicótico. Gosta de dizer que é um pós-nietzschiano." Miranda sorriu para si mesma. "Lembra quan-

* Tradução de Paulo Rónai em *Cartas a um jovem poeta*. Rio de Janeiro: Globo, 1976. (N. E.)

do Lane raspou os meus olhos naquela fotografia? Ele me disse que estava *simulando* um caçador de tocaia como um jogo consigo mesmo."

"Simulando um caçador de tocaia?"

Ela assentiu. "Está investigando a insanidade porque acha que a psiquiatria é um mecanismo de controle, que a loucura é uma forma de existência criativa esmagada nos hospitais e nas clínicas. Diz que a disciplina inteira não passa de uma fraude."

"Até aí, nenhuma novidade", falei.

"Tem um autor que ele vive citando."

"Thomas Szasz?"

"Esse mesmo. De todo modo, acho que ele quer ter você no projeto por causa daquilo que você *faz*." Miranda baixou os olhos. "Lamento que ele esteja incomodando você. Ele não é assim comigo, mas como eu o ando vendo de novo, me lembrei de tudo o que me chateava quase desde o início: a sua ambição, os seus surtos de filosofia maluca, a sua imaturidade." Miranda deu um suspiro. "A ironia é que todos esses defeitos são também a sua força, o seu charme. Mas uma coisa eu posso lhe dizer: ele está envolvido demais com a sua exposição para fazer qualquer coisa contra si mesmo por enquanto."

Lembrei-me de Lane falando para o meu espelho, recordei seus olhos brilhantes e o meu corpo sobressaltado, enquanto eu olhava para ele. "Bem", falei, "acho que um suicídio simulado seria ineficaz, por definição, e isso já é uma coisa boa."

Miranda sorriu. "Descobri que ele nunca conheceu a sua avó negra/cherokee. A mãe dele cortou relações com ela quando saiu de casa aos dezessete anos de idade. Ele nunca teve nenhum contato com essa mulher, tão importante para a ideia que ele construiu de si mesmo. É meio triste."

"Pois é", falei. "E o seu relacionamento com ele agora é..."

"Não sei o que é. Ele é o pai de Eggy, não dá para escapar

disso. Começou a ajudar financeiramente a filha, o que tira um peso das minhas costas. Eu disse para ele que queria dar um tempo entre nós. Ele ainda pode ver a Eggy. Ele está em alta, eu acho, e isso é bom para ele. Andaram saindo uma matérias sobre a obra dele. Escritor/artista plástico/performático, tudo numa pessoa só. Percebi que todos dizem que ele tem vinte e cinco anos, o que não é verdade, portanto ele andou espalhando lorotas sobre a sua idade a fim de se tornar mais desejável. Se ele é doido, é doido de uma forma ambiciosa e engenhosa." Fez uma pausa. "E a sua obra é boa, Erik. É boa de verdade."

Olhei para ela. "E quanto à sua obra?"

"Estou desenhando."

"Sonhos?"

De repente Miranda pareceu mais distante. "De certo modo, sim."

"De que modo?"

Vi como ela hesitou, mas depois falou: "Sonhei que estava grávida de novo, mas a criança dentro de mim não estava crescendo; era uma menininha minúscula, toda murcha, e era culpa minha, porque eu vivia me esquecendo dela, não fazia as coisas que devia fazer e não a amava o bastante. E então apareceu uma mulher na minha frente. Uma mulher bem alta mesmo e de pele escura. Ela disse: 'Vamos ter de limpar a faca'".

"Posso ver o desenho?"

"Quando eu terminar. Parece que os desenhos de sonhos vão dar um livro. Uma amiga minha mostrou alguns dos desenhos para uma pessoa na Luce, a firma que publica livros de artistas, e eles ficaram interessados."

"Isso é ótimo", falei.

Miranda estreitou os olhos. Não reagiu às minhas congratulações. Em vez disso, falou: "Quando fiquei grávida, mamãe chorou. Você não pode entender, mas ela não chora, e ver o rosto dela chorando me deixou chocada. Foi terrível, era como ver uma outra pessoa. Ela queria que eu casasse direito, não podia ser uma mãe solteira". Miranda respirou fundo e olhou para o lado.

"Bem, não é fácil", falei.

"É", disse ela. Seus dentes brancos da frente ficaram à mostra por um instante acima do suave lábio inferior. "Mas a gente não pode ficar subordinada a um marido."

Quando falou, era como se uma brisa estivesse passando por mim.

"E posso ficar desenhando tarde da noite, quando tenho disposição."

"Onde está a Eggy?"

"Sarah Bernhardt está com os meus pais esta noite." Miranda sorriu para si e balançou a cabeça. "De todo modo, o sonho veio de uma história que minha avó me contou."

Miranda parecia ansiosa para falar. Imaginei que a minha confissão sobre Lane podia ter tornado aquilo mais fácil para ela. "Quando mamãe estava grávida da minha irmã Alice, fui para a casa da minha avó. Eu adorava aquela casa. Agora já acabou, foi vendida. Certa noite, eu recordo, achavam que eu estava dormindo, mas eu não conseguia dormir, vi que a vovó estava com a luz do seu quarto acesa e fui até lá. Achei que ela fosse me mandar de volta para o meu quarto, mas não fez isso. Estava lendo um livro e, em vez de me dar uma bronca, deu umas palmadinhas na beira da cama, me chamando, e eu subi no colchão. Vovó estava com cheiro de cânfora; usava isso para tratar das suas dores. Foi então que ela me contou sobre o Morro Cortado, uma história de escravos fugidos na Jamaica, e eu não sei como ela ouviu essa história, porque os escravos fugidos são muito reservados com as suas histórias. A história se passava nas guerras que houve no início do século XVIII. Um soldado inglês perseguia uma escrava fugida que estava já no final da gravidez, a barriga muito grande, e ele a amarrou numa árvore e estava prestes a cortá-la com a sua espada quando ele parou e perguntou para o bebê que estava dentro da barriga da mulher: 'Você é homem ou mulher?'. O bebê respondeu: 'Sou um homem'. E logo depois que a criança falou, a espada na mão do soldado se desmanchou e o inglês caiu morto na hora." Miranda olhou para as suas mãos. "Essa história me deixou muito impressionada, o bebê que falava dentro da barriga da mãe, a magia que protegeu a criança e o fato de a vovó contar a história com tanta solenidade, e também, é claro, mamãe estava bem perto de dar à luz. Eu estava falando com Alice a respeito disso na semana passada e naquela mesma noite eu tive o tal sonho."

A história nos deixou em silêncio e, se eu fosse mais ousado, teria tocado Miranda, teria posto as mãos sobre ela e a teria puxado para junto de mim, mas fiquei com receio de ser rechaçado e estragar o sentimento de consolo que havia entre nós.

"Vou passar duas semanas na Jamaica com a Eggy. Meus pais também vão. Vou tirar férias."

Foi aí que me ofereci para cuidar do seu apartamento, regar as plantas, guardar a correspondência enquanto ela estivesse fora. Miranda aceitou, dizendo que isso aliviaria as irmãs daquelas obrigações. Olhou para o relógio de pulso e, percebendo a deixa, me levantei. Enquanto seguia pelo corredor escuro, percebi alguma coisa brilhando ao refletir a luz que vinha do quarto seguinte. Quando Miranda acendeu a luz, identifiquei o objeto. Sobre um banco baixo perto da porta, havia um pequeno par de asas de arame, enfeitadas com purpurina prateada. Estavam amarrotadas e havia manchas cor de ferrugem no pano branco.

"Acho que a Eggy andou voando um bocado", falei.

Miranda deu um sorriso largo e o olhar astuto que eu já aprendera a reconhecer surgiu nos seus olhos. Estendi a mão para lhe dar boa-noite, mas ela estendeu a mão para o meu rosto, puxou-o na sua direção e me deu dois beijos nas bochechas. Foram os beijos castos e amistosos de costume, mas isso não impediu que eu sentisse os seus lábios arderem na minha pele, ainda muito tempo depois de ela ter me deixado, quando eu já estava no primeiro andar, sentado no meu escritório, recordando o sonho e a história do Morro Cortado.

No dia seguinte à partida de Miranda para a Jamaica, jantei com minha irmã na rua White e ela me contou que tinha parado de *ver* Henry Morris. Miranda tinha usado a mesma palavra a respeito de Lane: ela o andava *vendo* de novo. "Ver" tinha virado o eufemismo predileto para relações entre pessoas que incluíam o coito. Não contei para Inga as suspeitas de Burton, que me pareceram muito frouxas. *Idas e vindas. Entradas e saídas. Deduções.* A história de Inga era diferente da de Burton, no entanto havia semelhanças. Inga sabia que Henry tinha falado não só com Edie e com as ex-esposas de Max, mas também com a "tal de Búrguer". A jornalista acreditava que as cartas de Max continham algum segredo feio, além e acima do fato de Joel poder ser filho de Max, mas não admitia revelar o que imaginava pudesse ser aquela informação oculta. Henry tinha achado a mulher "obsessiva, singular, e talvez biruta". Não foi a jornalista que se interpôs entre Henry e Inga, foi o Max.

"Não que eu tenha tido a sensação de que ele foi desonesto", disse minha irmã. "Ele não mentiu. A atração entre nós era real. Ele me dizia que eu era linda, e falava com sinceridade. Eu, uma velha senhora." Balançou a cabeça, o rosto triste e irônico. "Mas, veja, ele citava muito as palavras de Max. A gente estava jantando e de repente vinha um parágrafo inteiro de *John abandonado* ou de *Trajes de luto*. Claro, é isso o que ele faz todos os dias. Está em férias sabáticas e escrevendo um livro. No entanto, aquilo começou a me dar nos nervos. Tentei conversar com ele sobre a questão. Henry se mostrou compreensivo, mas, sabe como é, acho que ele não podia mesmo fazer nada. Só encontrou o Max uma vez, e assim o Max, para ele, não era uma pessoa. Era um santo literário. Aí, quatro noites atrás, estávamos no apartamento dele e fizemos amor. Foi uma espécie de afogamento. Só para você posso contar isso, Erik. Você é o único. Não posso contar nem para o Leo, o querido Leo que está meio apaixonado por mim, eu acho, só meio, mas seja como for Henry estava feroz e forte. Eu me senti toda acesa. Depois fiquei até tonta. Mais tarde, quando estávamos deitados, ele disse: 'Nela, ele recuperou o país que havia perdido. Quando penetrou no seu corpo, não estava mais no exílio'."

Olhei para Inga.

"Reconheci o trecho na mesma hora. É de *Espelho vivo*, o primeiro romance escrito por Max depois que me conheceu. Por um breve tempo, fiquei atônita, ali deitada. Mas depois me senti sufocada. Era como se eu não tivesse nenhum valor por mim mesma. Levantei e fui embora. Falei com ele por telefone naquela tarde. Ele disse que não queria me magoar, mas já era tarde demais. Tenho a sensação de que me rebaixei."

"A palavra está completamente errada."

"Não sei. Que tipo de mulher vai para a cama com o biógrafo do marido defunto?"

A pergunta era tão esquisita que eu não soube o que responder. Em seguida, falei que todo tipo de mulher podia dormir com o biógrafo do marido defunto.

Inga fez uma careta. "Ontem, quando fui ler para o Leo, deixei que ele tocasse em mim."

"Deixou?"

"Deixei, com as roupas, mas ele deslizou as mãos por todo o meu corpo."

"E foi bom, não foi embaraçoso?"

Minha irmã fez que sim com a cabeça. Olhou-me com aquela expressão radiante e peculiar que tinha quando éramos crianças. "Não posso viver sem intimidade", disse ela. "Não consigo mais."

Nas duas semanas em que Miranda esteve fora, em viagem, peguei a correspondência dela e a minha e observei que não havia envelope de Lane endereçado a nenhum de nós. Eu descia para o térreo a fim de regar as plantas no quarto da frente e me via ligeiramente intimidado pela minha presença no apartamento vazio. Ficava sozinho com as coisas dela, e esse simples fato dava uma sensação misteriosa. Miranda havia deixado o apartamento em condições impecáveis, mas sobre a mesa no quarto da frente havia sete desenhos e eu me demorava observando aqueles desenhos todo fim de tarde. Os três primeiros eram da mulher do sonho de Miranda, desenhada várias vezes em tinta preta em cada folha de papel. As linhas da figura difusa eram ágeis e enérgicas e dava para perceber que Miranda estava tentando encontrar a melhor forma. A mulher parecia imensamente alta, magra, mas com possantes músculos nas pernas e nos braços. Uma mulher gigante. Usava um vestido largo e erguia uma faca na mão direita. *Vamos ter de limpar a faca.* Havia dois desenhos de um feto: o primeiro, um corpinho encolhido dentro de uma bolsa, e o segundo, uma criatura vigorosa, bem mais encorpada, de boca aberta. O bebê menino encantado. Os dois últimos estavam inacabados — rascunhos à tinta da mesma imagem. Um homem de chapéu estava deitado em cima de uma mulher que usava um vestido longo e branco. Ele a mantinha presa pelos punhos contra a terra. Havia um toque de violência na imagem, que podia ter sido criado pelo simples fato de o homem ser branco e a mulher, negra, um contraste que resumia a história brutal de senhores brancos que estupravam escravas. Embora o rosto do homem fosse invisível, o dela estava virado na direção do espectador. Tinha a fisionomia de uma pessoa morta — inexpressiva. Na segunda versão do desenho, a diferença de cor entre as duas figuras não era tão pronunciada. Um matiz cinzento havia sido aplicado aos braços e às pernas de ambos, e os dois davam a impressão de que seus corpos não eram separados, mas que estavam se liquefazendo. Pareciam deitados numa poça rasa de água transparente. Depois de três ou quatro dias, me dei conta de que a primeira coisa que eu fazia depois de minhas breves tarefas era me debruçar sobre aquela segunda versão do desenho, observá-la por um tempo e depois voltar ao primeiro andar.

Duas noites antes de Miranda e Eggy voltarem, levei a correspondência dela para o térreo e fui olhar o desenho. Ao examiná-lo outra vez, perguntei a mim mesmo o que eu estava olhando. *O que é isso?* Ela estava morta? Olhei bem de perto as feições sutis do rosto da mulher, seus braços compridos, os ombros do homem, a aba do seu chapéu. Fechei os olhos para refletir sobre aquelas duas pessoas, e por uma fração de segundo, naquela fugaz e cega impressão que a imagem deixa nos olhos fechados, vi os pulsos da mulher darem um solavanco para cima. Quando abri os olhos, tive o pensamento desolador de que a percepção é, em si mesma, uma forma de alucinação.

Na noite passada, desci a escada com quatro envelopes que tinham chegado pelo correio e os coloquei cuidadosamente sobre o resto da correspondência, no corredor. Evitei olhar o desenho, mas não saí do apartamento. Em vez disso, atravessei a sala e a cozinha, depois segui até a antessala e abri a porta para o que imaginei ser o quarto de Miranda — o mais amplo dos dois quartos da casa. Fiquei algum tempo na soleira e olhei para a cama, coberta por uma colcha bege; a mesinha de cabeceira entulhada de livros; a cômoda, com a superfície enfeitada por dois potes e um vaso; o espelho oval que pendia acima da cômoda e duas fotos grandes de Eglantine em preto e branco emolduradas, uma delas como um bebê adormecido, encolhido entre lençóis amarrotados, semelhantes a montes de neve sob luz e sombra, e a outra, mais recente, da criança que eu conhecia. Vestia um saiote de bailarina e uma coroa, mas fazia uma pose de fisiocul-turista, exibia os bíceps para a câmera, com uma expressão feroz no rosto. Acho que disse a mim mesmo que queria observar mais detidamente aquelas imagens, mas era uma desculpa para atra-vessar o limiar, o que fiz em seguida. Minha respiração acelerou enquanto eu examinava os livros de Miranda. Tinha um livro de fotos de Diane Arbus, um volume intitulado *Caribbean autobiography: cultural identity and self-representation*, três livros sobre os escravos fugidos, e cinco romances ao lado da cama. Peguei um deles, intitulado *Ilusão*. Tinha uma capa vermelha, letras grossas e um retângulo branco que continha um desenho em rabiscos de uma cara. Achei que era um desenho de Mi-randa e, quando abri o livro para conferir, descobri que tinha razão. As outras quatro capas também eram dela e, a exemplo da primeira, seus desenhos eram simples, porém impressionantes, com cores fortes. Não tinham enrolação nem frescura, nada de letras inclinadas ou ornamentos adicionais. A estética era dura, masculina, contida. Recoloquei cuidadosamente todos os livros em sua posição original na pilha, toquei na colcha da cama com muito cuidado e depois fiquei diante da sua cômoda durante alguns minutos, escutando minha própria respiração. A ânsia de abrir era avassaladora. Queria ver as roupas dela, suas meias e as roupas de baixo. Se eu não erguesse os olhos e visse minha expressão voraz no espelho, teria feito aquilo. O homem que vi tinha uma fisionomia assombrada, violenta. Recuei e me afastei daquele homem, e fui depressa para o primeiro andar.

Minha solidão havia começado a me modificar aos poucos, me transformava num homem que eu não esperava, uma pessoa muito mais peculiar do que eu jamais havia imaginado, um homem que vagava dentro do quarto de uma mulher, com a respiração ofegante, aproximava os dedos dos puxadores das gavetas da cômoda, mas não chegava a tocar. Muitas vezes pensei que nenhum de nós é exatamente aquilo que supomos, que cada um de nós normaliza a terrível estranheza da vida interior com uma variedade de ficções convenientes. Eu não tinha a intenção de mentir para mim mesmo, mas entendi que por baixo da personalidade em que eu havia depositado a minha crença existia outra pessoa que vagava naquele mundo paralelo de que Miranda havia falado — e passava por ruas e por casas com uma arquitetura totalmente distinta.

Minha aflição continuou. Os piores surtos aconteciam de noite, quando muitas vezes eu acordava com o coração palpitante, depois de sonhos aterradores, mas durante o dia e com os meus pacientes eu parecia capaz de manter a situação sob controle. Tratei de telefonar para Laura, e durante o abafado mês de agosto nos vimos pelo menos duas vezes por semana, sempre nos dias em que seu filho ia ficar com o ex-marido. Quando em meados do mês, diante de um prato de nhoque, ela me confessou que não estava pronta para um "relacionamento sério", eu lhe disse abertamente que gostava da sua companhia, mas não estava me candidatando para o papel de segundo marido. Estava satisfeito em ser, assim eu disse, um mero objeto transitório, alguém que pode facilitar a transição rumo a uma futura felicidade conjugal. Como um cobertor ou urso de pano esfarrapado, eu ficaria feliz em prestar meus serviços até a minha parceira chegar à maturidade. Laura riu, balançou a cabeça e disse: "O que você quer dizer de verdade é que não se importa em ser um parceiro para trepar". Concordei um pouco encabulado. Sem preocupações quanto à natureza da nossa relação, ficamos à vontade para nos devorarmos mutuamente sem culpa, ou assim eu imaginava. No fim do verão, Laura Capelli não me saía mais da cabeça. Eu me via pensando no cabelo escuro e crespo da sua nuca, na sua pele meio esverdeada, na sua risada estrondosa, nos seus peitos, nas intrincadas receitas da sua mãe para dobradinha e carne de vitela, que ela gostava de ditar para mim na cama, nas suas imitações exatas de Morton Solomon, um analista octogenário que conhecíamos, um homem cuja voz lenta e melodiosa, com seu indisfarçável sotaque alemão, zumbia sem parar em inúmeras palestras e conferências, enquanto ele, com toda a paciência, explicava minuciosamente algum ponto da teoria de Freud (a clivagem do eu, *Ichspaltung*, era um de seus temas prediletos), a tendência de Laura de levantar o dedo indicador e brandi-lo para mim quando estava agitada, e os pequenos arquejos que ela deixava escapar durante os orgasmos.

Minhas vizinhas do térreo voltaram, mas eu mal as via. Agosto era um mês meio parado nas editoras, me disse Miranda quando a encontrei na porta certa manhã, quando saía para ir ao trabalho. Ela e Eglantine iam passar um tempo em Massachusetts com "amigas" — fins de semana prolongados, na maioria das vezes. Inga e Sonia também saíram da cidade para fazer excursões para Hamptons e Connecticut. Eu fiquei no Brooklyn, andava de metrô, inalava seus cheiros de urina, suor e carne não lavada, e me inclinava interiormente para a autopiedade.

Depois de levar suas coisas para um alojamento em Columbia, Sonia voltou na noite de 10 de setembro e passou a noite na casa da mãe. Segundo Inga, as duas tiveram uma noite agradável e Sonia pareceu dormir bem. Na manhã seguinte, acordou, foi à cozinha e, em vez de abrir a geladeira para pegar seu habitual suco de laranja, se dirigiu à janela. Inga estava lendo o jornal e tomando seu café. Depois de ficar imóvel diante da vidraça, Sonia pôs as mãos nos dois lados da cara e berrou: "Eu não quero este mundo! Não quero!". Em seguida, caiu de joelhos e começou a soluçar de maneira incontrolável. Inga tentou conter Sonia. De início, ela se debateu e lutou, mas depois de um tempo Inga tomou Sonia nos braços e começou a embalar a filha. Sonia chorava e a mãe a embalou durante a manhã inteira e tarde adentro. Depois, a jovem começou a falar. Ela falou, perdeu as forças, voltou a falar e perdeu as forças outra vez.

O segundo aniversário abriu uma fissura interior em Sonia, uma fenda pela qual ela extravasou o sentimento explosivo que a havia aterrorizado durante dois anos. A conflagração que havia queimado tanta gente, que havia atirado pessoas para o ar, para os beirais de onde pularam, algumas delas em chamas, havia deixado suas imagens indescritíveis gravadas dentro da minha sobrinha. Inga me contou que durante aquelas horas ela não se afastou da filha em nenhum momento. Mesmo quando fez um sanduíche para as duas comerem, levou Sonia consigo para a cozinha e apertou os braços da filha em torno da sua cintura, enquanto cortava o pão e passava manteiga. Sonia não queria um mundo onde edifícios desabavam e guerras eram travadas sem nenhum motivo. Também não queria um irmão, ela disse para a mãe, ou aquela ex-atriz idiota, Edie Bly, metida na sua vida. Sonia tinha ódio deles e queria ter o pai de volta. Queria pedir desculpas para o pai.

Depois de atender meu último paciente, escutei a mensagem de Inga gravada no telefone e fui para a rua White. Quando cheguei lá, mãe e filha estavam calmas, a calma do esgotamento. Notei que as duas se moviam um pouco devagar e com certa rigidez, como se as articulações doessem. Sonia levantou o rosto inchado e olhou para mim quando pus a mão no seu ombro, e depois ergueu os braços e envolveu minha cintura. Não havia muito a dizer nessa altura. As recordações de Sonia não iam deixá-la; atrocidades iam continuar a acontecer todos os dias no mundo; Max não ia ressuscitar; e o menino que podia ser seu irmão não ia fazer a gentileza de desaparecer. Se alguma coisa tinha mudado, era que Sonia sabia que podia sobreviver à força da sua própria emoção. Assim como sua mãe.

Só na hora em que ia sair é que vi a boneca. Estava sozinha no meio dos livros de Sonia. "Então você acabou comprando mesmo", falei. "Comprou um dos brinquedos da Lorelei."

Inga fez que sim com a cabeça. "Quase comprei a viúva, mas pareceu muito, bem, masoquista demais, então peguei esse carinha aí."

Inclinei-me para a frente a fim de olhar mais de perto o boneco de um garoto, vestido num terno preto e sentado numa cadeira de madeira. Sua cabeça loura pendia para a frente e seu rosto pequeno e bordado parecia pensativo.

Ficamos parados por um momento observando a figurinha e então Inga disse: "Ela falou que o pai dele foi atingido por um raio. Isso é antes do enterro".

"Por que diabos você foi escolher uma coisa dessas?", perguntei.

Inga deu três palmadinhas de leve no meu rosto, bem devagar. Seus olhos pareceram ocos. "Não se preocupe com isso", disse Inga numa voz cansada. "Não estou mais maluca do que já era."

Naquela noite, sonhei que estava na fazenda, perto do caramanchão de videiras à esquerda do telheiro, olhando na direção dos vastos campos ondulados à minha frente. O sonho não era colorido. Eu via tudo em matizes de cinza. Meu pai estava ao meu lado, mas eu não tinha nenhuma imagem clara dele, exceto a ideia de que ele ainda era jovem e tinha o corpo ereto. Embora sua figura fosse obscura, eu o sentia, sabia que estava a alguns passos de mim e também olhava para oeste. Em seguida, enquanto olhávamos, uma explosão irrompeu no horizonte distante e lançou para o céu uma grande bola serrilhada e feita de fumaça. Em seguida veio mais uma, e depois outra — três enormes explosões que tomaram o céu inteiro. Atrás de nós, uma voz que reconheci como a de meu avô disse: "Depressa". De uma hora para outra fomos projetados para trás por uma força inexplicável, e meu pai e eu fomos cair dentro da casa, num canto apertado que parecia um sótão ou porão, com os caibros de madeira pouco acima de nossa cabeça. O cômodo começou a balançar para a frente e para trás, com violência, e o meu avô invisível falou de novo. Eu sabia que ele estava lá, mas não virei a cabeça. Dessa vez, ouvi meu avô pronunciar a palavra "tremor", seguida de "tremor de terra". Quando acordei, as paredes estavam começando a rachar e desabar.

A economia dos sonhos é frugal. A fumaça no céu do Onze de Setembro, as imagens do Iraque na televisão, as bombas que explodem na praia onde meu pai escavou uma trincheira para se abrigar em fevereiro de 1945 queimavam em uníssono no solo familiar da zona rural de Minnesota. Três detonações. Três homens de três gerações distintas reunidos numa casa prestes a desmoronar, uma casa que eu tinha herdado, uma casa que tremia e sacudia como a minha sobrinha soluçante e o meu próprio corpo sitiado, os cataclismos internos que eu associava aos dois homens que não estavam mais vivos. Meu avô grita em seu sono. Meu pai arrebenta o forro com um golpe do punho cerrado. Eu tremo.

* * *

No dia 9 de outubro, Burton telefonou para mim e, com voz hesitante, explicou que não tinha feito contato comigo porque sua mãe morrera uma semana e meia antes. Se vivesse mais um mês, disse Burton, teria completado noventa anos de idade. Eu só conhecia por alto a história da sua família. Os pais de Burton eram judeus alemães que se mudaram para Nova York no final da década de 1930. A mãe tinha sido professora, eu me lembrava disso, e o pai havia ocupado um cargo na Associação de Nova York em Favor da Cultura Ética. Meu amigo certa vez chamou a si mesmo de "uma surpresa tardia". Sua mãe já tinha mais de quarenta anos quando o filho único nasceu. Depois da morte do pai, em 1995, Burton se mudou para o apartamento da mãe em Riverdale, um arranjo que poupou o filho da pobreza abjeta e permitiu que a sra. B., cada vez mais frágil, continuasse em casa.

Quando nos encontramos uma semana mais tarde, percebi imediatamente que meu amigo parecia mais seco. Ainda estava reluzente, mas não gotejava. Não fiz nenhum comentário sobre isso, mas Burton espontaneamente afirmou que sua hiperidrose havia tido uma súbita melhora.

"Sinto certa trepidação", disse ele, "nada mais que isso. Sinto um agudo desconforto ao mencionar para um psicanalista a minha condição somática alterada, sabendo muito bem que a transpiração, ou antes, o súbito declínio da mesma, no atual estágio da minha vida, ou seja, após o falecimento de minha mãe, pode ser classificado como..." Burton fez uma pausa e enxugou a testa, mais por hábito, desconfiei, que por necessidade. Fixou-se numa palavra: "Sintomático".

"Burton", falei. "O sofrimento produz muitos efeitos nas pessoas. Eu não faria uma superinterpretação daquilo que parece ser uma coisa boa."

Suas bochechas ficaram coradas enquanto ele fitava a toalha de mesa. "No mês passado", disse ele, "ela não me reconhecia."

"Isso é triste."

Burton assentiu. "Um derrame. Hemorrágico. Ela mudou de personalidade." Burton franziu as sobrancelhas. "Ficou mais meiga. A risada me deixava aflito — uma alegria inadequada, gargalhadas, risadinhas, sorria o tempo todo, esse tipo de coisa. Melhor do que a raiva. É preciso admitir. Li sobre um paciente que começou a morder as pessoas depois de um derrame. Muito duro para a família. Chegava a romper a pele." Burton olhou para mim. "Nem é preciso dizer, e no entanto tenho de dizer. À medida que ele ia piorando, ia desaparecendo. Eu sentia saudade da mulher, apesar das suas muitas, muitas ambiguidades. Sim", disse ele, "eu queria ter de volta a mulher difícil, perplexa, atormentada e acerba de...", hesitou, à procura das palavras, "de antigamente", falou afinal.

Fomos os últimos clientes a sair do restaurante naquela noite. Dava para sentir a inquietação dos garçons enquanto Burton contava a história da morte da mãe e aquilo que ele denominava suas "circunstâncias reformuladas". O apartamento agora pertencia a ele e a sua herança, embora não fosse pródiga, iria "desafogá-lo" por muitos e muitos anos. "Talvez até", disse-me ele, com um sorriso enigmático e pensativo, "eu possa fazer algum bem neste mundo a uma pessoa de valor."

Antes de nos separarmos na calçada para pegar os táxis que nos levariam em direções opostas, Burton apertou minha mão, sacudiu-a e disse: "Articular o valor, para mim, da nossa amizade renovada, a qual esteve num hiato, interrompida, por assim dizer, por muitos anos, é de todo impossível. Minha gratidão é ainda mais abundante agora, quando travo um combate — metafórico é claro — com o Dragão da Melancolia".

Enquanto eu descia em velocidade a estrada Franklin Delano Roosevelt, olhei pela janela para o enorme anúncio de Pepsi-Cola suspenso na escuridão, no outro lado do rio East, e achei lindo. Naquele momento, o emblema luminoso de um capitalismo americano ligeiramente mais antigo foi permeado por um sentimento de perda, como se o cartaz refletisse um desejo coletivo que agora havia se extinguido. Era tolice sentir alguma emoção em resposta a um anúncio de refrigerante, mas quando sua imagem foi escurecendo, pensei comigo mesmo: agora, todos eles estão morrendo, nossos pais e nossas mães — os imigrantes e os exilados, os soldados e os refugiados, os meninos e as meninas... de "antigamente".

No dia 2 de outubro, a srta. L. declarou com um sorriso que ia "romper relações" comigo. Tinha consultado um terapeuta de cristais e se unira a um grupo de autoajuda de "sobreviventes de abuso sexual", pessoas que a "compreendiam". Algumas delas conservavam a memória exata de quando tinham um ou dois anos de idade. Não era a primeira vez que ela aderia aos clichês da cultura popular, mas naquele dia me dei conta de que as distinções primitivas alardeadas na imprensa e na internet haviam tomado o seu mundo cindido. Enquanto falava comigo, eu percebia na sua voz o traço distante da dicção pré-fabricada, a linguagem da propaganda, dos demagogos e jornalistas da tevê. Ela não estava comigo. Eu lhe disse isso e perguntei se havia refletido sobre a sua decisão. Ela gritou: "Sim", levantou-se da cadeira, cuspiu na minha cara e precipitou-se para fora, sem esquecer de bater a porta com força.

Enxuguei a saliva do rosto com um lenço de papel e fiquei imóvel na cadeira até terminar o horário da sessão. Eu sabia que ela não ia voltar. Afinal, eu era apenas o último da longa fila de médicos e terapeutas que ela deixava num acesso de raiva: Deixe-os antes que eles deixem você. O que eu lamentava ali sentado eram os momentos de abertura, seus movimentos abruptos rumo a outra forma de existir. Por mais iludida que estivesse, a srta. L. era, desde o início, uma criança abandonada. Suas cicatrizes podiam não ser físicas, como ela gostaria que fossem, mas a feriam até o âmago. A crise ostensiva tinha se desdobrado, ao menos em parte, na memória, por mais frágil e opaca que fosse. A tortura física propriamente dita nas mãos da sua mãe teria justificado seu sofrimento, preservado sua identidade naquela categoria imutável: "criança que sofreu abuso sexual". A mera ideia já lhe havia trazido um consolo. Conformava-se perfeitamente à sua realidade interior, uma estrutura tão rígida e frágil que a combustão espontânea era sempre um risco iminente. Tudo isso eu já sabia, mas havia outra tensão entre nós — o medo, o meu medo. Aguçadamente sensível, a srta. L. captou o odor de algo que eu mesmo não compreendia.

Na noite de sábado da semana seguinte, eu estava caminhando para casa sozinho, por volta da meia-noite, depois de ter ficado com Laura. Parei um pouco diante da escadinha da entrada de casa para pegar minhas chaves no bolso, ouvi um sussurro ansioso, o som da porta do apartamento que dava para o jardim se fechando e, antes que eu pudesse registrar o que se passava, me vi cara a cara com Jeffrey Lane. Fitou-me nos olhos e disse: "Ei, como é que você vai, cara?".

Cumprimentei-o com a cabeça. "Vou bem. E você, como está?"

"Tudo bem", disse ele.

Baixei os olhos para as minhas chaves.

"Bem", disse ele. "A gente se vê." Foi em frente e, quando chegou à calçada, começou a correr. Fiquei observando. Exatamente por que razão, eu não posso dizer, mas não me movi até ver seu vulto desaparecer. Se eu não tivesse esperado, não teria ouvido Miranda chorar. As persianas estavam abaixadas, mas a janela tinha uma fresta aberta e, enquanto eu subia os degraus como um homem que calça sapatos de chumbo, os soluços baixos dela me acompanharam.

Depois que entrei em casa, sentei-me na minha poltrona verde, onde costumava ler, e pela primeira vez em muito tempo não tive pensamentos de nenhuma espécie. Por uma hora mais ou menos, ouvi os sons da noite — trânsito, vozes abafadas da televisão de alguém, música distante, gente rindo no fim do quarteirão, mas não ouvi Miranda. Talvez tenha enxugado as lágrimas e ido para a cama.

O telefonema de Inga aconteceu depois de um dia muito longo. Eu tinha entrevistado dois pacientes que me foram encaminhados, e naquela tarde o sr. R. me contou que a esposa ia deixá-lo. A sra. R. não queria o alterado sr. R., o homem que me havia contado que o mundo tinha adquirido um brilho novo e estranho. Ele ria mais, feria mais e enxergava mais. Também queria mais sexo, um desdobramento a que o objeto da sua libido renascida resistia. "Ela gostaria que eu fosse um cadáver." Eu estava lendo minhas anotações da sessão quando o telefone tocou e ouvi a voz exaltada e entrecortada de Inga.

"Lorelei telefonou. Lisa quer nos ver. Vai nos contar a história. Tenho certeza. Podemos ir neste fim de semana. Ela está doente. Talvez esteja morrendo, mas se recusa a ir para o hospital."

A agitação dela me perturbou. "Tenho um congresso", falei.

"Vai fazer uma palestra?"

"Não."

"Então você não precisa ir."

"Inga", falei. "Vá *você* e depois me conte o que aconteceu."

"É você que ela quer ver. Ela não vai nos ver sem você."

"O quê?"

"Você é o filho, o homem, o herdeiro. Tenho certeza de que é assim. A filha não conta."

Não respondi.

"Você está bem, Erik?", perguntou Inga. Sua voz estava mais branda.

Pude sentir meus pulmões se contraírem e a tensão dentro de mim aumentar. "Estou", falei.

"É uma pena que mamãe esteja agora na Noruega, mas a gente pode pegar o avião na sexta à noite, se hospedar no Andrews House, ver Lisa no sábado e voltar na noite de domingo."

"Inga, você já não tem coisas suficientes com que se preocupar? Quer mesmo se arriscar a uma busca em que as chances de sucesso são tão pequenas?

"É sobre o seu pai. Não entende?"

"Entendo, sim", falei.

"Está com medo, não é?"

"Estou ocupado."

"Você tem remorsos. Tem remorsos porque não estava presente quando o papai morreu. Você se sentiu mal. Você disse isso. Não foi culpa sua. Você tinha ficado lá uma semana inteira. Sei que você não abandonaria seus pacientes. Tem de se planejar. Sei disso, mas mesmo assim você não poderia ficar lá. Você não o viu morrer. Agora tem a oportunidade de saber alguma coisa sobre a vida dele — uma parte que falta."

Eu lhe disse que ia pensar no assunto, dei até logo e desliguei o telefone. Sentado na cozinha, olhando para o jardim através das portas de vidro, recordei uma tarde que passei a sós com meu pai no seu quarto no asilo de idosos. Ele estava sentado na minha frente na sua cadeira de rodas, de costas para a porta. Depois de examinar a lista de remédios, perguntei se ele sentia dor. "Um incômodo", disse ele, sorrindo por um instante. "Minhas narinas estão machucadas por causa dos tubos de oxigênio, sinto algumas comichões aqui e ali, mas dor nenhuma." Vi uma enfermeira entrar no quarto enquanto meu pai levantava a cabeça ligeiramente ao ouvir os passos dela.

"Amigo ou inimigo?", bradou ele, a voz ressoante, com um vigor jocoso.

A bela jovem se inclinou para ele, seu rosto ficou a poucos centímetros do rosto do meu pai. Deu umas palmadinhas no ombro dele, sorriu com carinho e disse: "Você decide".

Combinação improvável de estoico e humorista, meu pai era o favorito das enfermeiras, serventes e funcionários em geral. E o seu poder de seduzi-los tinha agido como um elixir no seu próprio estado de ânimo. Ele havia encontrado o seu sorriso hospitalar. Sabia que estava morrendo, que jamais voltaria para casa, nunca mais veria nada além do que avistava pela janela estreita do seu quarto, ou uma cadeira na lanchonete com suas luzes fluorescentes que iluminavam seus parceiros da geriatria, alguns dos quais ficavam largados e inertes nas cadeiras, seus olhos cegos eram funis para lugar nenhum. Outros deambulavam, mas estavam dementes. Eu me lembrava da velha que largava o garfo no meio de uma dentada, levantava-se e emitia berros agudos e curtos de sofrimento, que se alternavam com as palavras "Socorro! Socorro!". Um dos parceiros de mesa do meu pai, Homer Petersen, conservou a mente em bom estado, mas vivia respingando comida no babador que usava para proteger a camisa e, em todas as refeições, transformava o papel branco texturizado numa pintura abstrata colorida. O irmão gêmeo de Homer, Milton, um homem duro, só grunhidos e acenos de cabeça, também era uma presença constante na mesa. Nenhum dos dois irmãos fora aquinhoado com o dom da conversação. "*Homero* e *Milton*", dizia meu pai, balançando a cabeça. "É uma pena que as grandes esperanças que os pais depositavam neles tenham sido dolorosamente frustradas." Porém, apesar de seus colegas de asilo, vários deles à beira da "falta de tudo", meu pai conservou uma dignidade animosa. Só se afastou de mim uma vez, durante um lapso em nossa conversa. Eu já o tinha visto recolher-se em pensamentos ou recordações muitas vezes. Quando menino, eu conseguia chamá-lo de volta. Meu pai olhava para mim meio surpreso, os olhos recuperavam o foco, depois ele sorria e passava a falar sobre o tempo ou algo desse tipo, ou falava sobre uma saga islandesa, ou sobre a vida de uma toupeira comum. À medida que eu ficava mais velho, tornou-se mais difícil retirá-lo daquelas profundezas. Era como se eu não soubesse mais o macete. Às vezes seus olhos evitavam os meus e às vezes eu evitava os dele. Naquele dia, quando meu pai se afastou ainda mais de mim, perguntei se já não era hora de ligar a tevê para assistir ao jogo. No fim da vida, ele não via mais filmes e lia poucos livros de ficção, mas sua paixão pelo futebol americano nunca diminuiu. Os Vikings perderam naquela tarde, se bem me lembro. O placar foi 24 a 17. Telefonei para Inga e disse que ia viajar.

Durante a viagem, eu soube por Inga que ela havia visitado Edie e Joel outra vez. Edie continuava de posse das cartas e ainda se recusava a contar para minha irmã o que havia nelas, mas jurou que não mostrara seu conteúdo para a tal de Búrguer nem para ninguém. Edie não estava pronta para vender as cartas para Inga. "Acho que ela não quer que eu fique com as cartas, porque aí eu teria o controle sobre todos os documentos de Max e essa ideia a ofende. Contudo, quanto melhor for o meu relacionamento com ela, melhor será para todos nós, para Sonia especialmente, embora ela não queira nem saber deles e ainda se recuse a fazer um exame de DNA." Inga também me contou sobre Henry. Ele tinha mandado para ela uma primeira versão completa do seu livro *Max Blaustein: vidas labirínticas*.

"É esquisito ler a biografia de uma pessoa que a gente amou. É o Max e não é o Max. É o Max do Henry. Não tem nada de sensacional ou malicioso, e se detém longamente na obra de Max. Pulei muitas páginas. Quer dizer, eu sei que ele teve todas aquelas mulheres, que os seus primeiros casamentos foram ruins, e agora eu sei a respeito de Edie. Henry diz que o Max tinha uma obsessão por ela, que Edie era dependente de drogas e que o Max achava fascinantes as pessoas em situação desesperadora. Isso é seguramente verdadeiro. Mas, sabe, ele argumenta que Lavinia, em *Os documentos do caixão*, é inspirada em mim."

Recordei o conto. Um velho, compositor famoso, se casa com uma mulher muito mais jovem, uma dançarina, forçada a parar de dançar depois que quebrou o pé. Os dois vivem felizes juntos durante dez anos. Então ele começa a ter problemas de saúde — visão ruim e gota, entre outros — e a esposa se transforma na sua enfermeira. Ele resolve que está na hora de escrever as suas memórias e começa a trabalhar no projeto. Todo dia de manhã, durante três ou quatro horas, o homem escreve à mão, num caderno, a história da sua vida. Toda tarde a esposa datilografa o manuscrito. No início, ela registra exatamente o que aparece nas páginas, mas à medida que continua a trabalhar, se vê absorvida pelo projeto e começa a fazer alterações no texto. Melhora uma frase aqui, outra ali, e depois, lenta e imperceptivelmente, percebe que está reescrevendo a vida do marido, tornando-a mais intensa, mais "verdadeira". Embora ele seja capaz de escrever, não consegue ler as páginas datilografadas pela esposa. O velho morre pouco depois de terminar o livro. Lavinia coloca o caderno com o manuscrito dentro do seu caixão e manda o texto datilografado para o editor, que estava à espera.

"A insinuação", diz Inga, "é que sou uma viúva ambiciosa que guarda zelosamente o legado de Blaustein."

"Ele diz isso?"

"Eu falei que é uma *insinuação*."

"Inga, Max vivia preocupado com a ideia de ser um fardo para você à medida que ia ficando mais velho, e esse conto pode ser uma forma subliminar de reconhecer tanto a obra da esposa como o fato de que você ia seguir em frente na sua carreira, sem ele. Lavinia é um personagem ambíguo. A história da vida do velho é maçante, se bem me lembro, e autoengrandecedora, e Lavinia reinventa essa história a fim de salvar o marido. E aí também entra o Henry. Ele cultua o escritor Max Blaustein. Na condição de biógrafo de Max, Henry talvez tenha transferido algumas das preocupações dele para você. É ele que está escrevendo uma biografia, e não você."

Inga se virou para mim. "Sim", disse ela. "Ele é mais parecido com Lavinia do que eu. Pode ser por isso que ele ficou tanto tempo esmiuçando esse conto tardio."

"E tenho certeza de que Henry não tem a menor ideia de que é isso que ele está fazendo."

A conversa ocorreu no aeroporto de La Guardia, enquanto esperávamos para embarcar. Inga cruzou os braços sobre o peito e abraçou a si mesma. Lágrimas tomaram os seus olhos e tive medo de que caíssem em público.

"Por que está perturbada?", perguntei em voz baixa.

Ela fungou. "Talvez seja verdade que estou tentando controlar a história da vida do Max. Talvez isso seja uma coisa errada. Talvez Edie deva vender as cartas e deixar que tudo se torne público, o que quer que esteja nas cartas, e eu vou ficar de bico calado. Só que eu não quero que Sonia fique mais magoada do que já está." Baixei os olhos para a mão fina de minha irmã, enquanto seus dedos agarravam o forro de plástico do assento. Notei as linhas azuis de algumas veias mais salientes e manchas senis marrons na sua pele branca. Deve ter sido a posição das suas mãos que me trouxe a lembrança. Lembrei-me de Inga sentada ao meu lado no banco da igreja, suas mãos segurando o banco, os olhos erguidos para o vidro manchado da janela do santuário. Quando era menina, Inga adorava a bênção. Esperava por aquilo todo domingo, erguia o queixo e fechava os olhos quando o pastor fazia o sinal da cruz e abençoava a congregação. Eu achava embaraçosa a sua pose e, quando a cutuquei com o cotovelo certa vez e perguntei por que fazia aquilo toda semana, Inga respondeu: "Gosto de ouvir as palavras sobre o rosto de Deus. Quero sentir a luz".

> Que o Senhor vos abençoe e vos proteja.
> Que o Senhor faça o seu rosto brilhar sobre vós e seja misericordioso convosco.
> Que o Senhor erga seu semblante sobre vós e vos conceda a paz:
> Em nome do Pai, do Filho e do Espírito Santo.

A pequena casa cinzenta, com a sua varanda caindo aos pedaços, ficava numa esquina, seu gramado demarcado com nitidez porque, dos dois lados do terreno, os vizinhos haviam varrido minuciosamente suas folhas com o ancinho. Abrimos a frágil porta da varanda, passamos por uma cadeira de jardim rasgada e por um gnomo de plástico já velho, e tocamos a campainha. Com Inga na minha frente, percebi que ela estava tremendo. Eu sabia que ela não podia controlar seu tremor, mesmo assim senti uma onda de irritação. Quando Lorelei abriu a porta, sua serena cara de lua estava sombria e seus olhos, estreitos e concentrados. O "entrem" que ela pronunciou ressoou com cerimônia e presunção ao mesmo tempo. Sem nenhuma outra palavra, apontou para um sofá coberto por uma manta xadrez no pequeno cômodo da frente e depois sumiu através de uma porta para o interior da casa. Inga e eu sentamos. Lorelei estava agora no seu próprio território, embora modesto, e isso produziu uma alteração súbita, porém notável, na sua atitude. A mulher tinha um traço serviçal, uma característica que contém inevitavelmente um toque de sadismo. Enquanto esperávamos, olhei para a pequena escultura de gesso, com a imagem de mãos rezando, em cima de uma mesa à nossa frente, e me dei conta de que eu detestava aquele ornamento onipresente na zona rural dos Estados Unidos. Evocava uma devoção pegajosa que eu abominava, sem falar no fato de que sempre me fazia pensar em amputações.

"É como se fôssemos ter uma audiência com a rainha", falei para Inga.

"Você está num estado de ânimo raivoso", respondeu, num sussurro. "O que há com você?"

Procurei um motivo, só encontrei um borrão amorfo, uma vaga consciência de que minha irmã e duas solteironas que faziam bonecas me haviam atraído para aquele infortúnio, e eu lamentava aquilo, mas também tinha o sentimento incômodo de uma reconstituição. Não se tratava de um *déjà vu*, a curiosa sensação de ter vivido antes um evento idêntico. Em vez disso, era uma forma de paralelismo. As palavras "espectro que volta do mundo dos mortos" surgiram na minha mente. Em algum ponto, havia um sutil aroma de mofo. Cogitei que o cheiro podia ser a causa da experiência de uma repetição, senti Inga apertar minha mão de repente, e ergui os olhos.

Lorelei estava de pé, empertigada, na frente da porta aberta. "Tia Lisa está pronta para vocês", disse ela. "Vocês não terão permissão para ver as outras peças da herança."

Enquanto minha irmã fazia que sim com a cabeça, eu reprimia mais um ataque de irritação em face da pompa da mulher. Lorelei nos deixou passar na sua frente, enquanto, com as costas, segurava a porta e a mantinha aberta.

Na nossa frente, numa cama dupla, jazia Lisa Kovacek, chamada Odland quando solteira. Só a cabecinha e os braços estavam visíveis. O resto se mantinha oculto embaixo dos lençóis e de alguns cobertores pesados. Notei que um outro lençol havia sido estendido sobre um objeto grande e retangular à esquerda da cama. O aspecto de tia Lisa não era amistoso. Sua boca sem lábios tinha uma expressão dura e tensa e uns óculos de aro de metal e lentes grossas encobriam seus olhos encovados, tornando-os indecifráveis. Uma bolsa de pele flácida pendia do seu queixo e também dos seus braços, o que me fez desconfiar que, fosse qual fosse, sua doença havia causado uma repentina perda de peso. O pouco que restava do seu cabelo era branco e tinha se enrolado em anéis estreitos, o que dava à parte de cima da cabeça um ar de surpresa que não combinava nem um pouco com o rosto dali para baixo. Ela mexeu a cabeça na minha direção e, sem levantar o braço ou a mão, acenou com os dedos para eu chegar mais perto. Senti que Inga se aproximou atrás de mim. Lisa acenou de novo para eu sentar numa cadeira ao lado da cama, o que fiz. Virou o rosto para mim e eu examinei os vincos profundos e entrecruzados de suas bochechas flácidas, os seus olhos enormemente amplificados pelas lentes, opacos por causa da catarata, e os compridos queloides que desfiguravam seu pescoço. Os olhos sem tratamento somados às cicatrizes me fizeram lembrar a criança numa casa em chamas, o que despertou um momento de compaixão genuína. Quando ela tateou o ar com a mão direita à minha procura, pus a minha mão perto da dela. Lisa rodeou o meu pulso com os dedos e percebi que seu toque era forte e que ela não tinha febre.

"Lars", disse ela, com voz enfática.

"Sou o filho dele, Erik."

"Sei disso", retrucou, em tom incisivo. "Acha que estou fraca da cabeça?"

"Nem um pouco", falei, e sorri. Minha reação foi automática. Adotei a voz calma de um médico amistoso. Eu tinha usado essa voz milhares de vezes antes, mas ela pareceu gostar.

"O seu pai era bonito", disse ela com voz clara.

Lisa apertava os dedos enquanto ia falando, e então Inga pôs a mão no meu ombro. Adivinhei que era para se firmar melhor. Nem minha irmã nem eu respondemos a essa afirmação. Quando lancei um olhar para Lorelei, que continuava junto à porta aberta, ela parecia petrificada de tanta concentração.

Lisa voltou o rosto para o teto. "Ele nunca disse nenhuma palavra para ninguém."

Naquele exato momento, reconheci que a minha irritabilidade tinha tomado o lugar da apreensão. Sabia que a velha senhora ia confessar, e a história que ia contar podia mudar a maneira como eu via o meu pai. Enquanto a fitava em expectativa, me dei conta de que ela estava apreciando a cena, que aquilo era uma produção. Tinha planejado aquilo, os penteados e tudo o mais; talvez até o leito de enferma fosse uma farsa. Para uma mulher moribunda, ela me pareceu invulgarmente robusta. Vi Lisa acenar com a cabeça para Lorelei, que atravessou o quarto e ergueu o lenço para revelar o que eu já esperava: mais bonecos.

Com os dedos de Lisa ainda em redor do meu pulso, mudei de posição na cadeira a fim de obter uma visão mais clara, e Inga se afastou de mim para se agachar e examinar o que tinha sido exposto. Sobre uma mesa baixa, havia três dioramas. Foi a única palavra que me veio à cabeça — três caixas de madeira de noventa centímetros por um metro e vinte, com as figurinhas já familiares dentro delas. Vi de imediato que todas as cenas se passavam à noite e ao ar livre. Campos, céu, estrelas e uma casinha branca tinham sido pintados no fundo preto da caixa. O chão estava coberto de terra, cujo cheiro eu podia sentir do lugar onde estava sentado. Na primeira caixa, a boneca de uma mulher loura estava agachada no chão, num vestido azul. A boca da boneca tinha sido costurada com linha vermelha, numa imitação de um grito a plenos pulmões. Depois de dar uma palmadinha na mão de Lisa, afastei os seus dedos delicadamente do meu braço e inclinei-me para a frente. Um cordão preto que vinha do meio das pernas da boneca estava preso a uma pequenina figura cinzenta, um bebê esquelético pintado com manchas vermelhas. Na caixa seguinte, vi a figura magra e alta de um rapaz de macacão. Tinha o cabelo escuro e crespo e, com uma faquinha na mão, estava curvado sobre a garota agachada na terra. Ele estava prestes a cortar o cordão umbilical. Na última caixa, sem nenhuma casa, só árvores e campos ao fundo, a figura masculina manuseava uma espada, os seus pés apertavam a espada contra a terra. A menina jazia no chão com o corpo encolhido, abraçando os joelhos. A figurinha minúscula ao seu lado estava enrolada num pano cinzento.

"São Lisa e Lars", disse ela. "Essa é a história."

"E o bebê?", perguntou Inga com voz miúda.

"Natimorto", respondeu Lisa para o teto.

"O bebê era filho do nosso pai?", perguntou Inga, a voz já mais alta.

Lisa virou a cabeça para Inga de modo brusco. "Não, era de Bert Lubke."

"Quem foi Bert Lubke?", perguntei.

"Ninguém", respondeu com amargura. "Não tinha relação com a família de vocês. Escória de Blue Wing. Lars manteve a sua promessa para mim."

Inga andou na direção da cama. "Para onde você foi depois disso? E, afinal, por que você estava ao ar livre, no meio de um campo?" Fez uma pausa. "Não era óbvio que estava grávida? Como conseguiu esconder?"

"Não era óbvio", cortou Lisa. "E não tem a ver com o assunto. Não é da sua conta." Sua voz ganhou uma tonalidade aguda e histérica.

Lorelei deixou a porta para trás, seus olhos animados pela emoção: um misto de satisfação e crueldade, pensei.

Virei-me para a mulher na cama e pus a mão no seu braço. "Lamento", falei.

Ela não virou a cabeça, mas continuou fitando o teto. "Não tem importância. Eu não queria a criança. Essa é a verdade." Fez uma pausa. "O pai de vocês me ouviu, foi isso o que aconteceu. Ele me ouviu e veio correndo. Isso é um fato. Eu não quis deixar que chamasse a mãe dele. Fiz o pai de vocês jurar. O trabalho de parto foi difícil, muito difícil mesmo, mas depois que terminou, já não me dizia respeito. Eu fiquei olhando. Vi o sangue, a coisinha, vi tudo de longe. Da mesma forma que aconteceu quando ele foi feito. Era exatamente como se eu não tivesse nada a ver com aquilo."

Inga se moveu para a ponta da cama. "Por que foi para a lanchonete de Obert para falar com o nosso pai?"

Lisa fechou os olhos. "Ele me emprestou três dólares naquele dia. Nunca lhe paguei. Ele era bonito, o pai de vocês, e um cavalheiro." Levantou os óculos e esfregou o olho direito. "Eu tinha medo de que fossem pensar que eu havia matado a criança, sabe? Lars me disse que era uma menina. Ele a botou dentro da terra."

Ninguém disse uma palavra. Imaginei meu pai ajoelhando em cima do buraco que tinha cavado e enterrando o recém-nascido morto. Eu me vi pensando na sepultura sem placa, em que local da propriedade estaria. A paisagem que eu via no pensamento era cinzenta.

Pela primeira vez Lisa apontou para Inga. "Você tem o boneco Les Rostrum, não é?"

Inga assentiu com a cabeça. Ela não estava mais tremendo. "O menino no enterro."

"Ele era um mau menino", disse Lisa bruscamente. Fez um som estalado com a língua, respirou fundo e continuou a falar: "Faz muito tempo que descobri que eu podia fazer isso — fazer essas pessoas. Foi antes de Walter aparecer e me contar do incêndio. Eu criei a herança — que vai passar para Lorelei depois que eu morrer. Comecei a fazer a boneca — a Lisa queimada — e depois fiz os outros. Não consigo me lembrar do incêndio. Só tenho isto." A mão da mulher deslizou pelo pescoço. "Nem sei como foi que aconteceu." Cruzou as mãos sobre o peito com ar solene como se estivesse arrumando sua posição final, fechou os olhos, depois abriu. "Achei as sepulturas da minha mãe e do meu irmão menor cobertas de mato alto. A gente limpou tudo direitinho, não foi, Lorelei?"

"Foi, sim." A voz de Lorelei estava clara. "Fizemos isso mesmo." Caminhou para a frente e ajeitou o travesseiro embaixo dos cachinhos do cabelo de Lisa, um gesto gratuito que deve ter lhe dado uma oportunidade de se mexer. "Você está cansada", disse ela. A velha sorriu de leve. Lorelei alisou os cobertores e depois, com um gesto brusco e violento, levantou o colchão e enfiou os lençóis e os cobertores mais para baixo dele, depois do que se debruçou sobre a tia e perguntou: "Está bem firme assim?".

Lisa fechou os olhos e sorriu de novo.

Lorelei virou-se para nós. "Minha tia agora vai dormir", disse, com os olhos voltados para a porta.

Lorelei nos seguiu, sua perna dura se movimentava de modo brusco. Antes de irmos embora, minha irmã se demorou um pouco na varanda. "Onde está a Lisa queimada?", perguntou para Lorelei.

"Está em outro lugar. Não pode ver, só aquelas com o seu pai."

"Ela deve ter feito esses bonecos muito tempo atrás", falei, "porque a catarata não permite que faça isso agora."

Por um instante era como se Lorelei tivesse levado um tapa. Em seguida, falou: "Sim, agora eu assumi o trabalho dela, mas a tia Lisa tem a ideia, sabe? Uma direção".

Não houve nenhum aperto de mão, nem mesmo palavras de despedida, que eu me lembre. Inga e eu seguimos para a varanda e passamos devagar no meio das folhas secas no chão, a caminho do nosso carro alugado. Ele me pareceu desolador, estacionado sozinho naquela rua sem graça, no coração de Blue Wing.

Inga e eu ficamos alguns minutos sem falar. Observei a estrada preta sob o carro em movimento, as linhas compridas dos fios de telefone no alto, notei o vermelho e o amarelo que ainda restavam em alguns aglomerados de árvores aqui e ali e que rompiam a paisagem uniforme, e sentia o ar frio que entrava pela janela aberta passar depressa pela minha orelha.

Rompi o silêncio: "Uma vez, tratei de um paciente que, quando foi internado no hospital, tinha ficado sem falar com ninguém durante quatro anos. Ele havia ameaçado bater na madrasta com uma pá, na garagem da família. Ela e o pai o trouxeram. Nos primeiros meses, ele só me respondia sim e não com acenos de cabeça. Como era assim tão calado, às vezes eu lia alguma coisa para ele, em geral um poema. Ele ficava absolutamente inerte, mas eu tinha a impressão de que gostava. A sua história era muito sucinta. Segundo o pai, a mãe dele tinha morrido 'do coração' quando o senhor B. tinha sete anos de idade. Tudo corria bem, disse ele, mas aí um dia o filho parou de falar. Quando eu mencionava o incidente na garagem, o senhor B. não respondia. Já fazia semanas que eu estava tratando do senhor B. quando perguntei outra vez. Ele pegou um pedaço de papel e uma caneta na minha escrivaninha e escreveu: 'Não era eu'".

Inga não falou nada por alguns segundos. Fez que sim com a cabeça. "Parece que Lisa deixou de ser ela mesma depois do parto, saiu flutuando do próprio corpo. Ela não sentiu nada." Inga se virou para olhar pela janela. "Era um segredo, está certo, e foi mantido durante anos e anos, mas não *explica* grande coisa a respeito do papai, não é?", disse ela, afinal.

"Exceto que ele manteve a sua palavra."

"E nós já sabíamos disso", respondeu Inga.

"Sim", falei. "Já sabíamos disso."

Naquela noite, eu não consegui dormir. Assaltado por pensamentos confusos, inquietos, fiquei deitado debaixo da colcha estampada de flores no Andrews House durante algumas horas, antes de me vestir e descer a escada, passar pelo saguão mal iluminado e sair para a rua Division. Em seguida, fui de carro até a fazenda. Tive sorte de haver lua naquela noite, do contrário seria obrigado a deixar os faróis acesos. Quando virei o volante para tomar a entrada para carros, me perguntei o que é que eu tinha ido procurar. Não havia nada para se encontrar ali, pensei, exceto talvez uma ideia. A casa estava trancada. Havia sido saqueada muito tempo antes e levaram os objetos domésticos, que ao longo dos anos acabaram ganhando valor como "antiguidades" ou "semiantiguidades". Vândalos também fizeram a sua parte, tinham destruído as poucas peças de mobília a golpes de machado. Minha avó ainda estava viva na época, morava em St. Paul com meu tio, e vi a sua fúria se misturar com lágrimas quando soube o que tinham feito. Pois, enquanto pôde, meu pai vinha aparar a grama e pintar a casa vazia quando o esmalte branco formava bolhas e a madeira cinzenta começava a aparecer. Ele havia substituído as janelas rachadas e demoliu um barracão de depósito que estava em ruínas. Agregou meu tio nas tarefas, mas conservar o lugar era uma obsessão do meu pai e ninguém questionava isso. Agora eu pago os exíguos impostos e contas para uma manutenção mínima. Faço isso porque meu pai gostaria que o fizesse. Sem dúvida, ele desejaria mais, desejaria que os conhecimentos de carpintaria que me transmitiu fossem aplicados na conservação da propriedade. Quando fiquei sentado na porta que dava para o porão de guardar mantimentos, voltei os olhos para a silhueta da bomba-d'água e, mais além, para o campo e para a silhueta da igreja, contra o céu ao fundo, e pensei no túmulo sem placa, no bebê sem nome e nas bonecas estranhas e moles. Um parto, porém, não pode ser transmitido por meio de coisas inanimadas — a sensação da cabeça molhada e escura, resistente sob os nossos dedos enquanto a guiamos para fora da vagina aberta da mulher, até a mandíbula da criança aparecer de repente, depois um jorro de sangue e de líquido amniótico, enquanto o corpinho que se contorce escorrega para os nossos braços, a sua diminuta cavidade torácica oscila, enquanto ele se debate para respirar pela primeira vez, o estranho grito rouco, a pinça e o corte, depois o puxão no cordão umbilical a fim de liberar a placenta, que desliza para fora através dos lábios vaginais inchados da mãe, num bolo gelatinoso. Ele devia saber tudo a respeito disso, pensei, por causa dos animais da fazenda, deve ter percebido imediatamente que o corpinho que tinha nos braços era um cadáver, deve ter enterrado os restos do parto e depois envolvido o bebê sem vida no seu lenço. Os dois devem ter andado antes de enterrar o bebê num local perto da mata, onde o montinho de terra não viesse a ser arado e cultivado. Como a própria Lisa admitira, não havia sentido nada ou muito pouco. Ela deve ter capengado ao lado do meu pai num estado de estupor, até pensar em pedir que ele jurasse segredo e, a menos que meu pai e Lisa estivessem levando uma Bíblia, do que eu duvidava, o juramento foi feito em nome do livro. *Agora não tem mais importância para ela, que está no céu, nem para os que estão aqui na terra. Acredito na sua promessa.* O resto da história pertencia à inescrutável "herança", a mesma palavra que Inga tinha usado para os "restos" de Max — a arte dele. A história do Morro Cortado, contada por Miranda, me voltou à lembrança. A história contrai o tempo. "Sou um homem." O feto salva a vida da mãe. O agouro se torna lenda: os guerreiros escravos fugidos vão combater os escravizadores ingleses e obrigá-los a assinar um tratado, e essa vitória marcará todas as gerações seguintes. *Vamos ter de limpar a faca.* Lisa Odland esperou a vida inteira para voltar à infância e agora Lorelei representava o papel de fantasma revivido, a mãe defunta que retornou para envolver o filho em faixas de pano. *Está bem firme assim?* O ar estava frio. Senti um vento que vinha do oeste e levantei a gola do casaco. A mãe do sr. B. tinha cortado as próprias veias dentro do banheiro. O marido descobriu o corpo quando a água ensanguentada vazou por baixo da porta fechada. Depois de fechar a torneira, o pai dele encontrou o filho no térreo da casa, na cozinha, e declarou secamente: "Sua mãe morreu". Em seguida, fechou o menino no quarto, onde ele ficou durante horas. Os adultos mentiram para ele a respeito da morte da mãe, embora problemas "do coração" servissem como metáfora eficiente para aquilo que tinha afligido a mãe do sr. B. São tantas as pessoas mudas. Acontece que todos nós precisamos nos manter coesos, manter de pé as paredes de nossas casas, consertar e pintar, erguer uma fortaleza silenciosa de onde ninguém sai nem ninguém entra. Lembrei os olhos inchados de Sonia. *Eu não quero este mundo.* Quando ficou muito frio para que eu permanecesse ali, levantei e caminhei pela propriedade. Depois disso, entrei no carro para me proteger do vento. Não sei quanto tempo fiquei ali, mas tive a sensação de que estava esperando alguma coisa — um pensamento.

E então fui andando para dentro da casa. A porta de tela abriu com facilidade e adentrei a cozinha de verão. Uma ripa do telhado havia caído no chão. As paredes estavam muito descascadas e notei um velho cavalete para serrar na frente de um grande fogão preto. Quando me virei devagar para a direita, vi meu pai, não o meu pai velho, mas o meu pai jovem, sentado numa cadeira ao lado da tina de água. Estava com os óculos escuros de que eu me lembrava da infância, e cheguei mais perto. "Papai?" Ele começou a falar comigo sobre notas de rodapé, mas achei difícil acompanhar o que ele dizia e a sua voz soava distante, como se viesse de um outro cômodo, apesar de o seu rosto sem feições estar bem perto do meu e parecer estranhamente ampliado. Não havia nenhum tubo de oxigênio perto dele, nenhuma cicatriz no nariz causada pelo câncer, nenhum aparelho auditivo em seus ouvidos. Sua perna esquerda não estava dura. Ele foi envelhecendo enquanto eu estava na sua frente. O meu pai velho tomou o lugar do jovem. Os óculos que estava usando foram substituídos pelos de aro de metal que eu tinha visto nele por último, o seu rosto ficou profundamente vincado. Eu pude ver a tonalidade púrpura no lado direito do nariz, onde os cirurgiões tinham enxertado pele tirada da sua cabeça a fim de restaurar a perda sofrida após terem cortado o tumor maligno. Ele sorriu.

"Pai", falei. "Você não está morto?"

"Estou", respondeu, inclinando-se para a frente, e estendeu a mão para mim, tomou minhas mãos nas suas e as apertou. Senti os ossos compridos dos seus dedos, o seu aperto firme e uma felicidade tão forte que doía. Seus olhos brilhavam com a antiga afeição e ele me disse: "Erik, é assim que agora podemos ficar juntos". Eu fiz que sim com a cabeça, com ênfase. Suas mãos mornas não me soltavam. E então ele disse, em tom solene: "Mas nunca às sextas-feiras".

Através do para-brisa, vi os primeiros raios da alvorada no horizonte e, no painel, notei que horas eram. O sono tinha vindo e ido embora sem eu perceber. Alarmado com as horas perdidas, girei a chave na ignição, dei ré para sair da propriedade e tomei a direção de Blooming Field. O fantasma do meu pai tinha sido tão nítido que continuei a sentir sua presença, que respirava enquanto eu dirigia o carro. Fiquei contente com a estrada silenciosa e com os minutos que permitiram que eu me recuperasse. Quando passei pela conhecida placa que indicava "Blooming Field, lar de vacas, faculdades e alegria", as últimas palavras do fantasma voltaram à minha mente. Agora que eu estava acordado, me pareceram cômicas e tive a ideia de que a distância necessária para o humor está sempre ausente nos sonhos. Em seguida, lembrei a Sexta-feira Santa. A história cristã da morte, do sepultamento e da ressurreição estava subjacente naquela frase singular. Era o dia em que meu pai não podia me visitar. Em vez disso, veio na madrugada de um domingo. Como a mente é estranha, pensei, enquanto olhava para as nuvens baixas, azuladas e cor-de-rosa que tingiam o nascer do sol acima da cidade baixa e ainda adormecida.

No caminho de carro até o aeroporto, Inga disse, devagar: "Talvez guardemos no coração um segredo que, com toda a sua alegria ou dor, sentimos ser precioso demais para compartilhar com outros".

"O que está dizendo?"

"Estou citando Kierkegaard, o prefácio a *Ou isso ou aquilo*. Ele está apresentando um argumento filosófico sobre o interior e o exterior. Diz que sempre desconfiou que os dois são uma coisa só. Sem dúvida, ele estava certo nesse ponto. E então, depois de nos levar a pensar em *não* falar, ele começa o segundo parágrafo dizendo que *gradualmente* o sentido da audição se tornou seu sentido predileto. Assim como a voz revela melhor o interior da pessoa, o ouvido o detecta. Ele escreve sobre o confessionário, que separa o ouvinte do falante com uma cortina. Quando não se pode ver o rosto de uma pessoa, diz ele, não existe dissonância entre a visão e a audição; o ouvinte faz um retrato imaginário do falante; o que é, está claro, aquilo que fazemos quando lemos, mas ele não diz *isso*. E então, sem nenhum aviso, ele se põe a contar uma história. Começa quando vê uma requintada peça de mobília na vitrine de uma loja, uma escrivaninha. Ele passa muitas vezes diante da loja e observa o objeto bonito. Pouco depois, se dá por vencido e compra o objeto. Fica muito feliz com a mesa, o tempo passa e então, numa manhã em que devia viajar para o campo, dorme até mais tarde. Quando acorda, pula da cama, prepara-se afobadamente e percebe que precisa levar um pouco mais de dinheiro, por isso vai até a gaveta em que guarda o dinheiro na escrivaninha, mas não consegue abri-la. O motorista está esperando lá fora e, em sua frustração e raiva, o homem golpeia sua querida mesa com uma machadinha. Então uma gaveta oculta se abre de repente, e nela há um escaninho atulhado de papéis, que vêm a ser dois manuscritos redigidos por dois homens. Você lembra?"

"Vagamente", respondi. Na verdade, eu não me lembrava de nada, embora me parecesse ter lido certa vez pelo menos uma parte do livro.

"Bem, é tudo inventado, é claro. O prefácio é escrito sob um pseudônimo, um editor fictício chamado Victor Eremita, uma *tela* entre o escritor e o leitor."

"Você está me contando isso por algum motivo?"

"Tenha paciência comigo", disse ela, em tom seco. "Sempre tive a impressão de que a escrivaninha está no lugar de um corpo vivo, uma pessoa que, sob pressão, revela segredos, assim como o taciturno e culpado pai de Kierkegaard antes de morrer. Depois de ferir o móvel, Eremita pede perdão e vai para o campo. Abandona a peça de mobília quebrada e ferida, mas leva consigo os documentos, seu conteúdo oculto, sua *voz interior*."

"Todos nós temos nossas gavetas secretas."

"Exatamente", disse ela. "E na maior parte das vezes elas nunca são encontradas. Eremita diz que a sorte costuma ter uma função nessas descobertas, e é verdade."

"Você está pensando no nosso pai?"

Inga assentiu. "E em Max."

"Veja, tem uma outra ideia que o Eremita defende. Ele diz que os papéis dos dois homens, a quem chama de A e B, podem ser encarados como a obra de um homem só. Admite que isso é anistórico, improvável e absurdo, no entanto é isso o que ele propõe, ou isso ou aquilo, um diálogo interior ou dúplice, duas vozes interiores numa só voz, o Sedutor e o Eticista misturados. À parte o desvelamento irônico — K. entra na mistura —, é verdade, não é?, que estamos sempre à procura de uma pessoa, quando existem mais de uma, diversas vozes em disputa num mesmo corpo. O tempo é parte disso. Temos diferentes personalidades ao longo da vida, e até todas ao mesmo tempo. Max era várias pessoas. Tinha centenas de máscaras — todos os seus personagens —, mas no dia a dia também." Inga baixou o tom de voz. "Quando estávamos em Paris, pouco antes de Max ficar doente com mais gravidade, saímos do pequeno cinema na Rue Christine, perto do nosso hotel. Quando pisamos na rua iluminada de sol, olhei para ele e o seu rosto tinha ficado cinzento. Max acendeu um cigarro, encostou-se na parede do cinema, fitou-me nos olhos e disse: 'Eles vão tentar tomar tudo de nós, meu bem. Mas você e eu não somos bobos, não é?'. Eu ri. Ele parecia um personagem de filme *noir*, tínhamos acabado de ver um dos filmes americanos de Jules Dassin. Ele não riu comigo. Sua expressão era triste, ele me fitou com os olhos sombrios e o rosto sombrio, e foi como se eu não fosse a esposa dele. Eu não era Inga." Minha irmã sorriu para si mesma.

"Como se ele estivesse vendo você pela primeira vez", falei.

"Pode ser." Inga respirou fundo. "Jamais contei isso para ninguém. Com certeza *não* para o Henry. Voltamos para o hotel e fizemos amor. A luz da tarde dentro do quarto estava linda. Depois fui para o banheiro e, quando saí, ele estava sentado, ainda nu, na beira da cama, virado para a janela e não para mim, e de cabeça baixa. Suas mãos estavam no colo. Ele não me ouvia nem me via. Fiquei parada na porta e olhei para ele. Max estava falando para si mesmo com a linguagem de sinais. Tinha aprendido a linguagem de sinais americana... bem, não fluentemente, mas alguma coisa... quando estava trabalhando no roteiro. Aquilo o fascinava."

"Você sabia o que ele estava dizendo?"

"Só sabia porque era uma fala do filme. É quando Arkadi está procurando Lili e de repente se vê naquele armazém estranho, cheio de manequins sem rosto, com todas as roupas que Lili tinha usado antes no filme. Num canto daquele cômodo enorme, há um móvel com gavetas."

"Eu lembro. Ele abre as gavetas com um puxão, vê que estão vazias e começa a jogá-las no chão. Quando chega à última, abre e ouve uma voz estranha dizer: 'Não posso contar para você'."

"Então Arkadi repete as mesmas palavras em linguagem de sinais", disse Inga.

"Max estava sentado na cama, falando em linguagem de sinais 'não posso contar para você'."

Ela confirmou. "Fez isso algumas vezes."

"Então você acha que ele estava reprimindo um desejo de confessar a respeito de Edie ou de alguma outra coisa, e que é isso que Edie está escondendo de você?"

Quando voltei os olhos para Inga, ela não se virou para mim. "Erik, sei que você acha que às vezes eu não vou direto ao ponto, mas comecei a minha historinha sobre o Max com *Ou isso ou aquilo* por um motivo. 'Um autor'", citou ela, "'parece estar encerrado dentro de outro, assim como as peças de uma caixinha de quebra-cabeça chinês.' Fiquei ali na porta olhando para o meu marido enquanto ele dizia essas palavras com as mãos em linguagem de sinais e me perguntei: 'Qual sou eu e qual é você? Existem muitos'."

"Mas você não perguntou?"

"Ele nem sabia que eu estava olhando para ele." Inga sorriu para si mesma. "De todo modo, meu estado de espírito não era ansioso, intrometido. Naquele dia, eu havia tido Max só para mim, entende? Recordo claramente que andei até perto dele e pus as mãos nos seus ombros. Nós dois olhamos para a janela, para os telhados e as nuvens, e eu disse comigo mesma: Nunca esqueça esta felicidade." A voz de minha irmã estava baixa e pensativa. "Nunca esqueça, porque em breve vai terminar."

Quando entrei em casa na tarde de domingo, uma parte de mim ainda estava no pasto com meu pai. Peguei as páginas surradas das suas memórias e folheei. *Éramos filhos das estações*, escreveu ele, *às vezes suas vítimas*. Escreveu sobre a lama da primavera, tão funda que as suas botas ficavam enterradas a ponto de ele não conseguir dar outro passo. Escreveu sobre gafanhotos, lagartas de cereais, corvos e esquilos que atacavam as lavouras no verão, e sobre as neves que impediam o tráfego nas estradas no inverno. Escreveu sobre como preparar cerveja do Natal, sobre serenatas e bailes na praça e fiapos de cevada que se agarravam à roupa e grudavam na pele, sobre os acampamentos para os pobres e os sem-teto instalados nos arredores, com os seus desempregados e as suas fogueiras, mas eu estava procurando algo mais, algo além de descrições de um modo de vida que agora já havia desaparecido, mais do que a história de Lisa e do seu bebê morto. Eu estava à procura de um caminho que me conduzisse para dentro de um homem.

*Papai era bom. Muitos são bons, mas não raro só para um grupo seleto. A bondade do papai não tinha fronteiras. Estranhos a captavam e se afeiçoavam a ele. Aqueles que o conheciam bem tinham a sua bondade como algo líquido e certo e, é claro, havia aqueles que exploravam a sua natureza generosa. Ele era também um homem impregnado de sabedoria popular local e retransmitia as histórias que tinha aprendido. Seus amigos mais chegados eram também contadores de histórias, mas ele sobreviveu a todos e não havia quem os substituísse. À medida que envelhecia, angustiava-se com a desintegração da comunidade que tinha conhecido e certa vez disse que um dos males mais subestimados no mundo era a solidão.*

Meu pai poderia muito bem estar escrevendo a mesma coisa sobre si mesmo. Talvez, sem o saber, estivesse.

"Você está apaixonado por aquela mulher do térreo", disse Laura para mim, com uma voz indignada.

"Achei que você não estivesse interessada em nada sério", murmurei para ela, do outro lado da cama.

"Erik, o que quer que esteja acontecendo entre nós é uma coisa importante para mim e para você, pelo menos eu pensava assim." Laura sentou-se na cama e virou-se para mim, os olhos vivos, cheios de sentimentos. "Caramba, isso é o nosso ganha-pão. A gente conversa... um pouco de franqueza podia ser bom." Sua voz ficou mais mansa. "Escute, não sei aonde você está indo, mas não acho que eu queira ir a lugar nenhum com você se existe algum objeto de fantasia pairando sobre nós."

Eu me pus sentado lentamente. Laura tinha cruzado os braços sobre os seios nus, como que para escondê-los agora que a nossa conversa havia ganhado um tom lúgubre. Baixei os olhos para a sua barriga redonda e os anéis dos pelos púbicos, tomei-a em meus braços e beijei seu pescoço, mas ela me rechaçou.

"E então?"

Quando a fitei nos olhos, percebi logo que não queria perdê-la e foi isso o que eu disse, mas os meus comentários anteriores sobre Miranda tinham, obviamente, sido mais reveladores do que eu havia pretendido, e em vez de passar a noite com ela como fazia tantas vezes, saí para a noite fria e voltei para a minha casa.

Quando abri a porta para a srta. W., notei que ela parecia mais tensa e inexpressiva que o habitual. Depois de sentar, disse-me com voz fria: "A propósito, vi a sua fotografia no *vernissage* de uma exposição".

"Uma exposição?", perguntei, totalmente desconcertado.

"A exposição de fotografias em Chelsea. Jeffrey Lane."

Ouvi o som da minha inspiração profunda quando as palavras me atingiram. Era agora. Novembro.

"Suponho que o artista seja um de seus pacientes."

Tive de lhe dizer, então, que eu não tinha visto a exposição e que Jeffrey Lane não era meu paciente. Acrescentei que, qualquer que fosse a foto, ou fotos, tinha sido tirada sem a minha autorização.

A srta. W. se empertigou na cadeira. "Eu fico imaginando se falar, falar, falar, adianta alguma coisa, entende?"

"Ver as fotografias levou você a pensar nisso?", perguntei.

"Você parecia tão diferente", falou, num arroubo.

É difícil descrever a perda que senti naquele momento. Era como se me tivessem roubado alguma coisa muito cara a mim e, sem sequer ter visto a imagem, ou imagens, senti a humilhação me queimar. Fiquei em silêncio por meio minuto pelo menos, tentando encontrar uma reação honesta e que não fizesse descarrilar o nosso trabalho comum. Por fim, falei: "Pelo visto, alguma foto ou fotos de mim foram usadas de um modo que provavelmente eu não gostaria, mas devemos falar sobre o que você sentiu e por que a foto foi tão forte que levou você a pôr em dúvida toda a terapia".

A voz da srta. W. tinha o caráter nítido e mecânico de uma gravação. "Eu não conheço você. Você fica aí sentado escutando."

Expliquei que eu estava em desvantagem porque não sabia qual era a imagem.

"Você está com um aspecto furioso", disse ela, e depois, mais branda: "Perturbado".

Compreendi. A ideia de perder o controle, a ideia da loucura aterrorizava a srta. W. Sua mãe tinha sido agorafóbica e durante meses conversamos sobre o seu medo do sentimento erótico, sua atração pelo sentimento de raiva contra o pai e contra mim, seu pavor de "pirar", e agora tinha visto uma fotografia que encarnava seu temor. Quando a sessão terminou, eu a observei saindo da sala. Caminhava como uma pessoa que está usando uma armadura. Baixei a cabeça sobre a mesa e lutei contra as lágrimas que eu sentia inundar os meus olhos. Se eu não tivesse de atender outro paciente logo depois, tenho certeza de que teria chorado.

Quando voltei do trabalho para casa, achei a carta de Miranda e o seu desenho. Tinha enfiado por baixo da porta, assim como Eggy, meses antes, havia me enviado seus pequenos objetos, quando estava tentando captar a minha atenção.

Caro Erik

Vi a exposição de Jeff hoje de manhã. O *vernissage* foi na noite passada, mas eu não fui porque tinha certeza de que ia me ver nas fotos e, com tanta gente em volta, seria demais para mim. Jeff se mostrou tão cheio de segredos a respeito da grande abertura da exposição que parei de falar com ele sobre o assunto. Há muitas fotos de Eggy e de mim. Na maioria são inofensivas. Algumas são constrangedoras para mim, mas há uma foto sua que provavelmente vai ofendê-lo. Estou telefonando para o Jeff o dia todo, mas ele não atende. Deixei mensagens gravadas. O processo mais sensato pode ser apenas ignorar, mas eu queria que você soubesse que me sinto mal com isso e lamento ter feito tudo isso cair na sua cabeça. Eglantine e eu vamos passar o fim de semana com os meus pais. Telefone qualquer hora que quiser.

Com afeição,

Miranda

O desenho tinha sido feito à tinta e colorido com lápis. No terço superior da imagem, duas figuras pequenas, uma mulher e uma criança, estavam de pé, de costas para o espectador, numa rua parecida com a nossa — uma fila de casas de arenito pardo do Brooklyn, com árvores altas, lâmpadas a gás, carros estacionados e um hidrante de incêndio. Esse nível da imagem era preto e branco, com uns toques de cinza, e me fez pensar numa fotografia. Sem uma fronteira nítida, o ambiente da rua sem cor se convertia numa mancha de verdes-escuros, azuis e vermelhos cor de barro. Observando com mais atenção, vi um desfile de monstros nebulosos de nariz enorme ou pequeninos, de boca aberta ou sem boca, orelhas de abano, olhos saltados e dentes de fera. Um demônio segurava um enorme falo. Um outro tinha um rabo peludo. Outro ainda parecia estar sangrando pelo reto.

Esses corpos grotescos se tornavam, misteriosamente, o telhado de casas peculiares, que se alçavam num ângulo impossível, formando parte de uma outra rua que ocupava a parte de baixo da folha, e essa seção era de um colorido exuberante. Uma vegetação luxuriante que ostentava frutos de feição curiosa recobria os portais, as janelas e as escadas das varandas. A mulher e a criança estavam retratadas outra vez, em escala um pouco maior, mas agora de perfil, de frente uma para a outra, sentadas na escadinha cor-de-rosa na entrada de uma das casas. A menininha tinha asas.

Na tarde de sábado, entrei na galeria com um velho boné de beisebol e um cachecol, numa tentativa assumidamente absurda de esconder minha identidade. Enquanto olhava de uma parede para a outra, senti um alívio por não ver de cara nenhuma fotografia de mim mesmo com grande destaque. A exposição se chamava *Vidas de Jeff: Ficções múltiplas, ou uma excursão em TID*. A galeria não tinha apenas uma sala e, apesar da minha pressa de percorrer logo tudo em busca da minha imagem, resolvi me mover de maneira sistemática pela exposição e comecei pela primeira sala. As imagens iniciais não eram imagens: quatro retângulos em branco sob os quais havia a legenda "Nenhuma documentação dos avós". As duas obras seguintes eram grandes fotografias em preto e branco de mais ou menos sessenta centímetros por um metro e vinte. Pareciam fotos antigas ampliadas muitas vezes em relação ao tamanho original, porque haviam perdido boa parte de sua definição. Uma jovem numa camisola fina estava deitada de lado, dormindo, o rosto virado para a câmera. Uma maquiagem escura borrava a pele embaixo dos olhos e, espalhadas em volta dela sobre o cobertor amarrotado, havia uma porção de frascos abertos de remédios de tarja preta. "Documentação antiga da mãe" estava escrito embaixo da imagem.

Ao lado, havia a fotografia de um homem de terno caminhando na direção de um automóvel com a cabeça abaixada. A legenda dizia: "Documentação antiga do pai". "Documentação antiga de mim" mostrava Lane ainda menino, com uns sete anos, sentado no chão com um soldadinho de brinquedo no punho cerrado. Dava a impressão de ter sido apanhado desprevenido pelo fotógrafo, de ter acabado de virar a cabeça e levantado os olhos. Apesar da sua obscuridade, a fotografia captava sua testa franzida, as mandíbulas cerradas com força e o olhar hostil. Essa grande foto em preto e branco estava emoldurada por instantâneos coloridos de tamanho comum, todos de Lane quando criança, de conteúdo trivial, mas de certo modo fascinante. Um bebê gorducho, uma criança risonha que anda cambaleante, um menino sacudindo um bastão e pondo a língua para fora para o fotógrafo, usando uma cabeça de monstro enfiada até o pescoço, soprando as velas de um bolo de aniversário. Uma tela de tevê passava um filme doméstico. O menino, talvez aos três anos de idade, aparecia abrindo um embrulho. Pouco antes de o presente ser revelado, a tela ficava apagada e o filme recomeçava. Na parede oposta, havia uma sentença de divórcio amarrotada, com data de 1976, colocada em cima da boca de pessoas que identifiquei como os pais de Lane, que por sua vez estavam colocadas sobre uma foto gigantesca, tão borrada que as duas figuras pareciam meras sombras. Quando dobrei a esquina e me encaminhei para a sala seguinte, primeiro vi uma fotografia colorida gigantesca submetida a uma espécie de distorção digital. Era Lane como se fosse uma pintura de Francis Bacon, mas em cores de luz neon, com seu queixo insolitamente comprido, repuxado até formar uma ponta aguda, e a boca ondulada num uivo. A legenda dizia: "A ruptura".

Duas grandes fotos pendiam de cada uma das três paredes adjacentes. Levei um instante para me dar conta de que todas eram idênticas: a graciosa foto da cabeça de Lane adulto em preto e branco, feita obviamente num estúdio, com iluminação e equipamento sofisticados. O homem parecia um astro do cinema. A única coisa que mudava de uma para a outra era o título: "Bom aluno", "Drogado", "Amante", "Caçador de tocaia", "Paciente", "Pai". O monitor de vídeo nessa sala passava e repetia um típico acidente de carro de um filme de Hollywood que não identifiquei. Um carro avançava até a beirada de um penhasco, tombava e explodia em chamas, e nesse ponto o filme voltava atrás. O carro parava de pegar fogo, voava para o alto do penhasco e retrocedia, apenas para voltar a avançar e representar outra vez a sua destruição. Embaixo do monitor, estava uma reportagem de jornal sobre as mortes dos pais de Lane num acidente de carro.

Entrei no que vinha a ser a última sala. Os títulos que eu tinha acabado de ler se repetiam, dessa vez em letras grandes e pretas, inscritas diretamente na parede, sobre aquilo que de início me pareceram colagens — retângulos compridos e finos de fotos misturadas. Passei por "Bom aluno" e "Drogado", mas parei para observar "Amante" quando vi Miranda. Havia fotos dela em cores e em preto e branco. Variavam de tamanho e de caráter, mas eram só de Miranda: uma Miranda mais jovem, de cabelo comprido e trancinhas. Miranda comendo, dormindo e andando, Miranda à mesa, desenhando de pé no meio de um quarto, rindo. Enquanto eu continuava a olhar, comecei a sentir a natureza invasiva do projeto: Miranda chorando, uma Miranda brandindo o punho para a câmera, Miranda dançando em alguma boate, Miranda lendo um livro, Miranda num balanço, Miranda de camisola de dormir com um ar de cansaço, Miranda mostrando sua barriga ligeiramente grávida, Miranda acordando numa cama grande. O lugar ao lado dela estava vazio, mas era óbvio, pelos lençóis e travesseiros, que alguém tinha dormido ali. As fotos me deixaram triste. Eu estava olhando para a documentação de um caso de amor real. Eram fotos íntimas de uma Miranda que eu não conhecia, uma pessoa que estivera apaixonadamente ligada àquele fotógrafo estranho. No fundo do retângulo, havia vinte ou trinta fotos da cama vazia. Achei que eram todas da mesma cama, mas quando olhei com mais atenção vi que os lençóis tinham uma configuração diferente. Depois que ela o deixou, o homem acordava de manhã e fotografava a cama vazia.

Na série intitulada "Caçador de tocaia", não descobri a mim, mas sim um vazio onde eu devia estar, uma silhueta branca recortada que caminhava ao lado de Miranda e Eglantine rumo ao parque, seguia para o consultório e pegava o jornal na escadinha da entrada de casa, de manhã cedo. Havia também uma série de fotos de mim, tiradas de cima, na hora em que eu girava a chave da minha porta, mas tudo o que se podia ver eram os contornos do meu corpo ausente. Recordei o som do disparador da câmera e entendi que Lane devia estar deitado no telhado. Vi algumas fotos da casa, o seu número velado, closes das fotos que ele havia deixado na entrada da minha casa, a nossa caixa de correio, as letras vermelhas que ele havia pintado na árvore e que Miranda tinha apagado, a perturbadora imagem de Miranda sem olhos e muitas de Miranda e Eggy sem mim. Algumas fotos tinham legenda. Lembro que li "Ex-namorada", "Filha", e também "Namorado psiquiatra removido". Mas eu ainda não tinha visto a foto que havia perturbado a srta. W. e suscitado a advertência de Miranda.

Quando passei para a seção "Pai", vi logo a imagem. Era uma fotografia de vinte por vinte e cinco centímetros, misturada com muitas outras fotos com a legenda "Médico-chefe enlouquece". Mas naquele primeiro momento não tive certeza de quem eu estava olhando. A raiva havia contorcido o meu rosto a tal ponto que fiquei quase irreconhecível. Como um cachorro raivoso, meus olhos ficaram saltados e meus dentes brilhavam. Eu vestia apenas um paletó de pijama puído e desabotoado até a cintura e um calção de pijama. O topete levantado na risca do meu cabelo estava em posição de sentido, meu pomo de adão muito saliente e minhas pernas compridas, nuas e ossudas, exibiam uma cintilação pálida numa luz mortiça que tinha um brilho irreal. Na minha mão direita abaixada, eu segurava o martelo que havia apanhado às pressas no armário. Quando olhei com mais atenção, notei que a fotografia parecia antes ter sido tirada de fora que da escada acima do corredor do primeiro andar. Vi a silhueta nebulosa dos carros estacionados, uma calçada e a rua. Lane alterou o cenário. A srta. W. ficou mortificada, não só por minha expressão vingativa e pela visão do seu analista despido da sua dignidade, mas a foto dava a impressão de que eu estava seminu na rua, brandindo um martelo. Ao lado, havia uma imagem de Lane com um grande ferimento na testa. Será possível que tenha causado tal ferimento? Não, pensei, ele parecia estar bem quando foi embora. Perto da minha própria imagem, vi uma foto do pai de Lane, uma foto de George Bush, as Torres Gêmeas, um corredor de hospital, e imagens da Guerra do Iraque. Mas eu não me demorei ali para examiná-las. Recuei, subitamente nauseado, e saí cambaleante para a luz brilhante da rua Vinte e Cinco, onde me pus de cócoras por um momento na calçada, com a cabeça abaixada a fim de me prevenir do desmaio iminente. *Pais*.

Quando me senti mais estável, comecei a andar para o leste na direção do metrô. Lane havia assumido um risco calculado. Não conheço a legislação, mas achei que eu tinha base para abrir um processo contra ele. E no entanto Lane devia ter acreditado que eu não tomaria nenhuma providência. Eu havia mentido para a polícia naquela noite. Eu havia empurrado Lane contra o espelho. Um processo na justiça seria dispendioso e potencialmente deixaria a situação ainda pior, se a notícia se espalhasse. Enquanto eu andava, imaginei outros pacientes e colegas parados na frente da foto e rindo. *Ele sabia*, pensei. *Ele viu*. Ele queria me humilhar. Tinha me humilhado. Senti-me dilacerado pela vergonha. Recordei Lane me convidando para a exposição, seu emprego da sigla "TID", sua risada quando levantei minha maleta, minhas mãos nas suas costas, a sua cabeça batendo de encontro ao espelho. A confusão toldava meu percurso para casa. Eu não conseguia entender o que Lane pretendia dizer com as fotografias. Por que eu tinha sido removido da maioria das imagens? Um desejo, talvez, de que eu desaparecesse? Miranda me recomendara ignorar o assunto, mas quando eu pensava na srta. W. e em meus outros pacientes, essa possibilidade me parecia intolerável.

Deixei uma mensagem para Allan Dickerson, meu advogado. A ameaça de uma ação na justiça devia, por si só, bastar para que retirassem a imagem ofensiva. Telefonei para Magda e expliquei o que havia acontecido. Eu precisava consultá-la a respeito do caso da srta. W. Eu estava precisando de uns conselhos. "Talvez você também possa usar alguns conselhos para si mesmo", disse ela, em voz baixa.

No final da semana seguinte, Al tinha conseguido que colocassem um quadrado preto em cima do rosto de "Médico-chefe enlouquece". Como a fotografia de rua é amplamente protegida nos Estados Unidos, Lane havia mudado o fundo da foto para criar a ilusão de que tinha sido tirada em público, e não num local privado. Apesar de ser uma questão da minha palavra contra a de Lane, a galeria fez aquela concessão.

No entanto, a foto continuava a viver na mente da srta. W., bem como na minha. Ela havia ficado com uma fixação na foto e o seu significado se multiplicava. Eu havia explicado para ela as circunstâncias, o que ela reconheceu e a que me foi solidária, mas a minha imagem humilhante se tornou um ataque contra ela, um espelho distorcido da pessoa louca e violenta que sentia haver dentro de si mesma. Minhas interpretações davam errado, em qualquer direção que eu tomasse. Acabei me convencendo de que, em alguma medida, eu estava protegendo a mim mesmo.

"Minha mãe detestava a feiura, de todos os tipos. Jarras feias, tapetes feios, móveis feios, vulgares..."

Eu escutava aquela digressão em silêncio.

"Ela gostava de coisas chiques, elegantes."

Não interferi. Apenas ouvia e, à medida que ela continuava a falar, não me senti propriamente entediado, mas sim com a mente nublada, o que atribuí ao pensamento sinuoso da srta. W., que passou da mãe para mim, depois para uma colega irritadiça, um monte de documentos que ela precisava organizar, o tempo lá fora, que estava frio, e de volta para a fotografia.

Ela se levantou, caminhou até a janela e olhou para fora. Pensei em Lane por um instante, na foto. A fúria oculta que se torna visível. "A saúde não é um salto para a sanidade; a saúde tolera a desintegração." *Todos nós, de vez em quando, entramos em parafuso por causa de algum paciente.*

Falei para ela, que estava de costas para mim. "Às vezes, olhar para o espelho pode ser assustador."

Ela se virou e depois disse: "Tive um sonho. Por algum motivo, eu não queria contar para você, mas depois do que acabou de me dizer, vou contar".

Fiz um som de encorajamento. A srta. W. quase nunca lembrava os seus sonhos.

"Eu estava na velha casa dos meus pais. O chão estava oleoso, o que era esquisito. Entrei lá na esperança de encontrar meus pais, só que a casa estava vazia, abandonada, e então, de repente, você estava lá dentro, sentado na sua poltrona." Ela fez uma pausa. "Nu. De repente eu estava com um martelo na mão e comecei a bater na sua cabeça. Eu estava furiosa, muito mais furiosa do que jamais estive quando acordada. Fiquei batendo em você feito uma louca."

Registrei a palavra "louca" e senti um puxão dentro de mim, um medo bem distinto.

"Mas", ela me deu as costas, "o seu crânio era mole, maleável, e quando eu batia ele não sangrava, nem acontecia nada, ele simplesmente voltava à sua forma original na mesma hora." Fez uma pausa de novo. "Você ficava calmo, assim como está agora."

Um alívio tremendo me dominou. Era como se eu tivesse sido poupado.

Ela estendeu as mãos para a frente, as palmas voltadas para cima, e seus olhos castanhos tinham perdido o embotamento habitual.

"Você tomou de mim o martelo da fotografia", falei, "para usar contra mim."

"Que martelo?", perguntou ela.

"O que aparece na foto de que estávamos falando."

"Não vi martelo nenhum. Tem certeza de que tinha um martelo?"

"Tenho."

A srta. W. ficou em silêncio. "Não faz muito tempo, li um artigo sobre percepção inconsciente. Às vezes a gente nem sabe que está vendo uma coisa, mas está." O timbre da voz dela tinha mudado. Era mais baixo e mais simpático.

"Aconteceu alguma coisa", falei.

A srta. W. sorriu. Sentou na cadeira e inclinou-se para mim. "Por que é assim? Por algum motivo, eu me sinto animada. Sinto vontade de rir."

"Pois ria", falei

Ela deu uma risada. "Deve ser o martelo. Imagino que em

algum lugar da sua casa tem um martelo de verdade que você usa para bater nos pregos. O artista biruta invadiu a sua casa e tirou a sua foto quando você tentava se defender. A fotografia virou uma peça da exposição que por acaso eu fui ver. Detestei a fotografia, em especial a sua cara, mas não fiquei olhando muito tempo e não *vi* um martelo. Depois ele reapareceu no meu sonho. Não sei por quê, mas me parece um martelo mágico."

"E depois que você sonhou que bateu na minha cabeça com o martelo e eu não morri e nem mesmo me machuquei, ele voltou para cá, para esta sala, na forma de uma *palavra* no relato do sonho que você me contou."

A srta. W. estava sorrindo. "Reencarnação", disse ela.

A palavra me atravessou com um tremor.

Depois que a sessão terminou, continuei sentado na minha poltrona e olhei para fora. A paisagem lúgubre de prédios monótonos, acinzentados por efeito dos anos de sujeira da cidade, havia adquirido um ar ligeiramente alheio, que me surpreendeu. Através de uma vidraça de janela meio embaçada, vi uma mulher levantar-se da sua escrivaninha, debruçar-se, pegar o que devia ser a sua bolsa e seguir rumo à porta. Tudo aconteceu em questão de segundos, mas enquanto eu observava os seus passos resolutos, senti um tremor de assombro. As coisas mais simples, pensei, não são nada simples.

Quando nos encontramos para jantar no Odeon naquele domingo, Inga me comunicou, com um sorriso, que estava atarefada "organizando o seu passado" e queria a minha ajuda. Pôr o passado das pessoas em ordem era comigo mesmo, falei. Para mim, aquilo era apenas mais um dia no consultório, mas assim que falei isso o tom brincalhão da minha irmã se transformou num tom enfático. Tinha chegado a hora de tomar uma decisão, de dizer a verdade, de fazer uma acareação. Inga queria que eu fosse com ela a uma reunião na quinta-feira seguinte, com Edie e Henry, e com a jornalista de cabelo vermelho a quem ela se referia de diversas formas, "a tal de Búrguer", "Cheeseburger" e "Búrguer com fritas". Eu ia servir como uma espécie de rochedo, atrás do qual Inga podia se proteger dos ventos, se eles soprassem com força demais. "Tenho receio daquelas cartas, mas o que posso fazer?", disse ela. "Se Joel for mesmo filho do Max, merece ter alguma coisa da herança do pai." A reunião tinha de acontecer logo, porque Sonia havia concordado em fazer o exame de DNA. O resultado devia sair na quarta-feira. Inga achava que a resistência da filha desaparecera por uma única razão. Minha sobrinha tinha se apaixonado. "*Não era sem tempo*", disse Inga. "Sabe, agora ela anda muito bagunceira, com hábitos positivamente sujos. Claro que isso foi acontecendo aos poucos, ao longo do tempo. Durante alguns anos, senti um lento e contínuo relaxamento nos seus padrões, mas me parece que depois da sua explosão no Onze de Setembro ela desembestou de vez. Quando chega em casa, larga as roupas pelo chão e não arruma a cama. Acho cinzas e maquiagem no chão. É maravilhoso." Minha irmã sorriu. O namorado de Sonia era um colega de uma série mais adiantada, alto, magricela, de pai francês e mãe americana. "Um monte de cabelo", disse Inga. "Mais do que isso eu não posso lhe dizer. Compõe canções. Sonia disse que vai trazê-lo hoje à noite para conhecer você. Devem estar lá agora."

Minha irmã se inclinou para a frente. "A minha vida mudou, Erik. Os dias não são penosos. Eu estou trabalhando. Estou lendo. As noites é que são difíceis de vencer. Vejo filmes antigos, mas muitas vezes não consigo prestar atenção. Mesmo quando Sonia chegava tarde em casa ou estava no quarto dela, mesmo quando ela mal falava comigo, era diferente. Ela *estava* lá. Eu tinha de ser a mãe dela. Adoro ser mãe. Sem a Sonia no apartamento, perco de vista a mim mesma. Tenho pensamentos ruins. Lembro-me de Max morrendo, depois me lembro do papai morrendo. Vejo o bebê de Lisa sobre a terra. Imagino Sonia num acidente de carro, imagino que ela está morta, que você está com câncer como o Max, e que eu estou sentada ao seu lado no hospital. Imagino o enterro de mamãe, depois o meu próprio enterro. Ninguém vai ao meu enterro, é claro. Eu estou esquecida. Ninguém lê os meus livros. Eles não são mais publicados." O rosto expressivo de Inga tomou um ar trágico. "Quando eu era menina, de vez em quando vinha na minha cabeça, de repente, a ideia ou a imagem de que uma pessoa querida havia se transformado num monstro. Por um instante, eu via a cara horrorosa. Isso se repetiu algumas vezes." A voz de Inga tinha ficado mais alta. Olhei para a mesa ao nosso lado. Eles estavam escutando. "É como se eu não pudesse impedir o que estava para acontecer", disse ela. "Quando estou muito sonolenta e todo esse absurdo já me deixou esgotada, às vezes escuto a voz do Max. Ela é maldosa, ou cansada, ou neutra." Minha irmã fungou alto e pôs a mão sobre a boca. "Nunca é *gentil*." Na palavra *gentil*, sua voz se rompeu num grande gemido.

Eu me vi sorrindo.

Ela pareceu magoada. "Você acha que sou uma idiota."

"Só um pouquinho", falei.

Inga olhou para o seu café-expresso descafeinado, depois levantou o queixo e sorriu para mim. "Não tem graça nenhuma", disse ela. "Agora me sinto muito melhor, depois que você me chamou de idiota. Vamos ver se a Sonia e o seu Romeu estão no apartamento."

Depois que o misterioso emaranhado de braços e pernas sobre o sofá se desembaraçou, viu-se que se tratava da minha sobrinha e do seu namorado, um rapaz magricela, de cabelo escuro e desarvorado, olhar franco, que apertou minha mão com firmeza — um bom sinal, pensei. Sonia me deu um abraço e quando baixei os olhos para o seu rosto tive a estranha impressão de que ela parecia mais jovem, que suas bochechas e sua boca suaves tinham a doçura de um bebê. Ocorreu-me que ela havia saído da adolescência mais arredondada, que os ângulos agudos e os fios de navalha daquele tempo mais amargo da vida tinham desaparecido agora.

Ela estava ruborizada e reluzente quando falou com a mãe. "Contei tudo para o René, portanto você não tem com que se preocupar, mas a Madame Hambúrguer passou por aqui uma hora atrás. Mãe, ela não estava falando coisa com coisa. Devia estar embriagada. Sei lá, mas ficou falando de uma senhora feiosa que bateu nela com um guarda-chuva. 'A cidade não está segura!'." Sonia imitou a voz da mulher. "Depois ela disse para eu avisar você de que Edie vendeu as cartas."

Inga cruzou as mãos com força. "Para quem?"

Vi René tomar a mão de Sonia e segurá-la na sua.

"Perguntei para ela", disse Sonia, "mas ela se recusou a dizer. Nem tenho certeza de que ela saiba. Na verdade, não entendi o que ela quer. Qual o interesse dela nisso?"

Inga balançou a cabeça. "Não sei. Nunca entendi isso."

"É uma coisa pessoal", falei.

Sonia olhou para mim. "É uma palavra tão estranha, *pessoal*. Muitas vezes eu me perguntei o que significa exatamente *impessoal*."

No táxi de volta para o Brooklyn, pensei nas palavras de Sonia e no rosto da minha irmã quando nos despedimos. Inga parecia calma, mas sua pele tinha ficado sem cor, branca.

Por volta das sete horas da noite de segunda-feira, Eggy bateu na minha porta. Vestia uma máscara de esquiador com buracos para os olhos e para a boca. Ergueu a cara para mim, seus lábios se mexeram. Não consegui ouvir o que ela dizia, por isso pedi que repetisse.

"Estou vindo numa missão", sussurrou.

"A sua mãe sabe disso?"

Eggy assentiu com a cabeça. Eu tinha deixado um recado para Miranda, agradecendo a carta e o desenho e falando do acordo que fizera com a galeria. Miranda havia telefonado para mim em resposta e deixado seu recado para dizer que estava contente, mas até então não tínhamos nos falado. Cheguei a ter a esperança de que ela iria subir a escada para apanhar a filha.

Eggy deu vários passos longos e lentos pela sala, mantendo as mãos bem cruzadas atrás do corpo. Depois parou, olhou para os dois lados como se fosse atravessar uma rua, e revelou o que estava escondendo: uma bola grande de barbante branco. Pegou minha mão, me conduziu para o sofá e, delicadamente, me empurrou para sentar ali. Quando olhei, ela começou a desenrolar o barbante. Depois de soltar alguns metros, amarrou a ponta na mesinha de café, deu um laço em volta de uma cadeira e depois em volta das pernas do sofá, enquanto fazia comentários como: "Hummm, isso é muito bom", "Que cordinha boa", e "Excelente". E continuou fazendo isso. Eu não conseguia enxergar o seu rosto, mas notei que seus olhos, que estavam brilhando com um ar travesso, ficavam mais concentrados à medida que continuava a trabalhar. Quando terminou de usar o barbante inteiro, tinha formado uma vasta rede que unia todas as peças da mobília da sala, e eu fazia parte da rede, pois Eggy tinha prendido meus pés e minhas mãos à mesa, como parte da sua criação. Então ela empurrou a máscara para trás da cabeça, rastejou por baixo do barbante e sentou-se ao meu lado no sofá.

"Esta é a minha missão", disse ela. "Amarrar e prender tudo junto."

"Estou vendo, e me parece que você se divertiu bastante fazendo isso."

Eggy sentou-se muito empertigada. "Desse jeito, nada fica longe de nada. Tudo está preso."

"Tudo está preso", repeti.

Eggy levantou um pedaço do barbante atrás do seu pescoço, recostou-se no sofá, soltou um grande e ruidoso suspiro e fechou os olhos com muita força. "Como é que você entende de crianças, se não tem nenhum filho?"

"Já fui criança um dia, sabe, muito tempo atrás."

"Quando fazia xixi na cama."

"É, fiz xixi na cama por um tempo, e depois passou."

"Mas você era um garoto ruim, bagunceiro e mijão." Dava para sentir o entusiasmo na sua voz e eu fiquei pensando como devia responder, quando de repente Miranda apareceu de pé na nossa frente e lembrei que tinha deixado a porta do apartamento aberta.

"Ah, meu Deus", disse ela. "Essa não, de novo."

"O doutor Erik achou legal. Ele gosta", falou Eggy, com voz esganiçada.

Miranda balançou a cabeça, mas sorriu. "Você vai ter de desfazer tudo isso. Não pode manter o Erik amarrado aí para sempre."

"Não, ainda não, por favor, por favor, por favor, mamãe, deixe ficar assim mais um pouco, *por favor*."

Falei para Eglantine que a gente ia deixar a sua "obra de arte" intacta por alguns dias, mas, como eu precisava ir para o trabalho de manhã, ela teria de me soltar. Isso pareceu contentar a menina e, uma vez que tudo ficou resolvido, Miranda me ajudou a libertar-me dos grilhões. Enquanto puxava o emaranhado de barbante, sua mão tocou no meu tornozelo. O seu toque me deixou estupidamente feliz, mas pensei em Laura e lembrei que eu tinha prometido telefonar para ela no dia seguinte. Minha confusão começava a parecer ridícula, até para mim mesmo.

Como não havia lugar para sentar na sala, subi para a biblioteca e li durante algumas horas. Depois de terminar um artigo mal redigido na revista *Science*, peguei um dos livros de Winnicott na prateleira, *Pensando sobre crianças*, e abri num trecho em que escrevia sobre o seu trabalho de pediatra, contava como ele gostava de cuidar do corpo das crianças, dizia que examinar as pessoas fisicamente pode ser importante para a sua saúde mental: "As pessoas precisam ser vistas". Recordo a frase, não só porque me deu a impressão de algo verdadeiro, mas também porque eu tinha acabado de ler a frase quando ouvi alguém na escada.

Pensei em Lane, mas sabia que a porta da frente estava trancada e que o alçapão no telhado também estava trancado. No entanto, senti um calafrio quando ouvi o leve som de passos na escada. Era Miranda. Ela estava na porta, os olhos fixos em mim. Era sua segunda aparição naquela noite, mas dessa vez vestia um roupão de banho branco, e dava para ver a pele nua logo acima dos seios. Ela entrou na biblioteca, sentou-se numa poltrona à minha frente e disse: "Há uma coisa que quero falar para você. Acho que é porque ando escondendo isso já faz bastante tempo e por alguma razão não quero esconder mais".

"Tudo bem", falei, sem disfarçar a surpresa na voz.

"Lembra o meu tio Richard? Contei para você, um dia."

"Sei, ele morreu."

Miranda fez que sim com a cabeça e seus olhos ficaram pensativos. "Era um homem delicado, e muito tímido. Às vezes hesitava quando falava, mas tinha um grande senso de humor e era muito esperto. Meu pai sempre dizia: 'Richard tem boa cabeça para números'. Um dia minha irmã caçula, Alice, perguntou para o papai se a gente podia ver os números dentro da cabeça do tio Richard. Os pais do meu pai já haviam morrido e nós, as meninas, éramos muito ligadas ao tio Richard, mas era eu que fazia desenhos para ele, e o tio Richard levava meus desenhos muito a sério e fazia comentários sobre eles. Pôs um desenho numa moldura e pendurou na parede — um retrato dele que desenhei quando tinha nove anos. Lembro que caprichei muito no desenho das roupas, porque o tio Richard vestia roupas boas, camisas lindas, de cores suaves. Viajava até Miami às vezes e voltava para casa com presentes para nós. Uma vez comprou para mim um livro com desenhos de Degas. Esse presente fez com que me sentisse mais importante e mais crescida do que nunca. No dia 7 de maio de 1981 — eu tinha onze anos e meio." Miranda abraçou a si mesma e sua voz ficou mais baixa. "O telefone tocou. Meu pai atendeu e só disse 'Richard', com aquela voz horrível. O corpo dele tinha sido encontrado naquela manhã na zona oeste de Kingston. Foi apunhalado e espancado. Houve uma investigação, mas não se descobriu nada. A polícia não fez nenhuma prisão." Miranda respirou trêmula e demoradamente, antes de prosseguir. "No enterro do tio Richard, havia um americano, uma pessoa que ninguém conhecia. Era alto e bonito e lembro que o terno dele me fez pensar que devia ser um homem rico. Chegou perto de mim e disse: 'Miranda, eu era amigo do seu tio Dick. Ele me contou que você é uma menina de muito talento'. Eu queria conversar mais com ele, mas meu pai se aproximou e, sem chegar a ser indelicado, fez um sinal com a cabeça para o homem e me puxou para longe pela mão. Papai não ficou abalado no enterro. Isso aconteceu depois. Naquela noite. Ouvi papai falar com mamãe no quarto ao lado do meu. Ele disse: 'A gente nunca sabe o que acontece na nossa própria família'. Depois começou a chorar.

"Quando eu tinha treze anos, voltamos para a Jamaica para o enterro da minha tia-avó Yvonne, e lá estava um garoto chamado Freddy, mais velho do que eu, pelo jeito um parente, mas eu não o conhecia. Eu disse para ele alguma coisa sobre a tia Yvonne ser velha e o tio Richard, jovem, e que era muito mais triste morrer quando se era jovem. Ele olhou para mim e vi que seu rosto tinha ficado feio. Ele disse só uma palavra: '*Battyman*'."

Balancei a cabeça.

"É um palavrão usado na Jamaica para gay. Me deixou chocada, Erik. Eu nunca tinha pensado naquilo, quer dizer, com relação ao meu tio. Falei para o garoto que não era verdade. E então Freddy falou mais uma coisa." Miranda estava quase sussurrando. "Ele me contou que o tio Richard tinha experimentado a sua 'perversão' com um adolescente que ele conhecia. Eu não conseguia acreditar naquilo..." Uma lágrima correu pela face de Miranda e ela enxugou com a mão. "A gente não sabia quem ele era. Ele tinha de esconder."

"Ser gay teve alguma relação com a sua morte?"

Miranda esfregou os braços com as mãos. "Não sei. Levaram o dinheiro dele, mas deixaram a carteira. Meu pai não conseguia falar sobre isso. Tentei algumas vezes, mas ele se desviava do assunto. A vergonha é difícil. Papai é um homem de cabeça liberal, mas parece que não consegue, simplesmente não consegue, falar no assunto.

"Às vezes eu acho que foi isso que me deixou... me refiro ao assassinato dele, sabe, eu nunca consegui tirar isso da cabeça. Às vezes passam dias sem que eu pense no assunto, mas então lá está ele outra vez. Imagino o terror do tio Richard quando vieram atrás dele, imagino o tio sangrando e morrendo no meio da rua. Mas também penso no segredo. É contra a lei ter relações sexuais com pessoas do mesmo sexo na Jamaica, e o ódio é uma coisa terrível." Miranda ergueu os olhos para mim. "Sabe, eu sempre quis ser um menino, o filho que o meu pai não teve. Nas brincadeiras com as minhas irmãs, eu fazia papel de menino e imitava o jeito como os garotos andavam, aquele passo arrogante, sabe, e também a maneira agressiva de falar, e então durante alguns anos cheguei a pensar que talvez eu fosse que nem o tio Richard. Às vezes eu sentia atração por meninas." Fez uma pausa. "À medida que o tempo foi passando, isso foi sumindo, mas por um tempo eu andei mesmo atormentada. Andei pensando em fazer um desenho sobre isso para você, fiz umas pesquisas e desenhei uma série de rascunhos. Eu gostaria de seguir os passos daquele homem em Miami. Gostaria que Eglantine soubesse a respeito do tio Richard. Os meus pais já acham os meus desenhos assim, bem, muito chocantes, portanto iam ficar sentidos com isso, tenho certeza."

"Você está em busca de uma autorização?"

"Talvez sim."

"Não cabe a mim fazer isso", respondi com tranquilidade.

"Sei que a foto na exposição deixou você transtornado."

"Foi mesmo. Eu me senti explorado, e uma de minhas pacientes viu a fotografia e ficou muito abalada."

"Jeff queria que eu lhe dissesse que ele a usou como uma imagem do pai perigoso, não como de você mesmo. Ele disse: 'Diga para ele que é uma transferência e que são os pais que fazem as guerras'. Ele está interessado na raiva, em explosões. Aquela fotografia foi uma violação da sua privacidade, mas tinha força e eu entendo por que Jeff quis que entrasse na exposição. Eu posso ficar muito furiosa. Às vezes é como um fogo dentro de mim, e isso me ajuda a desenhar, me ajuda a ir em frente e não ficar intimidada com o que estou fazendo. O pai do Jeff era um homem raivoso. Berrava e batia os punhos com força na mesa. Jeff ficava morrendo de medo quando era pequeno. O pai dele também era médico. Um cardiologista com temperamento ruim. Jeff nem sabe por que os pais estavam juntos naquele carro. Já estavam divorciados fazia muito tempo. Ele tentou descobrir, mas nenhum dos amigos dos dois parecia saber de nada, e Jeff não se dava bem nem com o pai nem com a mãe. Às vezes ele acha que o pai provocou o acidente de propósito, mas não existe nenhum indício de que foi assim."

"Você queria que eu soubesse de tudo isso?", perguntei.

Miranda me fitou nos olhos. "Sei que parece bobagem, mas acho que foi o barbante, ver você assim, todo amarrado naquele barbante. Você simplesmente deixou que aquilo acontecesse e não deteve a Eggy, e depois você estava tão engraçado e tão sério quando subi a escada, ali sentado muito calmo no meio da rede da Eggy, como se não tivesse acontecido nada com você."

"Me ver amarrado fez você querer subir até aqui e me contar todas essas coisas?"

"Bem, não faz muito sentido, mas foi isso."

Miranda tinha levantado os pés sobre a cadeira e cruzado as pernas embaixo do corpo, e parecia mais jovem do que o habitual. Eu me dei conta de que ela nunca se mostrara tão aberta comigo e que isso a deixava vulnerável.

"Bem", falei. "Eggy está tentando consertar o que foi quebrado, quando amarra tudo. Talvez você quisesse consertar as coisas comigo."

"Notei o jeito como você me olha. Sei que gosta de mim, mas às vezes eu me perguntava se é mesmo de mim que você gosta."

Achei difícil olhar para ela.

"Jeff andava com muito ciúme de você e eu não queria tirar proveito dos seus sentimentos, embora eu me sinta atraída por você. Mas nesta noite eu queria que você soubesse mais a meu respeito." Fez uma pausa. "Eu me sinto segura com você. Você é uma pessoa boa."

*Segura* e *boa* reverberavam fortemente como *domesticado*. Miranda se levantou e andou na minha direção, sentou-se no sofá e reclinou a cabeça no meu ombro. Pus o braço em torno dela, puxei-a mais para perto de mim e ficamos assim por muito tempo sem dizer nenhuma palavra. Entendi que Miranda me havia oferecido a história do seu tio Richard como um presente. Por meio dessa história, Miranda queria me explicar não o seu tio, mas a si mesma. *Talvez guardemos no coração um segredo que, com toda a sua alegria ou dor, sentimos ser precioso demais para compartilhar com outra pessoa.* O assassinato se tornara um muro que separava a sua vida em antes e depois, e eu deduzi que a infância dela havia ficado do outro lado do muro. A vergonha, não importa se justificada ou não, tinha manchado a pureza da indignação da família e havia deixado seu espinho cravado em todos eles, em especial no pai de Miranda. *Ele se interessa pela raiva, por explosões. Eles morreram instantaneamente.* Talvez as mortes violentas na vida deles tivessem unido Miranda e Lane. Miranda disse que foi o barbante, me ver amarrado no barbante, que lhe deu a vontade de vir falar comigo. Contar sempre liga uma coisa a outra. Queremos um mundo coerente, e não um mundo em pedaços.

Depois ela se virou para mim, pôs o rosto contra o meu peito e falou: "Sabe, é difícil ser mãe o tempo todo. Ter de tomar conta de tudo. Mesmo no trabalho eu me sinto assim às vezes. Pergunte para a Miranda. Miranda vai dar um jeito. A boa e velha Miranda, competente e sempre a postos. Jeff sempre precisou de atenção. Às vezes eu quero que alguém tome conta de mim só um pouquinho". Senti lágrimas através da camisa.

Afaguei sua cabeça e suas costas, senti a textura áspera do seu cabelo embaixo dos meus dedos e depois a pequena protuberância de cada vértebra ao descer pela espinha por baixo do pano atoalhado e experimentei um prazer erótico suave. Eu estava fazendo o papel de mãe, afinal, e não o de amante. Por fim eu havia tomado em meus braços aquilo que Laura chamou de meu "objeto de fantasia", uma mulher a quem eu desejei por meses, só para descobrir uma criança em meus braços. Então começou a chover. Ficamos ouvindo os pingos bater nas janelas e martelar na claraboia, um andar acima de nós, e lembrei-me de Lane correndo pelos telhados. É um milagre quando as paixões de duas pessoas de fato vão ao encontro uma da outra, pensei. É tão comum que se lancem em direções inesperadas, e depois não há como alcançá-las.

Não sei quanto tempo fiquei com Miranda nos braços nem que horas eram quando ela me deixou e desceu a escada rumo ao seu apartamento. Acho que era mais ou menos uma hora. Sei de fato que, quando ela me deu um último abraço, tinha parado de chover.

De manhã, acordei com uma ereção e com fragmentos confusos e disparatados de um sonho sobre uma mulher estranha de penhoar, seus seios nus embolados no espaguete que, misteriosamente, havia tomado conta de toda a minha cozinha — uma tradução do cordão umbilical de Eggy, sem dúvida nenhuma. Só quando emergi do estado liminar, entorpecido, me lembrei de Miranda entrando com o seu roupão branco para me contar a história do assassinato do seu tio Richard e para encontrar algum consolo em meus braços. Durante o dia, enquanto escutava meus pacientes, a recordação da voz dela se intrometeu no meu pensamento algumas vezes. *Eu fazia o papel do menino. A boa e velha Miranda, competente e sempre a postos. Ele pediu para dizer a você que era transferência.* Imaginei também um homem caído na rua, sangrando, machucado, e me perguntei qual seria o aspecto da zona oeste de Kingston, porque a rua que imaginei não pertencia a nenhum lugar real. O sr. T. veio me visitar naquele dia. Depois de duas semanas no hospital, ele estava sob tratamento ambulatorial em Paine Whitney. Fiquei contente de vê-lo mais coerente e mais magro agora que tinha parado de tomar olanzapina. O seu novo regime terapêutico — carbamazepina, risperidona, uma pequena dose de lítio, o antidepressivo bupropiona e zolpidem para dormir — tinha ajudado.

"Há umas oscilações e guinadas", disse-me ele. "Mas está melhor, nada de melancolia, de sinistros pensamentos de morte, quase não ouço vozes e elas não falam alto, são só uma espécie de névoa que vai recuando ao fundo, e não aquelas vozes iminentes. Mas o doutor Odin não fala muito. É do tipo que faz que sim com a cabeça, rabisca, solta resmungos. Achei que talvez eu pudesse ver você."

"O seu seguro de saúde dá cobertura?"

Ele balançou a cabeça. "Não sei."

"A gente pode entrar num acordo... capacidade de pagamento."

O sr. T. esfregou as mãos com força. As unhas tinham um grosso risco de sujeira e sua fisionomia era mansa. "*Herz und Herz*", disse ele. "*Zu schwer befunden. Schwerer werden. Leichter sein.*"

"O que é isso?"

"Paul Celan. 'Coração e coração. Tidos como muito pesados. Se tornam mais pesados. Seja mais leve.' Tradução minha. Ele se afogou no Sena."

"Ele era um poeta. Como você."

O sr. T. sorriu. "É", disse. "Como eu."

Depois, naquela tarde, quando andava em direção ao metrô, pensei no tio Richard outra vez. *Às vezes eu acho que foi isso o que me deixou... me refiro ao assassinato*. Pensei no sr. T., no pai e no avô dele e no meu pai e no meu avô, e nas gerações mais recentes que ocupam o território mental entre nós e os silêncios naquela terra antiga, onde espectros fugazes passam ou falam em vozes tão baixas que não conseguimos ouvir o que estão dizendo.

* * *

Embora Eglantine e eu tivéssemos desmontado a estrutura de barbante na noite seguinte, Miranda não subiu para pegar a filha. Em vez disso, chamou Eggy, e a menina, depois de ficar alguns minutos enrolando na minha casa, desceu a escada. Minha noite com Miranda havia reconfigurado aquele vago território a que denominamos futuro, um lugar habitado exclusivamente por temores e desejos. Jeffrey Lane havia penetrado um de meus desejos com uma velocidade misteriosa, tinha percebido qual era ele, antes mesmo de falar comigo. Eu tinha desejado "ganhar" Miranda e guiá-la, junto com Eggy, para o alto da escada, rumo aos domínios da felicidade familiar. Mas tinha começado a compreender que a mulher não podia ser ganha nem por mim nem por ninguém. Ela me havia procurado com a sua confissão e com seu desejo de ser "um pouquinho" amparada, mas no seu caráter havia também uma resistência e uma vontade de independência que significavam que ninguém teria permissão de contar a história de Miranda para ela mesma.

"É verdade", disse Sonia com voz firme e baixa. "O papai trepou com aquela mulher e me deu um irmão. Não entendo por que a mamãe está tão calma com isso, parece quase um robô. 'A verdade é o que é', ela não para de dizer. Como se eu não entendesse. Mas eu entendo. Só que eu não *gosto*. Mamãe acha que eu devia ir àquela reunião com Henry, Edie e a Hambúrguer."

Enquanto falava, a luz cinzenta que vinha de fora do restaurante grego na rua Church iluminava seu rosto desafiador. Seus olhos e sua expressão naquele momento ficaram gravadas na minha mente com uma precisão fora do comum. Embora eu estivesse preparado para a possibilidade de Max ter outro filho, o fato me chocou, e aquele choque seguramente está por trás da força da recordação. "O que quer que você resolva fazer", falei, "já fico contente por estar falando do assunto."

Pensei em Joel, a quem eu nunca tinha visto, um menino que teria de lutar com um pai que tinha se transformado numa alta pilha de livros e quatro filmes. Imaginei se ele teria visto a mãe quando jovem no papel de Lili, com os olhos brilhantes e seu sorriso lindo, a fugidia sílfide da fantasia de um homem de meia-idade. Será que Joel se sentiria perdido no meio daquelas ficções? Conseguiria encontrar um lugar para si como filho de Max Blaustein e ir em frente?

"Por que o papai não podia simplesmente ser fiel à mamãe?" A voz de Sonia se rompeu num soluço ao dizer a palavra *fiel* e pôs fim ao meu devaneio.

Balancei a cabeça. "Só sei que ele amava você."

Então ela se inclinou para a frente de novo e disse: "É estranho, sabe, meu pai morreu e mesmo assim não quero dividir o meu pai. Quero ser a filha única".

"Joel nunca esteve com ele", falei.

Sonia olhou para as suas mãos. "Sabe que eu nunca li nenhum dos livros do papai?"

"Você ainda tem tempo", falei.

"Tenho medo dos livros dele, tio Erik."

"Por quê?"

"Acho que é porque eu queria manter o papai a salvo como meu pai. Talvez eu não quisesse de verdade entrar na cabeça dele, saber o que havia lá. Eu tinha medo de me queimar, tinha medo de que o mundo fosse se despedaçar, de que o mundo que eu desejava fosse se despedaçar. De todo jeito, agora tudo isso acabou. Acabou já faz tempo."

"Desde o Onze de Setembro."

"Não, desde que vi papai com *ela*. Ninguém morreu, só a

ilusão de um pai perfeito." Sonia se inclinou para a frente e pôs as mãos sobre a mesa. "De noite era sempre a mesma coisa: as pessoas caindo. Acordava com um berro nos meus ouvidos, e eu não conseguia respirar nem falar."

"E agora melhorou?"

"Acabou. Às vezes tenho pesadelos, mas não tenho mais aquele sonho. Espero que não volte nunca mais."

"E agora está apaixonada."

Sonia ergueu os olhos para mim e ficou vermelha. "Nunca estive antes. É tudo novidade."

"A novidade é uma coisa boa."

"Sim", disse ela. "Os livros do papai são novidade também. Finalmente comecei a ler os livros dele."

Após alguns longos e tortuosos diálogos pelo telefone, que nos faziam acatar e abandonar nossas diversas esperanças, fraquezas e ilusões, Laura e eu concordamos em não parar *o que quer que fosse*. Em homenagem à nossa relação sem nome, mas significativa, ela cozinhou um jantar para mim, que, pelo aspecto da sua cozinha, deve ter levado o dia inteiro para preparar, ou mais tempo ainda. Ela ainda usava avental por cima do vestido preto e justo quando servi o vinho e sentamos para comer. Eu estava prestes a provar o primeiro prato do jantar, espaguete com mariscos, salsa e pimentão, quando olhei para Laura do outro lado da mesa e vi que olhava para mim com grande seriedade, à espera do veredicto do meu rosto. Por algum motivo, achei sua expectativa insuportavelmente pungente e parei com o garfo suspenso no ar entre o prato e a boca.

"O que foi?", perguntou ela. "Não pode comer mariscos?'

"Não é isso", respondi. "É o jeito como você está me olhando."

"O que é que tem?"

"Você está com um ar generoso."

Laura levantou as sobrancelhas e riu. "Que tipo de elogio é esse? Você tem de dizer que uma mulher está linda ou sensual, não generosa. *Generosa* parece gorda."

Não deixei que o seu riso me desviasse do assunto. "Generosidade é uma coisa que admiro muito", falei.

Laura inclinou-se para mim, os seus olhos castanhos cheios de ternura. "Obrigada, Erik", disse ela com sua voz afetuosa. "Agora coma o macarrão antes que esfrie."

Comemos o macarrão, comemos a carne de vitela, comemos a salada de rúcula, tomamos vinho, rimos e prestei muita atenção no seu rosto animado, generoso, enquanto comíamos, bebíamos e ríamos, e me senti como se estivesse vendo Laura pela primeira vez.

Inga havia reservado uma suíte no hotel Tribeca Grand para aquilo que chamou de "uma reunião de traficantes de cartas". Ela queria um local neutro, mas com privacidade. Tanto Henry como a tal de Búrguer tinham assinado documentos com força legal assegurando que não tornariam público nada do que fosse dito no quarto. Sem dúvida a curiosidade deles tinha sido espicaçada o bastante para que viessem, apesar das restrições. Sonia aceitou o convite com relutância e eu confirmei minha presença na função de guarda-costas e de observador bem-intencionado. Nas horas que antecederam a peculiar conferência, me dei conta de uma crescente sensação de ansiedade, acompanhada pela agora familiar sensação de falta de ar.

Eu não via Edie Bly desde os seus tempos de atriz e, embora continuasse bonita, Burton tinha razão: o rosto tinha ganhado um toque de dureza. Uma severidade nova havia deixado mais pronunciados os seus traços antes suaves, sobretudo o queixo e o nariz. A alcoólatra em recuperação, fumante e bebedora compulsiva de café e corretora de imóveis vestia uma versão do uniforme preto da nova-iorquina ultramoderna, um suéter e um par de calças que ressaltavam seus seios e seus quadris estreitos. Também exalava uma nuvem invisível de perfume picante que trazia à minha memória a médica de Bombaim com quem eu tinha dormido duas vezes, anos antes, quando fazia residência médica, uma associação erótica que, embora irracional, afetou de algum jeito minha opinião a respeito dela. Inga tinha deslocado todas as cadeiras disponíveis e organizou-as num círculo em torno de uma mesinha de café. Edie ficou sentada perto de mim e imediatamente começou a balançar a perna direita. Eu sabia que ela não tinha consciência daquele seu tique irrequieto e isso aumentou a minha compaixão.

"Está fazendo frio hoje", disse ela para ninguém em especial e não recebeu nenhuma resposta.

Um inescrutável Henry apareceu, cumprimentou todo mundo com educação e sentou-se ao lado de Inga, que, para meu alívio, parecia igualmente otimista. A tal de Búrguer chegou depois, muito bem embrulhada num casaco e num cachecol, que tratou de retirar numa operação que levou alguns minutos e, depois de ser apresentada a mim, ocupou a cadeira que restava. Eu tinha visto a mulher uma vez na escada, quando seu sorriso me deu um calafrio, e talvez ainda uma outra vez, quando só as suas costas estavam visíveis. A não ser pelo cabelo vermelho e por alguma coisa calculada no seu modo de andar, porém, ela não estava reconhecível. Depois de tudo o que eu tinha ouvido falar sobre ela, já devia estar prevendo uma mulher maior em todos os aspectos — mais cabelo, mais corpo, mais maldade. A pessoa à minha frente parecia bastante comum. Seu rosto redondo, de olhos pequenos e nariz um tanto chato, parecia tão inócuo quanto seu corpo de proporção mediana envolvido num suéter largo e numa saia comprida.

Inga cruzou as mãos no colo e começou a falar de maneira professoral, que por um momento me fez lembrar o nosso pai. "Achei que devíamos externar nossas diferenças e encontrar um caminho para avançar. Agora não existe a menor dúvida de que Max é, ou melhor, foi o pai de Joel, e como eu já disse para Edie e para Sonia, sei que Max não iria querer que eu ignorasse seu filho. Isso seria falta de consciência. Ele será levado em conta e receberá a parte que lhe cabe na herança literária do pai, mas não é por isso que estou aqui."

Sonia se mantinha imóvel, olhando para o chão.

"Estamos aqui para discutir a questão das cartas", disse Inga em tom firme. "Tenho perguntas a fazer a vocês três. Primeiro, Edie, o que levou você a vender aquelas cartas sem me consultar, quando eu já me havia oferecido para comprá-las?" Em seguida, virou-se para Hambúrguer. "E quanto a você, Linda, os seus motivos para me acossar são inteiramente incompreensíveis."

Depois que pronunciou o prenome da mulher, me dei conta de que eu não conseguia lembrar seu sobrenome, embora Inga já devesse ter dito qual era, na hora das apresentações. O sobrenome dela estava soterrado embaixo de inúmeras e jocosas referências ao célebre bife americano de carne moída.

"Por que você se importa tanto com as cartas de amor do meu marido e com o passado dele?", continuou Inga. "Será que a imprensa dá alguma importância à vida dos escritores? Dá alguma importância à literatura? Não estamos em Londres. Até eu sei que aqui não há material para nenhuma grande reportagem. Para mim, é uma coisa francamente desconcertante. Por que você se importa tanto com isso?"

Sob o olhar fixo de Inga, a mulher de cabelo vermelho sorriu e então eu a reconheci: era o mesmo sorriso sem graça, incômodo, que eu tinha visto na escada.

Inga se virou para Henry e disse, com tranquilidade: "Eu quis que você estivesse aqui porque você se interessa muito pelo Max. Quero dizer, com o que ocorre com a obra dele, e aquelas cartas, bem, seja lá o que forem, fazem parte da sua obra. Sonia sabe por que está aqui. Já mantivemos coisas demais em segredo uma para a outra".

Inga se voltou para Edie e esperou. O silêncio que se seguiu ficou denso de emoção, como se todas as pessoas no quarto emanassem algum tecido viscoso e aéreo. Perguntei a mim mesmo se eu devia falar alguma coisa, mas resolvi ficar calado.

Edie afinal falou: "Eu tinha o direito de vender aquelas cartas para quem eu quisesse. Você sabe disso. Você acha que é fácil criar um filho, agora que tenho de ganhar a vida sozinha? Joel tem problemas de leitura. Faço o dever de casa com ele todas as noites, durante horas. Fico tão cansada quando vou para a cama que nem consigo acreditar que tenho de levantar para trabalhar na manhã seguinte. Estou cagando para a *literatura* do Henry". Deu um toque britânico à pronúncia da palavra *literatura*, como que para enfatizar que ela, ao contrário de todos nós, estava absorvida pelos problemas da vida *real*, e não por esnobes questões literárias.

"Mas eu queria comprar as cartas", disse Inga. "E também ajudar vocês dois. Você sabia disso."

"Você acha que não tenho orgulho?", disse Edie, com o queixo um pouco para a frente.

Inga recostou-se na cadeira e abriu a boca em sinal de descrença. "Você acha que isso não feriu o *meu* orgulho?" Pareceu atônita por um momento e depois falou: "Talvez o problema seja o seguinte. Ele procurou você e você o recusou, mas eu o queria muito. Eu sempre quis muito a ele". A voz de Inga se desfez num soluço.

"Na ocasião eu estava em condições ruins. Agora eu estou limpa. Eu... eu me encontrei."

"Mas o que é que *isso* quer dizer?", disse Sonia abruptamente. "Toda hora eu ouço essa expressão. A gente tem até a impressão de que existem pessoas jogadas por todo lado, pelo chão, à espera de que alguém venha encontrar e pegar."

Edie a ignorou.

Enquanto eu escutava, me dei conta de que Edie Bly estava em desvantagem com os seus clichês. Ela na verdade não sabia o que estava dizendo. "Orgulho" era um código para a sua necessidade de ser vista e compreendida, e a expressão surrada "eu me encontrei" tinha ajudado Edie a deixar para trás sua personalidade de dependente química e abraçar a nova personalidade. A despeito da minha consideração por Inga, senti compaixão pela ex-atriz de perfume forte. Com a raiva, Inga ficou ainda mais articulada, em vez de menos, e eu de outras vezes já tinha ouvido Inga bradar parágrafos de vituperação perfeitamente elaborados em defesa de uma pessoa ou de uma ideia acalentada com carinho. Porém fiquei aliviado ao ver que ela se manteve em silêncio.

"Quem comprou as cartas, Edie?", perguntou Henry com voz estudada, o rosto aparentemente imperturbável.

"Não sei", respondeu ela.

"Você não sabe!", quase gritou a tal de Búrguer. "Você ficou doida?"

"O trato foi esse. Nenhum nome. O homem pagou em dinheiro vivo."

Pela primeira vez Henry se mostrou agitado. Fitou Edie. "Por quê, sua idiotinha?", disse ele. "Aquelas cartas são parte de um legado literário. Pertencem à posteridade, a todos nós..."

"Estão em posse de um estranho", disse Inga com voz assombrada. "Edie, há alguma coisa nas cartas que eu devesse saber?"

Uma imagem de Max num quarto de hotel muito iluminado me veio à mente naquele momento, um retrato mental que eu tinha visto quando Inga me contou a história daquele dia em

Paris depois que os dois foram ao cinema. Vi os dedos de Max se mexendo: *Eu não posso contar para você.*

O rosto de Edie pareceu se contrair. "Vou fumar um pouco", declarou e, com a mão vacilante, retirou da bolsa um maço de cigarros, sacudiu até sair um cigarro e acendeu. "Ele mandou aquelas cartas para mim, para *mim*", repetiu, e sua voz ficou mais alta.

"Eu sei", disse Inga, serena. "Eu sei, e se você quisesse, podia ter queimado as cartas, ou rasgado em pedacinhos, ou podia ter riscado aquilo que não queria que ninguém lesse... tudo isso estava em seu poder. Não está vendo, Edie, temos de tentar chegar a um acordo, porque a minha filha e o seu filho são irmãos. Você vendeu as cartas para uma pessoa anônima que pode fazer muitas coisas com elas e acho que seria justo me dizer, dizer para nós, se há nelas alguma coisa que, algum dia, possa ferir Joel ou Sonia."

O lábio inferior de Edie começou a tremer, a boca se contorceu, as lágrimas caíram e ouvi um som romper-se no fundo da sua garganta.

Estendi o braço para ela, coloquei minha mão sobre as suas e dei umas palmadinhas ligeiras.

Do nada, Linda explodiu: "Você acha que é perfeita, não é?", disse, inclinando-se na direção de Inga, o rosto repentinamente animado. "Olhe só para você, fazendo o papel da mãe nobre para poder passar a perna na coitada da Edie. É revoltante. A gatinha glamourosa com doutorado, que escreve aqueles livros pretensiosos para mostrar como acha que é esperta, como acha que é superior e especial de verdade. A senhorita Perfeita com a filha perfeita e o quarto perfeito no hotel Tribeca, a viúva do Famoso Falecido Herói Cult Max Blaustein. Eu sabia que ainda ia achar alguma sujeira em você. Você tinha de baixar um pouco essa crista. Quer saber por que me importei tanto? É por isso que eu me *importei*." Esse discurso foi proferido entre dentes cerrados, com um inequívoco rosnado, que acentuou sua última palavra.

A boca da minha irmã se abriu, depois ela pôs a mão sobre o peito, como se o ataque verbal tivesse atingido seu corpo.

"Você não se lembra de mim, não é?", continuou Linda.

Inga continuou de boca aberta. Com voz apagada, perguntou: "Lembrar de você?".

"Da Universidade Columbia. Conheci seu amigo Peter."

"Peter?", disse Inga. "Você conheceu o Peter?"

"Eu fazia faculdade de jornalismo. Você fazia *filosofia*." Cuspiu a palavra, ao dizê-la. "Tomamos café juntas três vezes com o Peter. *Três* vezes. Era como se eu nem estivesse ali. Vocês dois ficaram tagarelando sobre Husserl. Eu falei alguma coisa sobre o assunto e você deu uma risada." Os olhos da mulher não se desviavam de Inga.

"Desculpe", disse Inga. Inclinou-se para a frente. "Lamento muito."

"Mamãe não ri das pessoas", disse Sonia. "Ela ri bastante, mas não *das* pessoas. Ela não consegue se lembrar de todo mundo que encontra. E posso garantir uma coisa sobre ela: não fica fuçando no lixo dos outros."

Inga mal conseguiu fazer a palavra sair da boca: "Lixo?".

"Por que você não conta para a minha mãe aquilo que eu nunca contei, que achei você revirando o lixo da nossa casa? Lá estava ela", Sonia apontou com o dedo indicador na direção de Linda, "com o saco aberto, remexendo em cascas de ovo e pó de café, para achar papéis e cartas."

Linda não respondeu. Ficou sentada em sua cadeira, com os lábios tensos.

Inga abraçou a si mesma. "É terrível ser esquecida e ignorada. Aconteceu comigo também." Pareceu confusa, estendeu as duas mãos para Lisa e disse: "Você levou isso longe demais, de uma forma terrível, não foi?".

Henry interrompeu: "Eu diria que sim". Voltou-se para Edie, que ainda estava fungando.

"Elas pertenciam a mim!", disse Edie antes que Henry pudesse falar. "Já falei para você! Ele mandou as cartas para mim! E aí, de uma hora para outra, todo mundo quer as cartas." As lágrimas corriam com força pelo seu rosto. Ela soluçava. "Sete cartas bobas. Tão *importantes*. Muito mais importantes do que eu sou, pelo amor de Deus. Ou que o Joel, ou que qualquer *pessoa*. Não passa de um punhado de babaquice numas poucas folhas de papel. Quero dizer, tudo isso é uma coisa nojenta."

"É isso o que você pensa do meu pai?" Sonia berrou essas palavras, levantou-se, inclinou-se para Edie e começou a brandir as mãos no ar. "Você estava cagando para as cartas, não era?" Então Inga se levantou, estendeu as mãos na direção da filha e segurou-a pelo braço. Sonia virou um rosto furioso para a mãe. Edie chorou mais alto ainda e Henry recostou-se na sua cadeira. Parecia genuinamente desconcertado.

"Muito bem", falei com voz estrondosa. "Eu acho..." Mas antes que eu pudesse continuar minha frase, Henry arquejou de leve e ouvi a porta atrás de mim bater contra a parede. Assombrado, me virei. Movendo-se ligeira em nossa direção, veio uma mulher grande e de cabelo desgrenhado, com ruge e batom cor-de-rosa brilhante no rosto carnudo e largo. Vestia um casaco cinzento e enorme, meias verdes e grossas cobertas apenas por sandálias, e uma touca de malha vermelha e branca que escondia em parte o que parecia ser uma peruca de cabelos louros e cacheados. Trazia duas bolsas da loja Macy e um guarda-chuva e tinha nos olhos uma expressão feroz.

"Dorothy!", disse Henry. "Que diabo está fazendo aqui?"

Linda ergueu as mãos. "Foi você", berrou ela, "foi você que bateu em mim!"

Edie levantou a cabeça e seus olhos, agora escurecidos pela maquiagem borrada e pelo borrão do delineador que havia escorrido, se arregalaram numa expressão de assombro. "Já vi você", disse ela. "Conheço você de algum lugar."

Dorothy levantou uma das bolsas e disse com voz clara e grave: "Estou com elas".

De repente entendi quem era, mas foi Inga quem disse: "Burton?".

Era Burton mesmo, a pele lustrosa de transpiração e já passando da hora de fazer a barba. O disfarce do homem nada tinha de formidável. Enquanto eu o fitava de boca aberta, me perguntei como alguém poderia pensar que ele era uma mulher, e todavia um momento antes ele ainda era alguém que eu não conhecia. Burton tirou o casaco num único gesto e depois, com um floreio, arrancou a touca e a peruca. Sua maquiagem continuou no rosto, porém, o que lhe dava um aspecto de palhaço. Ou tinha esquecido isso, ou talvez a tinta repulsiva não tivesse importância para ele. De uma das bolsas ele tirou um envelope de papel pardo e entregou para Inga, que continuou sentada na sua cadeira.

"Acontece", disse ele para Inga, curvando-se para falar com ela, e a bainha do vestido azul de Burton roçou na canela de Inga, "que se apresentou uma oportunidade para mim na forma de uma herança e, nesse novo estágio financeiro, perguntei a mim mesmo se poderia extrair daí algum benefício, além da minha própria satisfação com os confortos mais vastos que posso desfrutar agora que estou, eu diria, ligeiramente abonado, e me pareceu que eu poderia compensar aquela noite de quinta-feira, há muitos anos, quando eu...", Burton respirou fundo, "quando eu me humilhei na sua presença."

Inga ergueu a mão para o rosto borrado de Burton e o acariciou. "Não diga isso. Não tem importância. Eu nunca dei importância."

"Abra", disse ele, e depois, numa voz mais agitada do que jamais ouvira nele, exclamou: "Eu comprei. As cartas. São suas. É o meu presente, o meu... a minha expiação".

Inga olhou para baixo, na direção do envelope fino que estava no seu colo. Virou-o. "Estou com medo de ler as cartas." Fez uma careta. Ergueu os olhos para Burton e disse: "Devo ler?".

"Sinto muito, mas não estou em posição de responder essa pergunta", disse ele. "Ignoro seu conteúdo."

Meu amigo, o detetive particular amador travestido, havia espionado, seguido, xeretado, espreitado e iludido, mas o seu código de honra o impediu de ler as cartas cuja posse lhe havia custado um bom dinheiro. Quando se virou para mim, fiz um gesto para o bolso do meu casaco e depois para as minhas bochechas e a minha boca, a fim de induzi-lo a limpar o que fosse possível do que agora eram manchas muito úmidas e lustrosas no seu rosto. Prontamente ele retirou do bolso o seu lenço onipresente e começou a esfregá-lo para cima e para baixo sobre as bochechas e por cima da boca.

Com mãos trêmulas, Inga retirou as sete cartas do envelope. Tirou a primeira, olhou para ela e uma expressão de assombro atravessou seu rosto. De onde eu estava sentado, pude enxergar a caligrafia minúscula de Max. Ela pegou uma segunda e uma terceira carta, lançou um olhar de relance no alto de cada uma delas, depois passou para as seguintes, até que tinha passado os olhos rapidamente em todas elas. Inspirou fundo e falou para Edie. "Estão todas endereçadas para Lili, não para você."

"Bem, *eu* sou a Lili", respondeu Edie. "Eu *era* a Lili, de qualquer modo."

Os lábios de Henry se abriram com surpresa. "Sete cartas para o seu personagem. *Sete*", disse ele. "Há sete visões de Lili no início do filme; cada vez ela aparece diferente. Você alguma vez perguntou para ele por que escreveu para Lili, e não para você?"

Os olhos de Edie se arregalaram. “Não”, respondeu, balançando a cabeça. “São todas diferentes. Quero dizer, é como se ele estivesse escrevendo para pessoas diferentes.”

Henry balançou a cabeça. “O demônio astuto.”

“Sete encarnações”, falei.

“Então é *esse* o grande segredo com que você quis me enrolar?”, berrou Linda para Edie. “O grande furo jornalístico é que Max Blaustein escreveu cartas para uma pessoa que nem sequer existia?”

Sonia olhou para mim e depois para a sua mãe. Quando falou, sua voz soou estranhamente rouca. “Ele me dizia que ouvia aquelas pessoas falando, os seus personagens. Mesmo depois que terminava o livro, ele dizia, as pessoas continuavam em volta. É como se ele não quisesse que as histórias terminassem. Queria continuar a escrever as histórias. Acho que tinha esperança de que os personagens iriam mantê-lo vivo.”

Henry foi o primeiro a ir embora. Abraçou Inga e percebi que ela se afastou depressa do seu abraço. Inga apertou a mão de Linda e reiterou seu pedido de desculpas, com o que a mulher recolheu suas múltiplas camadas de agasalho e escapuliu pela porta. Inga, Sonia e Edie saíram juntas. “Nós três vamos conversar lá em casa”, me disse Inga. “O quarto está alugado até amanhã. Vocês dois podem ficar e tomar um drinque.”

E assim eu e Burton ficamos, pedimos uísque puro e nos acomodamos, um ao lado do outro, em duas poltronas macias. Meu amigo gorducho, de vestido e sandálias, não despertou o menor interesse no garçom, que nos serviu de um jeito educado e enfastiado, que deixava bem claro que ele tinha coisas mais importantes a fazer do que se importar com a gente, na certa precisava cuidar da sua carreira de ator. Foi então que Burton me contou sobre as muitas horas que havia passado nas ruas, na pele de Dorothy, sua segunda personalidade, uma mulher sem casa que ele batizara com o nome da menina de Kansas que viaja até a Terra de Oz. Chegou a pensar em dar ao seu *alter ego* o nome de outra personagem de Baum, a princesa que ele primeiro apresentou aos seus leitores como o menino Tip, e depois revelou tratar-se de Ozma, a princesa de Oz, que ficara encantada na forma do outro sexo. Enquanto conversávamos, compreendi que meu amigo tinha dentro de si territórios inteiros que eu jamais havia conhecido. Ela já não pensava mais em Dorothy como um disfarce, contou-me Burton, mas como aspectos dele mesmo que vieram à luz, tanto aspectos loucos quanto aspectos femininos. "Há um prazer deleitável, sim, positivamente palatável, a ser extraído da insanidade, Erik, de discurso maluco que emerge não se sabe de onde: são os meus traços de louco, suponho, suprimidos em alguma ocasião, que foram liberados na forma de uma disparatada grandiloquência oratória, dirigida a todos e a qualquer um. Eu me rejubilava, Erik, em meus seios falsos e no meu traseiro proeminente, na minha grande, gorda, desinibida mulheridade, enquanto perambulava pelas ruas da cidade. E até mesmo com a dor que vinha daí. Ah, sim, com a lúgubre, pesarosa invisibilidade da minha condição, sim, é isso, o efeito Ninguém, é assim que eu o chamo. Tão pouca gente olha para nós", disse Burton. "Hordas públicas cegas e surdas com sacolas de compras, pastas e mochilas passam por nós — essa é a sina, meu amigo, dos não vistos, dos desconhecidos, dos sem significado e dos esquecidos."

Quando perguntei por que Henry o havia chamado pelo nome, ou melhor, pelo seu outro nome, Burton me respondeu que enquanto ele rondava o prédio onde ficava o apartamento do professor universitário, Henry havia detido Dorothy na rua algumas vezes e perguntado se ela precisava de alguma ajuda. Burton confessou sentir certa culpa por aqueles incidentes. Ele devolveu o dinheiro trocado que Henry lhe deu, mas ficou comovido com a sua generosidade. Quanto a Edie, Burton achava que a vida dela era muito dura, uma contínua penitência por seus tempos de vida desvairada. O filho de Edie surpreendeu Burton como um garoto delicado, taciturno, difícil, e depois que acertou o trato comercial com ela, Burton teve certeza de que o dinheiro iria ajudar Joel também. Pode ser o meu mal-estar luterano acerca de dinheiro, mas reprimi a vontade de perguntar quanto tinham custado as cartas. No final da história, as vigílias de Burton o haviam deixado mais compreensivo com aqueles dois, mas ele reservara sua ira para a jornalista e admitia que Dorothy (Burton não disse "eu") tinha certa vez "golpeado de leve" a mulher ruiva com o seu guarda-chuva.

Estava escurecendo lá fora quando eu e Burton saímos do hotel, um pouquinho altos sob o crepúsculo, parados na calçada, lado a lado. A Morsa e o Carpinteiro, de Lewis Carroll, eu disse para mim mesmo. Enquanto esperávamos os táxis, olhamos para o centro da cidade, e sei que nós dois não pensamos no que estava lá, mas no que não estava, e nenhum de nós falou nada, enquanto olhávamos para o céu vazio acima da parte baixa de Manhattan. Vi Burton acenar para um táxi. Dorothy já estava quase toda desmontada, nessa altura. Sem a peruca, a maquiagem e o enchimento dos seios e das nádegas, sua masculinidade tinha sido restaurada, mas quando ele ergueu a perna para entrar no táxi, a aba do casaco comprido se abriu e por um instante vi de relance o vestido azul ondular por baixo. Tive então um pensamento que, assim que passou pela minha cabeça, me fez sorrir. Foi o seguinte: O homem está de fato se encontrando.

Três dias depois, quando saí do metrô, pensei ter visto Jeffrey Lane andando pelo Prospect Park, mas não tive certeza. Quando alguém ocupa uma presença subliminar na minha mente, quaisquer estranhos podem tomar a forma dessa pessoa. Vi Miranda algumas vezes durante as duas semanas seguintes, mas Eggy estava sempre com ela. Algo havia mudado entre Miranda e mim, no entanto, um adensamento no conhecimento que, todavia, nos mantinha separados. Não ficávamos embaraçados nem tímidos quando estávamos juntos. Era como se a confissão de Miranda tivesse ficado trancada num quarto que se tornara inacessível por meios comuns, uma câmara lacrada de que nos recordávamos, mas aonde não podíamos voltar. Eu sabia que ela estava trabalhando duro, desenhando noite adentro. Quando falava sobre os desenhos, sua voz se tornava veemente e seus olhos ganhavam um brilho febril que me deixava respeitoso e calado em sua presença. Quando pedi para ver o que ela andava fazendo, me disse para esperar.

Eggy levava a sua bola de barbante para toda parte, "por via das dúvidas". Sua professora na escola primária P. S. 321 deixava que Eggy pusesse a bola de barbante debaixo da carteira durante as horas que passava na escola e Miranda havia permitido que a filha estendesse o barbante no quarto, prendendo a luz do teto às luminárias da cama e à cadeira. "Não tem perigo nenhum, é só isso", me disse Eggy. "Não tem nada para eu tropeçar de noite. Tenho de poder sair no meio de um incêndio, sabe? É o que a mamãe diz." A menina estava sentada ao meu lado, mexendo na sua bola de barbante, enquanto falava. "Não quero ser queimada." Eggy apertou a bola com mais força. "Às vezes as pessoas ruins pegam fogo de uma hora para outra. Elas não precisam nem de fósforo para acender."

Virou seu rosto pequeno e feroz para o meu, como se estivesse me desafiando.

"Não, Eggy", falei. "As pessoas não pegam fogo assim do nada, sem um fósforo. Alguém contou isso para você?"

"A babá da Frankie disse que Deus faz as pessoas ruins pegarem fogo."

"Sei, mas isso não é verdade."

Eggy trouxe a bola para junto do seu nariz e apertou-a contra o rosto. Em seguida sussurrou: "Eu sou má".

Ficamos conversando sobre sentimentos ruins e sentimentos bons. Enfatizei que todo mundo tem os dois sentimentos, que ter maus sentimentos não faz uma pessoa ser má. Não sei se essas banalidades terapêuticas fizeram algum bem, mas quando Miranda chamou a filha, Eggy parecia estar aliviada. Sei que aquilo que é dito costuma ser menos importante do que o tom de voz em que as palavras são ditas. Existe música no diálogo, harmonias e dissonâncias misteriosas, que vibram no corpo como um diapasão.

À época do aniversário da morte do meu pai, eu voltava do trabalho para casa nas noites escuras de novembro. Nas folhas pautadas do meu caderno, eu anotava um sonho depois do outro, e neles o meu pai, que eu suponho morto, ainda está vivo. Ele fica sentado no fundo da sala durante uma palestra sobre neurociência na rua Oitenta e Dois Leste. Eu o vejo de trás enquanto ele escreve em seu escritório, mas ele não consegue me ouvir quando o chamo. Acho meu pai rígido e inerte num sofá e no entanto, quando me aproximo, ele pisca os olhos. Toda vez que eu acordava de uma dessas visões noturnas, me lembrava das outras, que haviam provocado a mesma inquietação, uma ambivalência calibrada de modo tão meticuloso que eu tinha a sensação de que todos os lados da tensão emocional podiam ser matematicamente medidos em metades exatas. À diferença da presença espectral em Minnesota, aquelas figuras paternas não falavam nada. Eram mudas, surdas e mal respiravam. Quando falei sobre elas para Magda no dia em que fui vê-la, ela disse que as minhas descrições a levavam a pensar na expressão "beco sem saída".

*Muitas horas da minha infância foram consumidas com meu pai enquanto ele se dirigia para o trabalho. Eu ficava sentado no seu colo enquanto ele arava, eu ficava no alto da semeadeira enquanto ele semeava, e eu andava trôpego atrás dele e tropeçava em montinhos de terra enquanto ele caminhava devagar. No inverno, sob a luz fraca do lampião de querosene, meu pai ordenhava as vacas no estábulo, enquanto eu ficava sentado ao seu lado e lhe fazia perguntas. Um gato podia ganhar uma briga contra um esquilo? Por que as jaritatacas invadiam os galinheiros? Por que havia touros perigosos, se as vacas não ofereciam perigo? Quantas cascavéis meu pai tinha matado e qual era a maneira mais segura de fazer isso?*

"Papai, como é que a gente sabe que vai nevar?"

"Papai, por que saliva de gafanhoto é como a de quem fuma tabaco?"

"Papai, como é que o capim pinica a gente quando está pegando fogo?"

Eu adorava fazer perguntas para o meu pai. Eu era curioso, mas agora me pergunto se também não sabia que ele adorava que eu fizesse perguntas, que ele adorava a adulação que sentia vir de mim quando eu lhe perguntava, que as perguntas eram uma repetição daquilo que ele adorava fazer quando criança e do que ele havia se tornado: a encarnação do pai gentil que escutava e respondia durante as sessões de ordenha no estábulo. A resposta era menos importante que a pergunta. As respostas do meu pai muitas vezes eram compridas, complicadas e eu não as compreendia, mas gostava de estar perto dele, gostava do seu cheiro, da sensação da sua barba. *Foi duro para ele quando você cresceu.* "Ele tem mau humor", disse a tia Lotte para minha mãe certa vez. "Você vai ver."

"Eu gostaria de conseguir lembrar mais", falei para Magda. "Há uma névoa sobre as coisas." Meu pai está na horta, a horta que era grande demais e produzia muito mais do que a família podia consumir. Eu ouvia minha mãe dizer: "Não sei o que fazer com todos esses feijões". "Vão para os vizinhos", meu pai sempre respondia, como se estivéssemos de volta ao campo, onde raramente havia comida bastante, onde eles enlatavam e armazenavam o que tinham para suportar o longo inverno, quando as estradas ficavam bloqueadas por semanas, às vezes durante meses seguidos. Eu o observava capinar com a mão ligeira ao redor dos talos dos pés de milho, via os campos e o horizonte atrás dele. "A horta era a fazenda", eu disse para Magda. "Ele estava fazendo a mesma coisa de novo, e fazia direito." Eu o via parar de capinar e erguer-se, eu via meu pai virar-se para a mata com as mãos enfiadas bem fundo nos bolsos e via uma expressão de tristeza no seu rosto. Meu pai não sabia que eu estava olhando para ele da garagem e eu não podia ir até ele. Nós não nos intrometíamos. A intromissão significaria que eu sabia, e eu não podia saber que ele sofria. "Ele nunca saía da fazenda", falei. "Estava sempre tentando consertar, reparar, restaurar e refazer."

*A Depressão parecia não terminar nunca. Além do mais houve anos de seca, quebras de safras e pastagens secas. Quando a chuva finalmente caía, só a erva daninha crescia. Ventos de sudoeste de alta velocidade traziam poeira do Nebraska e de Dakota do Sul e talvez até de lugares tão distantes como Oklahoma. O sol desaparecia durante dias. Poeira, camadas de poeira recobriam tudo em toda parte. Os animais da fazenda ficavam com feridas na boca de tanto comer capim coberto de areia. As pessoas cuspiam saliva preta e diziam que as coisas andavam ainda piores mais a oeste.*

Magda escutava enquanto eu lia a passagem para ela; seu rosto velho tinha se enrugado naquela expressão concentrada que eu me lembrava dos anos em que havíamos estado juntos.

"É como se eu estivesse procurando alguma coisa", falei, "mas não sei o que é. Alguma coisa que vai me libertar."

"Da depressão", disse ela.

Olhei para Magda.

"E da culpa, e do mau humor quando o sol desaparece durante dias, e do seu pai, que se recusa a morrer."

Eu quis chorar naquele momento. Senti a tensão no meu peito e a pressão no nariz e nos olhos, e a contração em redor da boca, mas tive a sensação de que não iria mais parar, se começasse a chorar, e fechei os olhos a fim de reprimir a emoção.

"Em um dos seus ensaios", disse Magda, "Hans Loewald escreveu o seguinte: 'O trabalho da psicanálise pode transformar fantasmas em antepassados'."

Não fiz nenhuma anotação no dia em que Eggy caiu, mas lembro a estranha cadência da voz de Miranda na mensagem que deixou para mim e lembro exatamente onde eu estava parado, debaixo da chuva fria, na rua Catorze Leste. "Eggy caiu na casa do Jeff. Machucou a cabeça. Está na emergência pediátrica do Hospital Bellevue. Puseram um tubo nela para poder respirar. Vão fazer uma tomografia computadorizada." Ela parou de falar nesse ponto e não ouvi nada por alguns segundos. "Erik, ela está inconsciente." Miranda não se despediu e não me pediu que fosse lá. *Na casa de Jeff. Eggy caiu na casa do Jeff.* Assim que ouvi essas palavras, uma acusação informe contra Lane se ergueu dentro de mim, e a nuvem de possibilidades sinistras que sempre havia pairado sobre ele se tornou mais densa. Caçador de tocaia, ladrão, impostor. Lembrei-me do dedo ensanguentado de Miranda, do rosto de Lane no espelho do meu corredor enquanto ele fazia o seu solilóquio. Lembrei-me da invasão da minha casa, da fotografia, do martelo, e meu coração começou a bater mais depressa. Vi Eglantine no chão, inconsciente, vi os socorristas se curvando sobre seu corpo enquanto a entubavam.

Quando me voltei para a rua a fim de chamar um táxi, continuei a história de Eggy em minha mente e, embora soubesse que era irracional sequer imaginar um desenlace antes de obter mais informações, eu a vi morta na UTI, vi uma mulher com uma prancheta sentar-se ao lado de Miranda e explicar com voz abafada a respeito da doação de órgãos. A decisão tinha de ser agora. No táxi, reconstituí tudo o que eu podia lembrar sobre a escala de coma de Glasgow e sua relação com taxas de recuperação, as possíveis sequelas após uma lesão na cabeça — convulsões, deficiências cognitivas, problemas de memória, alterações de personalidade. Eu não era um especialista. Assim que eu soubesse o que havia acontecido, telefonaria para Fred Kaplan — era só isso o que ele fazia na vida, lesões na cabeça, dia e noite.

Enquanto eu atravessava as portas e avançava pelo corredor, me dei conta de que estava rezando — a prece automática, indiferente, de um descrente que suplica à divindade perdida da infância que interfira em seu socorro. *Por favor, deixe a criança viver. Por favor, deixe que ela fique boa*. Eu já havia atravessado as portas do hospital centenas de vezes. Tinha visto centenas de pacientes em apuros terríveis, mas um dos segredos do bom tratamento é não enfatizar demais, manter a cabeça no lugar, ficar calmo. Eu não estava calmo, e não era um simples alarme por causa da situação de Eglantine. Havia raiva nos meus passos, raiva na minha barriga e no meu peito, e a prece se transformou num cântico contra Lane. *Monstro, mau pai, merda*. Avancei pelo corredor a passos largos, uma fúria ritmada me empurrava para a frente. Totalmente absorto, esbarrei numa velha que se deslocava devagar numa cadeira de rodas. Curvei-me e pedi desculpas. Ela ergueu o rosto murcho para mim, sorriu e disse com um forte sotaque que não consegui identificar: "Não foi nada, meu filho".

Sua voz me fez parar. Ele me chamou de "seu filho", como

se de repente eu tivesse perdido muitos anos e uns setenta centímetros. Achei o banheiro masculino mais próximo, enfiei-me lá dentro e me abriguei numa cabine durante alguns minutos, onde fiquei sentado, com a cabeça nas mãos, enquanto ouvia um homem fazer xixi no mictório do outro lado da porta. Minha raiva virou desespero por trás daquela porta. Eu me senti arrasado. Ainda agora, não consigo interpretar com nenhuma precisão a tristeza avassaladora que me dominou. Não era a dor da compaixão; era vergonha e aflição por mim mesmo e uma sensação sinistra de repetição suscitada pelas expressões vingativas que me haviam empurrado, uma após a outra, rumo à emergência pediátrica.

Quando me sentei ao lado de Miranda, ela mal se mexia, e quando me contou a história da queda de Eggy, falava para o chão. Observei suas mãos tensas sobre o colo, com os dedos compridos e as unhas curtas. Lane tinha pegado a filha na escola depois da aula e levou-a para o seu apartamento, como fazia uma sexta-feira sim, outra não. Lane estava no telefone conversando com seu agente enquanto Eggy brincava com seu barbante no quarto contíguo. Por causa do calor excessivo no prédio, ele tinha deixado a janela do seu quarto aberta. Enquanto Lane conversava ao telefone, Eggy deve ter ficado amarrando as coisas umas nas outras. Ele ouviu o seu grito, correu para o quarto, viu a janela aberta, o barbante amarrado do pé da cama até a escada de incêndio, e a filha estirada lá embaixo. A queda do apartamento de Lane no primeiro andar na avenida A não foi de muito alto, mas a menina deve ter batido com a cabeça e perdeu a consciência imediatamente. Miranda levantou o queixo e falou para a parede. "Ele não estava prestando atenção", disse. Ela hesitou: "Quantas vezes deve ter se descuidado". Sua voz se afundou no fim da frase. Não era uma pergunta.

"Onde ele está agora?", perguntei.

Ela balançou a cabeça. "Esteve aqui. Prometi ligar para ele. Agora eu não quero olhar para ele. Sei que ele não tinha a intenção. Só que agora eu não consigo nem pensar em olhar para a cara dele." Apertou as mãos com mais força. "Erik, assinei um documento dizendo que podiam pôr alguma coisa dentro do crânio dela. Queriam saber se é alérgica a iodo."

Tudo estava sendo feito. A expressão era essa. Enquanto eu estava sentado na sala de espera ao lado de Miranda, me vi no lado inerte da medicina, onde nem o heroísmo nem o fracasso são possíveis, onde o tempo se expande e os números comuns de um relógio não podem registrá-lo. A cada hora de coma, o prognóstico piora. Há exceções, até milagres, mas são raros. E assim, ficamos esperando. As paredes quase vazias, os odores bolorentos, o tagarelar sem sentido, os ruídos de pios e apitos de aparelhos eletrônicos, o rosto redondo do homem com tranças rastafári na cadeira à minha frente e a incômoda luz artificial do hospital produziam um efeito quase hipnótico enquanto esperávamos. Por um tempo, fiquei olhando para um saco de batata frita rasgado e amassado, azul e amarelo, embaixo de uma cadeira vazia, e depois para o cilindro vermelho do extintor de incêndio. O terrível acúmulo de informação sensorial sem sentido se tornou uma presença pesada no meu corpo, que seria enfadonha se não fosse pela minha subjacente ansiedade para saber. Os pais de Miranda e duas irmãs tinham chegado na hora em que o neurocirurgião, o dr. Harden, surgiu, mas ele não podia nos dizer o que ia acontecer, só o que já tinha acontecido. O grau do coma de Eggy era 10. Suas pupilas estavam normais. Não tinha ossos quebrados, só algumas escoriações e inchaços. Recebera uma dose de rocurônio, um medicamento paralisante, a fim de mantê-la quieta, que já havia começado a perder o efeito. Um respirador mantinha sua respiração. A tomografia computadorizada não havia mostrado nenhuma contusão nem hematoma, um alívio enorme, mas havia algum edema, algum inchaço. Ligeiro, disse o médico. No entanto, ele não tinha certeza do que aquilo significava. Queria tomar todas as precauções, e continuariam fazendo exames, por isso havia introduzido um cateter para medir a pressão intracraniana, que no momento estava normal. Ele parecia ter a minha idade e o jeito confiante, enérgico, de um especialista no seu campo. O tom de voz era de solidariedade, no entanto me senti irritado por um traço de frieza nos seus olhos, que mais tarde me dei conta de que podia significar apenas exaustão. Contudo eu sabia que o homem via aquilo que estava habilitado para ver.

Quando deixaram Miranda entrar na UTI, ela viu outra coisa. Viu a filha de seis anos deitada num ângulo de trinta graus sobre uma maca, com a cabeça parcialmente raspada, uma bola vermelha e marrom de betadina em volta do furo que tinha sido aberto no seu crânio com uma broca. Viu um emaranhado de equipamentos de monitoração sem nome, tubos e fios e máquinas ligados ao rosto da sua filha, braços, peito, nariz e garganta. Viu os arranhões na testa de Eggy e a contusão no seu braço nu e viu que a filha jazia num sono traumático, do qual algumas pessoas nunca despertam. Quando Miranda voltou, andava muito devagar, os lábios comprimidos um contra o outro e, quando se aproximou de nós, eu a vi inclinar-se de repente para o lado e esticar a mão para a parede a fim de recobrar o equilíbrio. Levantei-me, mas o pai dela passou a minha frente e ajudou a filha a sentar-se numa cadeira.

Lane chegou poucos minutos depois. Seu rosto estava vermelho e inchado, e quando seus olhos encontraram os meus não vi o menor sinal de reconhecimento. Passou direto por mim e depois se ajoelhou diante de Miranda. Ela não voltou os olhos para ele. Lane sussurrou para ela num tom desesperado: "Desculpe. Desculpe". Virei a cabeça para o outro lado e me vi olhando direto para o pai de Miranda.

Em seguida, ouvi Miranda dizer com voz de comando: "Levante e sente".

Quando me virei e olhei na sua direção, vi que Lane tinha obedecido e desabara ao lado dela, com a cabeça entre as mãos.

E assim ficamos de vigília por um lúgubre espaço do presente em curso, um intervalo destituído de qualquer significado, a não ser por estar suspenso entre a queda de uma criança e algum momento futuro, quando viríamos a saber.

Miranda voltou para junto de Eggy na UTI e portanto deve ter ouvido quando disseram que havia alívio, melhora, que Eglantine estava saindo daquele estado. Miranda estava lá quando a filha a reconheceu e estava lá quando o dr. Harden declarou a sua opinião de que a situação parecia boa, muito boa, melhor do que esperava. Vi Jeffrey Lane chorar de felicidade quando recebeu a notícia e vi os pais de Miranda se abraçarem e depois as filhas deles. Eu sabia que não havia acabado, que mesmo que se recuperasse inteiramente, Eggy viveria com a história da queda dentro de si. Ela seria modificada por aquilo.

Quando saí do hospital, estava nevando — flocos grandes e molhados, que iriam deixar a calçada e a rua brancas só por um breve intervalo —, mas a neve era linda e, quando parei para vê-la cair, iluminada pelas luzes dos prédios contra o escuro do anoitecer, me pareceu estar diante de um momento em que a fronteira entre o interior e o exterior se afrouxa e não existe solidão, porque não existe ninguém para estar sozinho. *Depois da primeira grande tempestade de neve*, escreveu meu pai, *ficamos isolados pela neve até a primavera*. Lembrei-me do grande monte de neve junto à porta da frente da nossa casa, da geada na janela, com seus desenhos complicados, do meu nariz encostado no vidro gelado e das vastas dunas brancas formadas pela nevasca durante a noite. A estrada Dunkel ficou invisível. O mundo conhecido tinha desaparecido. "Quando Lars morreu, estava nevando", dizia minha mãe. "Eu estava olhando a neve cair pela janela. Ela caía na vertical, sem parar. Uma mudança, como uma sombra, passou sobre ele; pareceu subir pelo seu corpo, chegou ao pescoço e se moveu para o queixo, o nariz, as faces, a testa, acima da testa, e então eu soube que ele tinha morrido." Na noite em que Eglantine despertou, estava nevando. Ingeborg era tão pequena, dizia o meu avô, que a enterraram numa caixa de charutos. Em algum lugar nos vinte acres do campo, *longe de casa*, estão enterrados os ossos de um bebê natimorto. Meu pai cava a cova. Uma criança em gestação fala de dentro da sua mãe em Cut Hill e o feitor de escravos inglês cai morto no chão. O tio Richard está morrendo numa rua na zona oeste de Kingston. Meu tio-avô David caminha capengando pela avenida Hennepin, sob a neve, em seus cotos, calçando os sapatos feitos especialmente para ele. Consegue entrar no saguão do hotel e depois tem um colapso. Foi o coração, não o frio. *O rei Eduardo e a sra. Wallis Simpson*. Vejo Dorothy dando explicações na rua, pontificando sobre a situação do mundo, a oradora disparatada. O caro, velho e suado Burton, o homem da memória, o salvador das damas em apuros, ele mesmo uma dama, em luto pela morte da mãe, a mulher que era a sua mãe antes de sofrer um derrame, a mulher de "outrora". Meu pai está falando no seu octogésimo aniversário. Ele começa com o pequeno anúncio no jornal: *Gato perdido. Marrom e branco, pelo ralo, orelha esquerda cortada, cego de um olho, sem rabo, manco da pata dianteira direita. Infor-*

*mações para o nome de Lucky*. Eu ouço todos rirem na sala. Vejo Laura rindo do outro lado da mesa e sinto a sua bunda quente sob as minhas mãos na cama. A cabeça de Miranda está sobre o meu ombro. Vejo as suas ruas sonhadas e a sua casa sonhada com seus quartos inquietantes e sua mobília curiosa. Vejo uma mulher deitada embaixo de um homem lutar por um instante sob o seu abraço. Fico de pé diante da cômoda de Miranda com uma enorme vontade de olhar o que há lá dentro, tocar seus objetos. Um homem golpeia sua escrivaninha com um machado e encontra manuscritos no seu interior. *Como o corpo do seu pai, que revela segredos*. Vejo a escrivaninha do meu pai em perfeita ordem: clipes de papel, munição, chaves desconhecidas. O armário de Sonia agora está uma bagunça. Ela espalha as roupas pelo quarto inteiro e Arkadi abre à força a cômoda no meio do quarto amplo e não encontra nada a não ser uma voz. Ele pega o trem e vê uma mulher que parece a Lili, mas não é a Lili, é uma outra pessoa que vai atrair a sua imaginação, uma criatura da sua invenção. Quando foi isso, eu penso, faz só uns três dias. Inga leu a primeira carta em voz alta para mim, sua voz tremia: "Querida Lili", escreveu Max. "Escrevo para você agora naquela outra pessoa, aquela que durante todos esses anos tem escrito para poder sobreviver. Ele não vivia para escrever. Escrevia para viver. Há dias em que não há mais nenhuma história dentro dele, quando ele tem a sensação de que não pode mais aguentar. Há dias em que tem a sensação de estar morto. Não consegue dizer para mais ninguém. Diz isso para você porque você tem a armadura que ele lhe deu, porque você não pode vê-lo, porque você não sabe quem ele é. Não sabe que ele está morrendo." Mas Edie devia estar sabendo que Max estava atrás de uma fantasia, que ele escrevia para uma outra pessoa, para uma mulher de um filme, uma mulher que ele nunca iria encontrar.

Talvez você amasse Miranda porque sabia que não poderia

encontrá-la, falei para mim mesmo, e isso evitou que fosse adiante e o deixou trêmulo com a srta. L. nos degraus da entrada, diante da porta fechada. *Trancada. As pessoas precisam ser vistas.* O sr. R. ergue os olhos e vê o tapete na parede do meu escritório. Algo se rompeu dentro dele. A *Depressão parecia que nunca ia terminar.* Vejo meu pai andando pelo campus com suas passadas largas, e ele não me reconhece. Passa pelo filho, mas não está olhando para mim naquele momento. Está triste demais para me ver, absorto em mágoas antigas, que retornam sem parar. *É alguma coisa sobre o papai.* Inga está conversando sobre o Max. *Temos personalidades diferentes ao longo da vida.* Meu pai está contando sua história sobre a fazenda, seus tempos no exército, suas viagens, seu trabalho, fala sobre as pessoas que conheceu e amou, e sobre nós, sobre a minha mãe, sobre Inga e mim. O discurso parece ter chegado ao fim. Meu pai faz uma pausa. Seus olhos estão brilhando de bom humor. "E é por isso", diz ele, "que atendo pelo nome de Lucky." É novidade, diz Sonia, referindo-se ao fato de estar apaixonada. É novidade. O Mundo Novo. Um abrigo subterrâneo no pasto. O desaparecido. *Seu cadáver desabitado tinha perdido o homem que eu conhecia.* Joel nunca vai conhecer o pai. *Um beijo, papai.* Minha mãe jovem se curva sobre o corpo do pai. A guerra ainda está em curso. As guerras estão encarniçadas. Homens e mulheres estão encarniçados. Meu pai dorme numa trincheira escavada na praia, enquanto os foguetes explodem à sua volta. *Nossos bravos rapazes e moças em uniforme combatendo pela liberdade.* Uma casa de toras de madeira pega fogo. Uma menininha é salva de uma casa em chamas. *A gente limpou sepulturas direitinho, não foi?* As torres estão em chamas. *Pessoas más pegam fogo sozinhas. Não, não pegam fogo.* Meu pai corta três árvores. Seu punho cerrado arrebenta e atravessa o teto baixo acima da sua cama estreita. Meu avô chora dormindo e seu filho mais novo o sacode para acordá-lo. Lane viu aquilo em mim. Ele viu a violência, a violência que meu pai queria banir, mas não conseguia. A estrada não é comprida o bastante. O oficial japonês desaba sobre o capim alto. Sarah pula, cai. Eggy cai. Sonia olha pela janela. Gente pula, cai. Estão em chamas. Os prédios caem. *Wo ist mein Schade Star*. Os mortos estão falando e o sr. T. está ouvindo. Nós ouvimos vozes. Ouço meu pai dizer o nome da minha mãe. Ele diz *Marit*. Diz o nome de novo. Eu o vejo quando ele se inclina por cima do seu casaco num quarto estreito em Oslo, enquanto retira metodicamente os fiapos claros grudados no tecido escuro. "*Se me dissessem que eu só poderia guardar uma lembrança...*" Paro e observo a neve, e tudo está acontecendo ao mesmo tempo. Não pode durar muito, digo, este sentimento não pode durar, mas não tem importância. Está aqui agora. No desenho, a menininha tem asas. O coma está abrandando. Minha irmã está deitada na grama. Beije-me, beije-me, para eu poder acordar. E então vejo a srta. W. no fim da nossa última sessão. Está sorrindo para mim e usa de novo a palavra *reencarnação*. "Não depois da morte, mas aqui, quando estamos vivos." Estende a mão e eu a seguro. Ela diz: "Vou sentir falta de você".

"Também vou sentir falta de você."

# Agradecimentos

Há muitas pessoas que, de uma forma ou de outra, contribuíram para a redação deste livro. David Hellerstein, Daria Colombo e Ann Appelbaum me forneceram informações sobre o dia a dia do trabalho dos psiquiatras. Monica Carsky me contou sua experiência de psicoterapeuta. Rita Charon, chefe do Departamento de Medicina Narrativa da Faculdade de Medicina da Universidade Columbia permitiu gentilmente que eu assistisse às suas aulas para alunos de medicina e depois me incluiu no programa de palestras do departamento. Eu queria agradecer a Frank Huyler e Richard Siegel por seus conhecimentos em atendimento médico de emergência.

Mark Solms me apresentou ao mundo da neuropsicanálise, primeiro por meio dos seus livros e depois pessoalmente. Convidou-me para as palestras mensais de neurociência no Instituto Psicanalítico de Nova York e para o pequeno grupo de discussão que se seguia. Tenho de agradecer a todos os pesquisadores, psiquiatras e psicanalistas que frequentavam esse grupo, mas quero mencionar alguns dos mais constantes: Maggie Zellner, David Olds, Jaak Panksepp e, em memória, Mortimer Ostow. Agradeço a David Pincus, também membro do grupo, por sua conversa contínua comigo, por e-mail, sobre mentes e cérebros.

O conhecimento de George Makari sobre filosofia e história da medicina bem como sua experiência como psiquiatra e psicanalista foram inestimáveis para mim.

Quero agradecer a Dawn Beverle, minha supervisora na Clínica Psiquiátrica Payne Whitney, onde trabalho como professora voluntária de redação para os pacientes uma vez por semana.

Sou grata a todos que compareceram às minhas aulas. Lecionar nessa oficina de redação tem sido uma experiência muito rica para mim e, sem os meus alunos, eu não me sentiria tão próxima das histórias de gente que luta contra a dor da doença mental.

Jacquie Monda e Edna e George Thelwell merecem minha gratidão por me ajudar a achar informações sobre a Jamaica, bem como por me contar suas próprias histórias daquele país.

Minha maior dívida, porém, é com o meu pai, Lloyd Hustvedt, que morreu em 2 fevereiro de 2003. Perto do fim da vida, perguntei-lhe se podia utilizar partes das memórias que ele havia escrito para a família e os amigos no romance que eu então estava começando a escrever. Ele me deu sua permissão. As passagens deste livro apresentadas como trechos das memórias de Lars Davidsen são extraídas diretamente do texto do meu pai, com poucas alterações editoriais e mudanças de nomes. Nesse sentido, após a morte, meu pai se tornou meu colaborador. A história do meu tio-avô David também é verdadeira e a reportagem de um jornal sobre "David, o homem do lápis" é reproduzida de modo textual. Apesar desses empréstimos diretos, combinei livremente, no romance, histórias imaginárias com outras reais.

ESTA OBRA FOI COMPOSTA PELO GRUPO DE CRIAÇÃO EM ELECTRA E
IMPRESSA PELA GEOGRÁFICA EM OFSETE SOBRE PAPEL PÓLEN SOFT
DA SUZANO PAPEL E CELULOSE PARA A EDITORA SCHWARCZ
EM JANEIRO DE 2010